DANIEL VON CZEPKO

WELTLICHE DICHTUNGEN

DANIEL VON CZEPKO

WELTLICHE DICHTUNGEN

HERAUSGEGEBEN

VON

WERNER MILCH

1963

WISSENSCHAFTLICHE BUCHGESELLSCHAFT

DARMSTADT

Mit Genehmigung der
Vereinigten Universitäts- und Fachbuchhandlungen, Köln,
herausgegebene Sonderausgabe

Unveränderter fotomechanischer Nachdruck der Ausgabe Breslau 1932
(Einzelschriften zur Schlesischen Geschichte 8)

Druck und Einband: Wissenschaftliche Buchgesellschaft, Darmstadt
Printed in Germany

Inhalt.

Vorwort.

Das Vorwort zum ersten Bande meiner Ausgabe der Werke Czepkos (Daniel von Czepko, Geistliche Schriften, Breslau 1930) kündigte einen zweiten Band an, der außer den weltlichen Schriften Czepkos eine Monographie des Dichters enthalten sollte. Im Verfolg der Arbeit mußte der Plan in zweifacher Weise verändert und erweitert werden. Es erwies sich zunächst als untunlich, die Sammlung der weltlichen Schriften Czepkos durch die nur als Silesiaca zu bewertenden politischen Arbeiten zu belasten. Eine Auswahl aus den wichtigsten Arbeiten dieser Art wird in einem der nächsten Jahresbände der „Zeitschrift des Vereins für Geschichte Schlesiens“ und, sofern die Zeitverhältnisse es gestatten, dann auch als Ergänzungsheft separat erscheinen. Der vorliegende Band stellt sich somit lediglich als eine Auswahlsammlung der weltlichen Dichtungen Czepkos dar. Weiterhin aber ergab sich, daß der vorgesehene Raum von zehn Druckbogen in keiner Weise ausreichte, um ein auch nur annähernd vollständiges Bild der Persönlichkeit Czepkos zu geben: Die Universalität des Mannes, der nicht nur ein fruchtbarer Dichter, sondern Mediziner und Jurist, Verwaltungsbeamter und Diplomat, Politiker und Historiker, gleichzeitig gelehrter Humanist und religiöser Schwärmer, daneben Bergmann, Landwirt und in beinahe allen diesen Berufen und Tätigkeiten ein emsiger Schriftsteller war, verlangte eine gewisse Breite der Darstellung. So wird heute an Stelle des vorgesehenen vierzig Bogen starken Buches ein reiner Textband vorgelegt, dem im Laufe des Jahres 1932 ein abschließender monographischer Band, der in der Handschrift bereits vorliegt, folgen wird. Die liebenswürdige Aufnahme, die der erste Band auf fachmännischer Seite gefunden hat, berechtigt den Herausgeber zu der Hoffnung, daß die Erweiterung des ursprünglichen Planes die Zustimmung der Literarhistoriker finden wird.

Weil der dritte, monographische Band die wichtigsten Erklärungen in sich aufgenommen hat, ist die vorliegende Auswahlsammlung nur mit den allernötigsten Anmerkungen versehen worden. Eine Einleitung, wie sie dem ersten Bande beigegeben ist, erschien nicht notwendig, da die Gedichte im Zusammenhang der Tradition des XVII. Jahrhunderts ohne weiteres verständlich sind.

Bei der Auswahl der einzelnen Stücke war der Herausgeber vor die Entscheidung gestellt, zugunsten der kleineren Gedichte das Epos „Coridon und Phyllis" nur im Auszuge drucken zu lassen oder auf eine Reihe kleinerer Verszyklen und Einzelgedichte zu verzichten. Der zweite Weg wurde gewählt, nicht nur, weil „Coridon und Phyllis" Czepkos weltliches Hauptwerk ist, sondern auch darum, weil dieses große epische Gedicht eine Fülle wichtiger, neuer Erkenntnisse vermitteln kann. Die kleineren Gedichte hingegen konnten ohne Sorge, daß das Bild Czepkos unnütz verdunkelt werden würde, in strenger Auswahl für den Druck gesichtet werden: Die Themengruppen wie die Formen sind begrenzt und es sind stets die gleichen Gedankenkreise, in denen die Werke sich bewegen. So konnten aus den sechs Büchern der „satyrischen Gedichte" etwa die Hälfte aller Epigramme fortbleiben, weil sie bereits Gesagtes in weniger geglückter Form wiederholen. Ebenso genügt der Abdruck der „Drey Rollen Verliebter Gedancken" und des „ersten Bundes" der in der Handschrift Fragment gebliebenen „Unbedachtsamen Einfälle", um Czepkos lyrische Sonderart darzustellen. Darüber hinaus bemüht sich die am Ende des Buches getroffene Auswahl vermischter Gedichte, alle Möglichkeiten lyrischer Gestaltung, die Czepko gegeben waren, in Beispielen zu erschöpfen, indem das spielerische Epigramm, das schwerfällige Widmungsgedicht in Alexandrinern, das epigrammatische Gedicht und am Ende das flüssige Verslied erscheinen. Über die geistlichen Lieder, die der Herausgeber teilweise dem Sohne Czepkos, Christian Deodat, zuzuschreiben geneigt ist, wird die Biographie orientieren. Es scheint keiner Entschuldigung zu bedürfen, daß manche ungedruckte Werke Czepkos dieser Ausgabe nicht einverleibt worden sind, während zwei im Druck vorliegende Stücke, die „Pierie" und die „Drey Rollen verliebter Gedancken" erneut zum Abdruck kamen. Der alte Druck der

„Pierie“, die als einziges dramatisches Werk des Dichters unentbehrlich ist, ist nur in wenigen Exemplaren erhalten, und der Neudruck der „Drey Rollen“ ist, wie der Variantenapparat zeigt, nicht fehlerfrei.

Für die Textgestaltung waren die gleichen Gesichtspunkte maßgebend, die beim ersten Bande Anwendung fanden. Der Nachweis, daß alle Handschriften voneinander abhängig sind, fordert das Zurückgehen auf die älteste Gruppe, die diplomatisch getreu wiedergegeben in jedem Falle die Vorlage bildet. Einige Schreibfehler sind ausgemerzt, wenn sie sinnwidrig waren. Eckige Klammern deuten Einfügungen des Herausgebers an. Für „Coridon und Phyllis“ sind die Varianten der in der Reichsgräflich von Hochbergschen Majoratsbibliothek in Fürstenstein lagernden Handschrift vermerkt.

Mit Freude unterzieht sich der Herausgeber der Pflicht des Dankes an alle, die sein Unternehmen freundlich unterstützt haben. Wieder gilt dieser Dank zuerst der Stadtbibliothek Breslau, die in liebenswürdiger Weise ihre Bestände an kostbaren Handschriften zur Verfügung gestellt hat. Das Privatsekretariat Sr. Durchlaucht des Fürsten von Pleß konnte zwar die ihr unterstellten Handschriften der Reichsgräflich von Hochbergschen Majoratsbibliothek nicht nach Breslau entleihen, sodaß die Herstellung des Variantenapparates erhebliche Schwierigkeiten machte; jedoch gestattete die Verwaltung die Benutzung der dem Publikum sonst nicht zugänglichen Bibliotheksräume auf Schloß Fürstenstein. Ich wiederhole ferner den im ersten Bande meiner Ausgabe ausgesprochenen Dank an die Deutsche Forschungsgemeinschaft, die Historische Kommission für Schlesien und den Herrn Verleger. Für mannigfachen wertvollen Rat bin ich Herrn Stadtbibliotheksdirektor i. R. Professor Dr. Max Hippe und meinem Freunde Curt Vogt verpflichtet. Und wieder habe ich dankbar festzustellen, daß meine Frau mir bei der Arbeit unentbehrliche Hilfe leistete.

Breslau, im März 1932.

W e r n e r M i l c h.

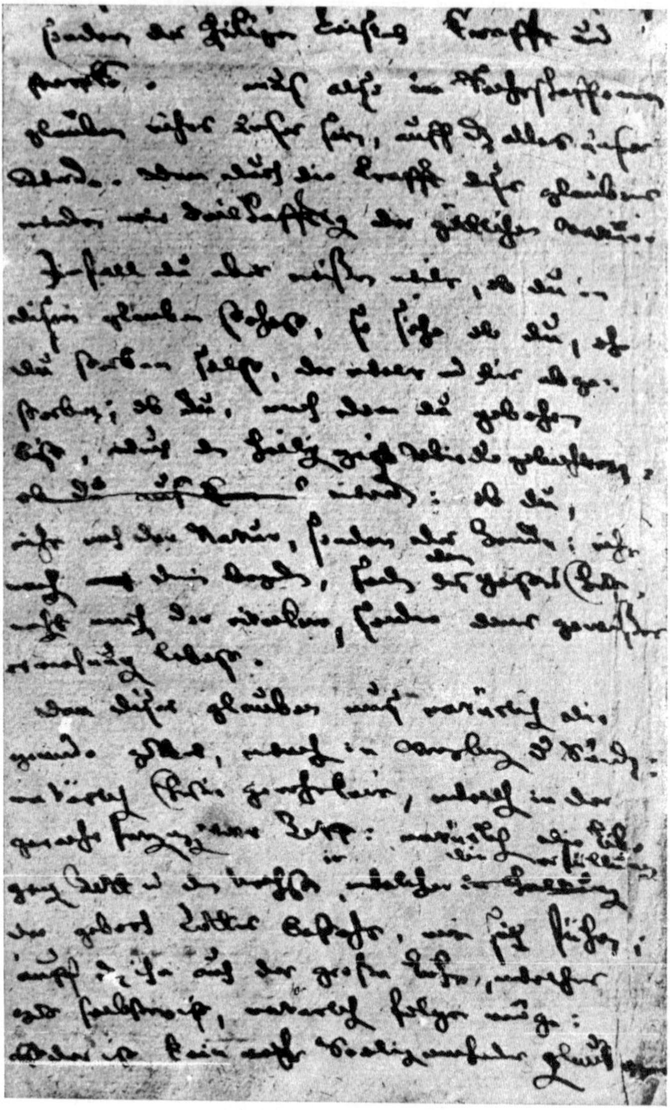

Czepkos Handschrift
(etwas verkleinert, nach Hs. F. Fol 422)

DANIELIS â CZEPCO, (1)
CORIDON
ET
PHYLLIS. (2)
LIBRI TRES. (enthält die Zeichnung eines Wappens in Wasserfarben)

Dem Hoch- und Wohlgebohrnen Herrn (3)
HERRN CARL HEINRICH CZIGAN,
Freyherrn von Schlupska, Herrn auf
Freystadt, Sawada und Dobroslawitz.
Meinem insonders Hochwerthen Patron
und geneigten Gönner.

Hoch- und Wohlgebohrner, Gnädiger Herr.

Ob ich gleich höchstes Fleisses mich bemühet durch was anders, als durch blosse Worte Eu. Gnaden die Angelegenheit meiner treuen Dienste vorzutragen: jedoch, wann ich das Vermögen meines Gemüthes anspreche, zu welchem die Fortun, weil Sie selbiges nicht gegeben, keinen Zutritt hat, kan es durch keine andere Weise Eu. Gnaden die unerforschliche Baarschafft dero Wohlmeinigkeit entwerffen, als durch etliche Worte; aber solche Worte, die durch keinen Schorstein vornehmer Cantzeleyen geflogen, da es trefflichen Rauch bishero gegeben, daß auch die, welchen er so starck unter die Augen geschlagen, meines Beduncken nicht wichtige Ursachen gehabt sich zu bekümmern, daß Feuer darauf gefolget. Wie schwer es aber

---

b: 8° Hs. Fürstenstein. I. S. E. 1723. 9. July. (1) / **(2)** (leer) / **(3)** (Beginn des Textes) 7. von Czigan / 11. geneigtem / 13. bemühet, durch / 15. iedoch /

ist, demselben mit Worten entgegen zu gehen, dessen Gutthaten über alle Worte sind, erfährt der nur leider am besten, der aus Überzeugung desjenigen Zeugen, ohne welchen etwas verthaidigen, die aüserste Ungerechtigkeit ist, gestehen muß, daß es schwer, mit Wohlthaten gebunden seyn müssen, schwerer, davon nicht erlöset seyn können, am allerschwersten aber, un-
(4) danckbar sterben sollen. /4/ Doch richtet Eu. Gn. Gesittsamkeit, über die, ob Sie gleich die geringste unter deroselben Tugenden ist, nichts höher zu erheben, meine zu dero Lob gantz unmündige Sinnen in etwas auf, daß ich mich auch selbst berede, samt Eu. Gn. mein Anbringen eher aus dem Gemüthe, als den Worten verstehen und urtheilen werden. Dann, indem Eu. Gnaden den Ursprung meiner Reden bey Sich vernünfftig erwegen, erkennen Sie alsbald, daß ich dem Gemüthe nichts als den Mund geliehen, und empfinden eher meine Reden, als Sie selbige hören. Wie dann auch dieses nicht geschiehet, wie ihm irgend iemand durch Pestilentzische Einbildung möchte traümen lassen, als ob unter meinem Vorhaben, wie in einer vergoldeten Büchse in der Apothecken offte Gifft, oder unter einem unförml. Frieden nichts als Blut und verdächtige Waffen verdecket sind, etwas anders vergraben, als den Nachkommenden dieses eintzige vorzutragen, ob ich bereiter, Gutthaten von Eu. Gn. zu empfangen, oder Ihnen williger selbige zu ertheilen; da sich dann durch eine demüthige Hoffarth mein Gemüthe über Eu. Gn. erhebet, weil es unter deroselben Gutthaten lieget, und ist seeliger durch empfangen, als Sie durch verlieren. Ob ich nun zwar alle meine Kräffte der innersten Gedancken zusammen ruffe, finde ich doch das geringste nicht darunter, das mein eigen sey, dadurch ich, wo nicht Eu. Gn. Willen, iedoch meiner Armuth könte ein sicheres Pfand ablegen, so ich deroselben Gedächtnüß vorlängsten schuldig gewesen, welches mich mehrmal vor Gerichte fordert, a's Eu. Gn. gedencken
(5) können, dannenhero dann die Verthaidiger meiner /5/ Sachen die ärgste und schärffste Ankläger werden. Sol ich aber des angenehmen Kummers wieder meinen Wuntsch entlediget werden,

---

2. erfähret / **(4)** 4. höchste / 19. Büchsen / offt / **(5)** 31. vorlängst /

muß ich alles dasjenige, was Eu. Gn. von mir wollen, von deroselben Freundschafft, in der ich die höchste Vergnügung finde, entlehnen, von welchem, indem ich es wieder gantz und unverfälscht, einantworte, ein grosses Theil durch einen erlaubten Wucher in meinem Gemüthe bleibet, dessen Nutzbarkeit nicht zu schätzen ist. Entzwischen, weil Eu. Gn. bekañt, daß alle meine Bemühung und das schlechte, was ich dadurch anfange zu wissen, von deroselben scharffsinnigem Urtheil hänget, werden Selbige leiden, daß ich Sie in dero Göttliches Gemüthe führe, und Ihr zeige, daß ich aus demselbigen alles borge, was ich aus meinem zu schreiben gesonnen; daß ich also beydes Sie vervortheile, indem Eu. Gn. ich gebe, was dieselbige zuvor schon haben, und dann mich selbsten darüber betrüge, daß ich vermeine, durch dis loß zu werden, das mich mehr und mehr verbindet. Gestaltsam mir aber meine Demuth und nichtig angewandte Mühwaltung verbeut zu reden, so verbeut mir auch im Gegentheil zu schweigen die Kundschafft etlicher gelehrter Gemüther, welche die Straalen Eu. Gn. grossen Zuneigung von weitem auf mich fallen gesehen, und in einer unwissenden Verwunderung gestanden, daß Sie meine darnieder liegende Sinnen nicht erwecket, und auf dis zu gedencken veranlasset, was Sie von mir gehofft, und doch auch alleine geben können. Ob ich nun gleich im Zweiffel gestanden, ob ich lieber sündigen, als schweigen wolte, hat mich doch dero Gnade vermessen gemacht, damit mein Verbrechen eine Ursache Ihres Lobes /6/ werde. Auf daß aber hierinnen ein Vergleich ge- (6)
schehe, habe ich diesen Coridon ausfertigen wollen, welcher, umb daß er nicht wie andere Abgesandten voller Rauch und Wind herein zu treten weiß, sondern schlecht und einfältig aufzeucht, nicht zu verlachen seyn wird. Vielleicht, wenn Er seiner Verrichtungen halber zu Rede gestellet wird, antwortet er mehr, als er gefraget, oder von dem fragenden begehret wird. Bevoraus, wenn man sehen wird, daß der Verstand höher, als prächtige Kleider, die Wahrheit annehmlicher, als nutzbare Lügen, und süsse Worte. Worte, die allezeit nehmen, wenn sie

---

3. empfinde / 4. und gar unverfälscht / das folgende Wort unlesbar / **(6)** 10. Ihnen / 23. in / **(7)**

versprechen: Worte, die den Leuten in die Haüser steigen, und Kisten u. Kasten redende machen: Worte, die man glauben muß, zumahl wenn etliche hundert bewaffnete Zeugen auf der Seiten stehen: Worte, so die Leute überreden, sie wären blinde und taub, Diebe und Mörder. In diesem Stücke aber habe ich den vornehmsten Kriegs Obersten folgen wollen, welche, indem sie Kundschaffter ausschicken, gemeinigl. solche Personen erwehlen, die alle ihre Briefe in einer Esels Haut vernehet tragen, welche bey dem Gott Jan ausgefertiget, und müssen allezeit doppelte Gesichter haben, da eines die Buchstaben urtheilet, das andere den Verstand; beyde ein Griechisch π nach deutschem Brauche verdienen. Denn keiner betreuget leichter, als der, vor dem man sich keines Betruges befahret. Und wann ich die Schäffer etwas vom gemeinen Pöfel absondere, und hinter ihr Vorhaben trete, befinde ich allezeit, daß sie ihre Einfalt anderswo, als bey den Schaafen gelernet. Sie allein haben ihre Gütter und Gelder
(7) in einen solchen Ort ge- /7/ flüchtet, da die Fortun keine Macht noch Gewalt hat, und liegen in der Tugend und Armuth so tieff eingehüllet, daß sie nicht wahrnehmen derer Zufälle, welche schwache Gemüther in diesem wütenden Sturm der einheimischen Kriege bald erheben, bald gantz und gar zu Grund und Boden stossen. Ihre Stäbe haben mehr sichere Ruhe, als vieler Könige Czepter. Dann die gewapnete Hoffnung des Zukünfftigen reitzet die unersättliche Begierde, welche allezeit unter heil. Gepränge vermum̄t daher laufft, daß Sie ihr, wie keine Gräntze, so auch kein Gesetze vorschreiben läst. Und was Wunder ist es? Zündet nicht das Wasser den Durst des Wassersüchtigen mehr und mehr an, und schreyet er nicht nach dem, dessen er voll ist, und das ihm endl. den Durst und das Leben verkürtzet? Kein Ding, es sey so schlecht als es wolle, kan lange in dem Mittel bleiben, es steiget durch eines andern Fall, und fällt, weil es gestiegen. Auch die grössesten Reiche, wenn eusere Gewalt und Macht gebricht, stossen sich in ihrer eigenen zu Grunde, und graben ihren Untergang aus eigenem Glücke hervor. So wird eben dasselbige, dardurch sie glückseel. seyn,

---

(8) 29. nemlich **(9)** 29. und auch das / 34. Gelücke /

eine unvermeidentl. Ursache ihrer eusersten Unglückseeligkeit. Was thut unser Coridon? Er wirfft täglich was von seiner Begierde hinter sich, welches ein unermeßliches Aufnehmen ist seiner Reichthümer. Und wie es andern eine grosse Pein ist, ihr Unglück bergen, und glückseelig seyn müssen; andern, darnach die Zeit ist, in welcher sie sind, ein steter Kummer ihr Glück verstecken, und doch glückseelig seyn können; Etlichen eine schwere Arbeit, glückseelig seyn wollen; so ist dis seine gröste Glückseeligkeit, nicht glückseel. seyn /8/ dürffen. Und (8)
was ist euer Glück anders, die ihr es bey grossen Herrn suchet, als ein Untergang anderer, der euren eigenen hernach zeucht? Wisset ihr nicht, daß, nachdem die offentl. Schau Plätze und Spiele eingegangen, alle Larven und Masken in grosser Herren Höfe kommen? Hier muß ein ieder, der hinein begehret, richtigkeit, Auffrichtigkeit und Glauben vor der Thüre lassen, wie, indem man etliche Rüst Kam̄ern und Zeug Haüser besucht, die Degen und Gewehr ablegen. Mißtrauen ist die gröste Sicherheit. Wer sich über einer Lügen entfärbt, oder über einem Betruge entsetzt, hat gar aus der Art geschlagen. Wer von Hause gehet, und nicht goldene Berge im Munde und etliche Eyde, wie die Knaben ihre Kugeln in der Kapsen mit sich träget, ist ungelehrt, und ken̄t die Müntze nicht, darauf vornehmer Haüpter Bildnüsse stehen. Darumb halten etliche davor, es sey hoch von nöthen, am wenigsten trauen, und sich doch auf alle Art und Weise der möglichsten Dienste durch einen erdachten Schein einflechten. Und weil dieses etwas künstlich, siehet man überall, wenn ein so hochgeöhrter Esel herein tritt, ein paar lange Ohren vor der Maske hervor gehen. Denn es hat nicht ein jeder Schneider den Griff, solche Kappen zuzurichten, die alle Verstellungen bedecken könten. Was dieses nun vor ein erbärmliches Gelücke sey, da dir keiner nichts glauben darff, es sey dann, daß er sich wil betrügen lassen, können die gar leichte urtheilen, welche Redlichkeit höher halten, als ihr Geld und Gut; Treu und Glauben höher, als ihre Wohlfarth, Ehre und ein gut Gedächtnüß höher als ihr

---

13. Masqven / **(10)**

(9) eigen Leben: Und also tritt /9/ unser Coridon hinter alle diese Larven, und erkeñt, daß unter ihrer Hoffarth ein scheinbares Elend, unter ihrer Demuth ein freundlicher Neid, unter ihrer Auffrichtigkeit Lügen und Betrügen verborgen liegen: ja mehr, daß ihr Versprechen ein ausdrückliches Heischen, ihr Bitten ein unabschlägliches Begehren sey, und endlich alle ihre goldene Kleider auch im heissen Sommer mit Füchsen gefüttert. Ist nun nicht der Stand schwer, ist er nicht gefährlich? Schwer ist es, alle und jede Zwietracht und Spaltungen erforschen, und sich doch zum wenigsten einmischen, umb seinen Vorsatz vernünfftig und zeitlich handzuhaben. Schwer ist es, allezeit zu den Sternen, so dem gütigen Jupiter am nechsten stehen, mit Augen und Gemüthe gekehret seyn, es sey nun Ochs oder Esel, Leyer oder Geyer. Schwer ist es andern zu gefallen reden und schweigen, und seine Meinung nicht nach dem Gewissen richten, sondern das Gewissen nach seinen Einfällen, damit es keine Wehetage empfinde, wenn es was gerades krümmen wil. Dann, wie einer, der den Bogen spannet, umb nach dem Ziel zu schüssen, ihm zuvor alles aus dem Wege raümen muß, das ihn verhindert, und ein Auge zudrücken, damit er schärffer sehe: So muß er ihm die Einbildung der Religion, die bey derogleichen nicht zu tieff eingewurtzelt, aus dem Gesichte thun, und das Gewissen mit dem Mantel des eigenen Nutzens verhängen, damit er mit seinen Anschlägen nicht panquerotire. Das vornehmste, wo ich mich recht besinne, ist eine geneigte
(10) Sonne. Nach der freiret sie, die suchen Sie. /10/ Darumb tritt bald hier, bald dort einer hervor, und hüllen eine künstl. Einfalt umb ihr Vorhaben, die eine empfindliche Freude von sich giebet, oder der angenehmen Gegenwart ihres tröstlichen Lichts. Andere suchen eine Bahn durch die Zuneigungen, so sie in ihrem Jupiter spühren, zu dem Schlosse, von welchem fast mit grösserer Mühe herab zu steigen, als hinauff zu klettern. Dann ob gleich etliche auf das ernste befehlen, wann sie auf das schönste bitten, und niemals weiter von der Wahrheit sind, als wann sie von ihr reden; iedoch ist das Leben eines jed-

---

(11) 4. Lügen und Trügen / **(12)** 24. zu verhängen /

wedern eine unertichtete Sprache aller verborgenen Händel.
Jede Anschläge und Verrichtungen sind besondere Worte. Auf
solche Art reden, welche schweigen, und also treten ins Licht,
welche nichts als Finsternüß lieben. Und wie etliche Leute
sind, denen man nicht auf den Mund, sondern auf die Hände,
welche sie mit Peche beschmieret, sehen muß, so muß man
nicht auf das Versprechen und Beteuren fussen und bauen, die
mehrentheils nur Wind sind, sondern auf die That und Wercke,
die sie offentlich, was andere sich nicht dürffen unterstehen,
lügen heissen; Also erscheinet, wie reden und thun so zwey
ungleiche Dinge sind. Etliche, indem sie einen schlechten Rauch
eines geringen Gewinns von weitem sehen aufsteigen, fallen
sie heißhungrig darauff. Und ob ihnen gleich ihrer viele das
Maul verbrennen, iedoch ist weder Gott noch Mensch so lieb,
dem sie traueten. Dann ihre Gesetze, denen nichts mangelt als
eine neue Bekräfftigung, vermögen, daß man auch den Eltern
mag Worte geben, wann es umb die Sache zu thun ist. Unter
welchen denn dieses auch aufgeschrieben worden: Als lange
/11/ dir Gott hilfft, so lange darffstu deinen Eyd halten. Die (11)
Frömmigkeit gehört unter gemeine Leute. Es ist ein schlecht
Ding umb ein enges Gewissen. Grosse Gedancken wollen
Raum haben. Welche Gesetze zwar viel verwerffen, keiner
aber, wann die Gelegenheit verstöst, begehrt unterwegen
zu lassen. Man findet auch etliche, welche alle ihre Anschläge
in ein Trojanisches Pferd bannen. Und dis wird bey uns einmal
eine seltzame Frucht zur Welt bringen. Andere, indem sie
wissen, daß durch ein sonderbahres Verhängnüß die Gnade
hoher Haüpter auf diese, der Zorn und Haß auf jene fält,
sehen sie jām̃erlich zu, daß sie nicht dem Donnerstrahl zu
nahe stehen, indem offte nach einem Sturm und Ungewitter die
Sonne ihre Strahlen viel heller und schöner pflegt auszugüssen.
Ohne übele Nachrede seyn, ist unmöglich, iede verantworten
gefährlich: verachten, am rühmlichsten. Etliche halten alle vor
ihre Feinde. Und wann sie zu diesem werden, vor welche sie
solche halten, wollen sie es auf das artigste verbergen, und

---

1. jedweden / **(13)** 1. vieler / 3. ans / 9. das / 11. Rauch geringen / 14. ist ihnen weder / **(14)** 23. vorstösset /

versühnen sie eben durch die Ursachen, die sie verhast gemacht, und empfinden in ihnen, wie eine angenehme Sache die Rache sey. Wie gefährlich aber und ungewiß es, auf diesem Rade zu stehen, das augenblickl. herum gehet, weiß der am besten, der die Göttin auf der Kugel ehe leichtsinnig, als beständig, ehe zubrechlich, als scheinbar erkennet, die allezeit mehr zu nehmen draüet, als zu geben, und nichts giebet, das sie denen nicht mit grossen Schmertzen ausgerissen, die es mit Freuden angenommen. Unser Coridon hergegen sitzt ruhig und sicher am Schatten, und Kümert sich nicht viel, was bey
(12) den Chinesern vor Anschläge /12/ gehalten werden, weil ihm selbiger zu künstlich, so man ihm vor der Nase machet, die alle vor wahr hielten, wann sie einer nicht allein wüste. Dann, wie in den Kauffladen, da allerhand vergoldetes Tocken-Spiel aufgesetzet wird, alles auf den Schein gemachet ist: so pflegt es auch hier zuzugehen. Sintemal die Tugend und Auffrichtigkeit nichts anders ist, als alte Müntze, welche zwar gut und hochgehalten wird, aber in den Menschlichen Händeln nicht zu gebrauchen. Darumb wie solche vornehme Atlanten in allem sich nur meinen, also, nachdem sie sich auf solche Mittel und Wege eingedrungen, daß sie beydes gefürchtet und geliebet werden, fangen sie an von der ungestümen See von weitem auf den Port zu dencken. Und also beginnen etliche zu wissen, daß man ihrer nicht entbären kan. Dann es ist Zeit, sich der Zeit zu gebrauchen, weil sie dis zu verstehen giebet, das niemand weiß, als der es allein verstehet. Und darzu ist nichts vonnöthen, als zurissene Sitten und schadhaffte Tugenden. Es sind ihrer viel, die aus Begierde der Veränderungen sich ihres eigenen Unglücks freuen. Ein Theil setzt sich auf den Thron, draüet nichts, als Galgen und Schwerd. Ein Theil rufft in seinem Hause einen Jahrmarckt aus, und verkaufft andern Briefe über ihre Redlichkeit, die sie selbst nicht haben. Ein Theil bereitet 2. Stühle, draüet weg zu ziehen, weil sie wissen, daß an ihnen etwas gelegen. Ein Theil zeucht weg, damit sie wiederkommen; und bleibet endl. ihr höchster Wuntsch, sich in alle Händel

---

(15) 22. auf / **(16)** 33 f. draüet.. bis.. zeucht weg.. fehlt /

mischen: Ihr euserstes Vorhaben, was möglich ist, umb zustossen: Ihr letzter Zweck, den gemeinen Nutz ver- /13/ geben, (13)
seinen eigenen suchen. Über diesen allen stehet unser Coridon, machet sich grösser, weil er niedriger ist, bey seinen Schaffen. Dann, daß er sich solcher Händel auch nicht unterstehet, ist nicht seiner Ungeschicklichkeit zuzuschreiben, sondern seinem redlichen Gemüthe. Daß sich einfältige nicht verführen, samt es vielen Kopfbrechens bedürffe, einen Fund zur Welt zu bringen: Weil ihrer viel befunden, daß sie darinnen ie mehr zugenommen, ie mehr sie von ihren Gewissen gelassen. Aber, wie es eine nothfeste Sicherheit ist, nichts üben dürffen, das dich gereue; so ist es eine beständige Gerechtigkeit nichts üben wollen, was andern Schaden bringet; eine unumbschriebene Seeligkeit aber ist, nichts üben können, daß, wie wieder andere, so wieder dein Gewissen ist und laüfft. Einfältig nun ist unser Coridon, weil er niemanden schadet; vorsichtig, weil er sich hütet, daß ihm niemand schaden kan, und wie er furchtsam ist, daß er nichts, als gutes thue, so thut er gutes, daß er nichts in der Welt fürchten dürffe. Seine Tracht ist schlecht, und decket doch seine Begierde zu, viel besser, als der mit Purpur, welcher röthlicher vom Menschen Blute, als von Schnecken gefärbet ist, seine weltträchtige Anschläge bemäntelt. Die meisten sehen den Himmel an, und meinen die Erde, auf welcher sie stehen. Konte sich der baltische Jupiter freundl. stellen, als er das schöne Mägdlein Europen an Codonischen Ufern sahe spatzieren; Der zwar nicht wie ein Ochse, wie jener, sondern liebender Delphin kam her geschwommen. Wäre Sie nur aufgesessen, das Beylager wäre nicht hinten blieben. Und wie etliche, die in einem Schiffe über See schwimmen, dem Hafen, da sie vermeinen /14/ an zulenden, (14)
den Rücken kehren, und das Gesichte da lassen, wo sie abgesegelt: So werden allezeit Palmen und Oelzweige, Genade und Freyheit, Altäre und Kirchen vorgemahlet, unter welchen nichts als Harnisch und Waffen, Joch und Bande, Cepter und Cronen verborgen liegen. Die Heiligsten, weil sie der Heilig-

(17) 10. ihrem / 15. Gewissen laüfft / 23. bedecket / 24. Konte sich doch der Balthische / **(18)**

keit langen Mantel, und weite Kappen tragen, pflegen eher Harnisch u. Schwerdt, Kraut und Loth unter dem Schein der Christlichen Einfalt verdecket, als Mosen und die Propheten unter ihren langen Mänteln und weiten Kappen in Grosser Herren Häuser und Hertz zu bringen, und das desto verantwortlicher, sicherer unter dem Schein der heiligen Einfalt und Vorwand des Göttl. Befehls. Gieb nur einem Kinde ein Messer in die Hand, bald sol es anfangen zu spielen. Und was sind solche Briefe und Begnadungen anders, als Messer, welche man den Kindern, ob sie sich gleich leichte daran stechen können, zu Zeiten lassen muß, biß man sie geschweige, die sie endlich, wenn sie was anders beginnen, selbst wegwerffen. Ein Pferd, das seine Schulen recht machen sol, muß vor allen Dingen wol gezaümet seyn; Und wie schlecht unser Schäfer anzusehen, iedoch hat er so viel bey seiner Keule zugenommen, daß, wann er nicht Coridon wäre, ihn Tiberius ohn alles Bedencken in seinen Rath gezogen. Dieser nahm dem Römischen Volcke den Schatten ihrer Freyheit, ehe er Sie angerühret, und lockte ihnen, wie einem Habichte, der auf seinem Raube sitzet, dis ab, was sie so hungrig besassen. Und ein ieder hätte ge-
(15) schworen, es wäre was wichtiges vorgenommen /15/ worden. Dann unter der Heiligkeit, nach der sie grieffen, nahm er ihnen dis weg, in dem sie eintzig bestand. Was machen seine Schüler? Unterdessen, wieviel sind derer, die, ob sie schon erkennen, daß es besser sey, daß einer sey, der unter allen herrsche, iedoch nicht wissen, daß der Gottes Dienst die eintzige Staffel ist, über alle zu steigen. Und ob es gleich etliche verstehen, so sehen sie doch nicht, daß die allein glückseelig sind, die nicht davor gehalten werden, als ob sie es verstehen solten. Vornemlich bey des Tiberii Regiment, in dessen Gnade niemand kam, als der unter einer Eselshaut stackte. Und ob gleich wieder die alte Regul laüfft, die zu Zeiten erlaubet, etwas von einem Fuchse an eine Leuenhaut zu setzen; iedoch ist es vielen bey ihm zustatten kommen, weil vor seiner Arglistigkeit keine bestehen konte. Und wer hätte sich besser

darein zu schicken wissen, als unser Coridon, der, wie er nie zu Hofe gewesen, da die meisten Füchse gefressen werden, also hätte er am besten das seinige unter den Esel gethan, und das Glücke, das andere verterbet, bey ihm lassen vorüber streichen. Dann, ob er gleich die Freyheit mit Strumpf und Stiel auszurotten gesonnen, iedoch sahe er mehr mit Geduld, als eigener Bewilligung an, daß die Römischen Herrn so knechtisch vor ihm nieder fielen. Daß Er ihm also den Fortgang seines Glückes nie mißgönnete, und seine eigene Wünsche vor verdächtig hielt; darumb er auch einst, als er aus dem Rathe gegangen, gerufft: Ach! Menschen, gar zu frey und willig zur Dienstbarkeit! Im fall sich iemand bekümmert, wo unser Coridon dis gelernet, der wisse, daß er mit dem Argus lange Zeit in Arcadien, wo sich die Esel herschreiben, gehütet, /16/ und in einem Spiegel gesehen, daß nur eine (16)
Comoedia in der Welt gespielet werde, in welcher nichts verändert sey, als die Personen. Und wie ihrer viel gelehrt seyn, durch viel Wissen, da sie doch, wenn sie das wüsten, daß sie viel nicht wüsten, sich selbst vor ungelehrt halten würden: so ist er gelehrt, weil er dis vor sein höchstes Wissen hält, daß er dis weiß, das allen verborgen, die es wissen. Und was meinet ihr wol? Könte nicht der zwar nicht bey der Ruthe, sondern bey des Mercurii Schlangen-Stabe aus seiner und der Reiche Wolfarth seine Regierung bestellt, von seiner Ordnung u. Schäfferey ein Exempel nehmen? Dann wie seiner Keule das Vieh, so sollen die Menschen seinem Cepter Folge leisten. Die Menschen ein Thier, das unter allen auf das künstlichste muß regieret werden; die Menschen ein Thier, dem die Beherrschung aller andern Thiere unterworffen. Darumb lasset uns etwas näher zu seinem Schaffstall treten, und mit ihm Wirthschafft treiben: Theilet er nicht aus seiner Trifft, nachdem sie es leidet, seine Schaafe also aus, damit überall eines andern Anfang nicht des andern Verterb, sondern Aufnehmen sey? Das erste ist, daß sie seiner Keule gehorchen, darumb greiffen sie selbst an, ehe sie ihnen lassen auflegen, was zu ihrem Ge-

---

(20) 1. Coridon? / 18. daß sie viel nicht wüsten.. fehlt / **(21)**

deyen gehöret. Dann, weil die Schäfferey der lebendige Ursprung seiner Glückseeligkeit, ohne die alle Anschläge und höhere Gedancken noch vor der Geburt sterben und verterben, muß er ihr am ersten abwarten. Wer das Ende nicht machet, ehe er anfänget, komet selten darzu, wenn er angefangen: und ob gleich das Verhängnüß seine Macht und verborgene Gewalt
(17) an den allerheimlichsten /17/ Rathschlägen übet, so macht es ihm doch ein hohes Gemüthe unterthan, und erzwingt die Mittel von ihm, indem es keines animt, als was seinem Vorsatze befördernde ist, und bleibet, wie das Verhängnüß in seiner Ordnung unveränderlich, so in seinem Vorhaben unbeweglich. Vor dem Wolffe schützt er sie also, daß die Hunde ihren Auffenthalt haben, damit sie nicht selbst unter die Schaafe gerathen, und sie dergestalt zustreuen, daß theils dem Wolffe, der seine Zeit weiß in acht zu nehmen, in Rachen lauffen, theils mit Furcht und Gewalt darein getrieben werden. Gestaltsam die aüsere Furcht, die sie einigt und beysammen hält, durch einheimische, die sie trennet, und zwiespaltig macht, leichtlich ausgejaget wird. Dis zu verhütten, stehet seiner Vorsorge zu, damit er sich nicht allein umb die Wolle und den Gewinn, sondern gantz und gar umb die Trifft und Schaafe bringe. Mercket weitere Heimlichkeiten seine Philosophie aus dem grossen Welt und Schäfer Buche: Indem er seine Lämmer, die niemals keine andere Steuer als ihre gefällige Wolle abgeführet, in sichere Ordnung gebracht, fängt er an über die Gräntze zu sehen, und was es da vor Beschaffenheit mit der Viehzucht habe, in acht zu nehmen. Denn, wer unter freyem Himmel lebet, hat viel höhere Gedancken, als die sich in Palläste lassen einmauern, da man wie nichts höret, als Worte, die grosser Städte bedürffen, so nichts siehet, als was die erzehlen, welche es nur allein gesehen. Vor allen befindet er, daß wie hier starcke Ochsen, anderswo feiste Saüe, dorten schöne Pferde sind, also auch vor jene Heu, vor andere Eicheln,
(18) vor diese Futter gehöret. /18/ Einem ieden muß man vorlegen, was ihm lieb und annehmlich. Der Adler macht die Tauben

---

(22) 15. nehmen, sie in Rachen /

nicht zahm, der Leu die Ochsen nicht bändig. Darumb, damit er ihm, was er begehret, verbunden mache, urtheilet er ihre Speise und Tracht. Dann die gütige Natur hat einem ieden seine sonderl. Zuneigung, von der es getrieben wird, zugeignet, welche, wer sie erkeñt, einem die Bahn zeiget zu ihrem Verhängnüß, indem er den Unterscheid urtheilet seines Aufnehmens und Unterganges, der einem jeden an die Stirn geschrieben. Das Leben verräth eines jeden Gedancken, und das sind die Kundschaffter ihrer eigenen Wolfarth. Den Ochsen, damit sie ihnen nicht selber schaden thun, beschneidet er ihren freyen Muth, biß sie endlich gewohnen, das Joch zu ziehen, das ihnen, wo nichts anders, doch ihre eigene Freyheit anleget. Die Saüe, damit sie nicht die fruchtbaren Aecker durchwühlen, schickt er in die Wüsteney, wiewol sie nirgend gutes thun, biß sie in der Feueressen hangen, und durch Rauch verterben, den sie von sich geblasen. Den Pferden, auf daß sie ihn kennen lernen, giebet er gute Worte, bestreuet das Mundstück mit Saltz, daß sie es annehmen: streichet ihre Mähnen, daß sie nicht scheu werden: und weiß so mit ihnen umbzugehen, daß sie nicht wissen, ob sie frey sind, oder gezwungen, indem dis edle Thier weder gantz die Freyheit, noch gantz die Dienstbarkeit leiden kan. Hier stehet der Bucephalus, welchen keiner würdig zu beschreiben, als sein Alexander. Denn, als der muthige Knabe mit Verdruß und Unwillen lange Zeit zu-/19/ (19)
geschauet, wieviel Frembdlinge über dem sonst willigen Hengste gemustert, ertapt er ihn unversehens, führet ihn gegen der Sonnen, damit er nicht von dem Schatten hoher Einbildungen scheue, und schwingt sich endlich darauff. Dannenhero Philippus gesprochen, Ach Sohn, schaue dich nach einem andern Reiche umb, dann dieses ist deinen Gedancken zu klein; Und hat er ihn nicht unterschiedl. geritten, daß die mächtigsten Haüser davor erzittert? Wo aber bleibet das Elend? wo der Bär? und mein eintziges Thier, der Esel? Das Thier, nach dem vor allen andern zu trachten, weil es allen andern an Nutzbarkeiten vorgehet. Er reisst den Acker so gut, als der Ochse,

---

(23) 3. Trank / **(24)** 15. Feuer Esse / **(25)** 32. der Elend /

zeucht so wol, als das Pferd, in der Mühle arbeitet er am meisten.

Nichts geschiehet ohne ihn in Friedens Zeiten, im Kriege gehet alles durch ihn. Und wie hoch u. werth haben sie nicht die Römer gehalten? Dreissig, ja viertzig tausend, schreibt Varro in seinen Aeckerbüchern, hat einer gelten müssen. Wiewol es noch gar zu wolfeile Esel. Solche Esel, sage ich, derer ein iedweder wie er meldet, mehr als die Einkom̄en eines Königreichs austragen, nach langem Gebären zur Welt gebracht. Wie wohl hätte Plinius und Varro zu unser Zeit gelebet, würden sie es für kein so grosses Wunder aufgezeichnet haben, dieser, daß sie so viel Tonnen Geldes zu Beförderung ihres Unterganges hervor gegeben, jener, daß sie mit menschlicher Stim̄e geredet, welches heute am aller gemeinsten. Also siehet er nach eines iedweden Viehes Art, was zum Schaden, was zum
(20) Nutzen gereichet. Dann /20/ begin̄ete er was wieder ihre Natur, würde er sie eher brechen, als lencken. Darumb nim̄t er ihnen nichts, als die schädliche Macht, dadurch sie sich selbst verterben. Was thut er weiter? Damit eine Heerde die andere nicht in ihrer Nahrung und Wolgedeyen hindere, theilet er, wie es seine Haushaltung leidet, eine iedwedere auf besondere Oerter und Weiden aus, damit es in seiner Beschaffenheit also lebe, daß er zuvor, was das höchste, seinen Vorsatz verfolge, darnach, was das beste, ihren Wolstand erhalte; Endl. was das rühmlichste, beydes sein und auch ihr Auffnehmen betrachte, damit nicht das Auffnehmen nebst dem geruhigen Wohlstande von dem feurigen Vorsatz in seiner ersten Milch und Blüthe verzehret werde. Alles Vieh in einen Schaffstall zu bringen, ist so unbesonnen, als unmöglich. Darumb, damit sie besser stehen, und man ihnen auch leichter beykommen möchte, pflegt er sie abzusondern. Gestaltsam es wol ehe geschehen, daß ein schlechter Esel, nachdem man ihn wollen nach unerträgl. Aufflagen in einen gemeinen Stall treiben, erschrecklich von sich geschlagen, daß das Vieh in sechzig Jahren keinmahl wieder können zusammen gebracht

---

(26) 21. iedwede / 25. auch fehlt /

werden. Wiewol dem Glücke nicht zu trauen. Es erhebt, damit es stürtze. Bevoraus, wo andere länger verterben können, als du überwinden. Viel, indem sie umb die Freyheit fechten, verlieren sie. Sie dienen, wie frey sie sind, und desto härterer, weil sie nicht von einem gedruckt werden. So ertappet man einen Dorn, wenn man wil Rosen pflocken. Viel werden durch den Glantz und Schein angelockt, und /21/ fallen ins (21)
Feuer, verbrennen. Aber was mach ich? Was ist dieses gegen dem Coridon? In der Wahrheit nichts. Schaffe treiben, und die Pflugschaar wenden, ist dem Coridon so viel, als einer, der nichts verbringen kan, seinen Adel zu beweisen, als eine verrosterte Hellepart und ein paar zustüm̃elte Wappen. Derentwegen, wie dieses in der Tugend bestehet, die der besitzt, der sie wünscht, und keiner erlanget, als der sie noch nicht besitzet; so lieget seine Glückseeligkeit an der Ruhe, ohne welche die Tugend nichts ist. Eine macht den Adel, die andere beweist den Adel, beyde geben die Vollkommenheit. Denn nichts ist groß und hoch, was nicht ruhig und stille ist. Seine Arbeit, seine Müh ist, mit eingezogenen Sinnen nach dem höchsten Gutte streben, das die meisten im Himmel suchen, und doch niemand findet, als auf der Erden. Sein nüchterner Krug und erworbenes Brod lässet ihn gesünder bleiben, als Tag und gedeckte Taffeln und eingeschenckte Pocale. Er höret mit Verwunderung, wie etliche, nachdem unser theuer erworbnes Troja umb und umb mit Feuer umbgeben, nicht mit deutschen Waffen, sondern mit Scythischen Trinckgeschirren zu leschen kommen. Und es hat der Poeten kurtzweilige Rath Silenus allbereit abgesattelt; der Esel stehet schon dar, auf welchem solche Helden ihrem Gott Bacchus folgen, und gerade zu neben den Him̃el reiten. Indem diese dieses thun, und andere Schaaffe Menschen treiben, ruffet er die auslauffenden Zuneigungen und Verwirrungen zurücke, und einiget die Strahlen der /22/ Vernunfft. Indem andere Ochsen und Völcker ins (22)
Joch spannen, dämpfft er die Laster, die vielmahl in der Tugend Harnisch und Waffen ausziehen und hohe Seelen danieder

(27) 3. Viele / 8. Feuer und verbrennen / 19. Mühe / **(28)** 30. dem Him̃el /

werffen. Indem andere Pferde und vornehme Leute durch mancherley Weise einnehmen und reiten, zaümt er die Begierde, und stosset den Gedancken das Mundstücke der Bedachtsamkeit an. Indem andere Schweine und überall wühlende fortschicken, tödtet er die Wollust, und reisset den Zweig und Stam̄ aller Laster die Faulheit mit den Wurtzeln aus seinem Gemüthe. Durch das Elend wird ihm seines vorgestellt, das doch nicht so groß ist als derer, die sich am wenigsten darvor halten und doch darinnen gekleidet gehen. Durch die Kette, in welcher der Bär lieget, führet er ihm die Gefängnüß des Leibes zu Gemüthe, und siehet auch daraus, daß die Frechheit der wilden Bestien durch eine kan gebrochen werden, da hergegen vieler Menschen Ungestümmigkeit so hitzig, daß sie durch etliche nicht kan gebändiget werden. Und ist kein Unterscheid als das Gold. Durch die Last des Esels lernt er dem folgen, der die Freyheit nur denen giebet, die ihm folgen, und erkennt, daß keine grössere sind, als die keine seyn wollen, und es doch überall beweisen. Hier habe ich nun die Masque und Larve unserm Coridon abgenommen: Ein ieder trete her und urtheile. Aber wollet ihr von ihm urtheilen, so leget eure Masken weg, durch die ihr euch so frembde seyd, als der in Ost Indien an einem Ufer stehet, und noch sol gebohren werden. Machet die Augen zu, und sehet ihn mit dem Gemüthe an, Nirgend ist er aber zu finden, als in euren Gedancken. Dann, was hierinnen von ihm geredet,
(23) ist so wenig wahr, als wenig ein ieder der ist, davor /23/ er angesehen wird. Und wie die in Saba wohnen, die Sonne nicht wie wir in einer runden Kugel, sondern als eine feurige Saüle angeschauet: so wird eine jede Sache nach den Augen und dem Verstande der Menschen geurtheilet. Befindt sich einer oder der ander, der vermeinet, es sey ihm zu nahe geredt, so schreibe es es ihm zu, daß er dis so lange bey sich getragen, was ich nicht gewust. Dann, daß ich vorsetzl. keinen berühre, bezeuge ich mit meinem Gewissen: welchen Zeugen auch in gerechten Sachen anruffen eine Leichtfertigkeit ist,

---

3. stösset / 4. ein / wühlende Saüe / **(29) (30)** 28. rundten /

in falschen eine unauffhörl. Verdamnüß. Indessen aber befahre ich mich, weil ich meine Fehler verthaidige, daß ich die grösten begehen werde; ob ich gleich leichte der Entschuldigung hätte können geübrigt seyn, wenn des Coridons Landleute lieber ihren Zustand aus der Erfahrung und eignem Schaden lesen wolten, als aus diesem Papier und wenig Blättern. Wiewol noch etliche Tugenden durch das Joch der Zeit gerissen, derer Gedächtnüs auch in ihren Gräbern verschlossen liegen solte, wann die Vergessenheit so wol in unser Willkühr stünde, als das Stillschweigen. Ob ich nun zwar befinde, daß mein Vorhaben mehr beschwerlich, als nützlich, meine Reden mehr verdrüßlich, als angenehm seyn werden; iedennoch, im fall es eine Todsünde, bin ich gäntzl. der Hoffnung, diejenigen, so mich verklagen, werden mir verzeihen, wenn ich aus ihrem eignen Leben, das wir tägl. voller Irrthümer finden, Behelff- und Entschuldigung entlehne: Da ich sie dann, indem ich ihre Laster ihnen abborge, umb meine eigene zu bemänteln, neben dem Gewinn, den ich von ihren
Fehlern erwuchere, mir zu Schuldnern mache, /24/ daß (24)
nicht unbillich zu zweiffeln, ob ich aufrichtiger, daß ich ihre Mängel entdecke, umb meine zu entschuldigen, oder sie gerechter, daß sie mich verklagen, an dem sie selbst können vor Gerichte gefodert werden. Denn, als ich einen Blick auf die ungestüme See der Welt gethan, und gesehen, wie die meisten mit ihren Gedancken die Lufft belägerten, und mit ihren Wünschen zürneten, ist mir unmöglich gewesen, weil alle redeten zu schweigen, lachen muste ich, als ich erfuhr und sahe, daß die Herrn dieneten, den Reichen das meiste fehlete, die Glückseeligsten sich beklageten, und niemand dem Tode näher stund, als der nie an ihn gedacht. Etliche verachteten das Geld, weil sie keines hatten; unter andern erblickte ich einen Ort, indem alles umbgekehret war: Die Kirchen stunden auf den Spitzen, die Haüser auf den Dächern, und die Städte waren überall vor das Thor gegangen: Ich bildete mir ein, ich wäre durch die Welt gefallen, und sähe die Antipodes, biß ich ge-

---

10. das Schweigen / (31)

wahr worden, daß ich noch unbegraben allhie herumb spatzierete. Als ich nach den Einwohnern fragte, befand ich sie denen Thieren ähnlich, so wir Menschen heißen, nur daß sie nichts minder auf den Köpffen stunden. Ein wunderliches Spectacul! Und ich hätte mich unterstanden, umb ihre Policey nachzufragen, wann ich nicht frembde unter ihnen gewesen, denen es eintzig nicht vergönnet wird. Und ich glaube, daß sie es von den mächtigen Chinesern gelernet; dis sagt man mir gleichwol, daß die Fast Nacht fast über ein Jahr bey ihnen währete. Dahero ich mich nicht sehr wunderte, daß
(25) so viel unterschiedl. Auffzüge /25/ tägl. in Schauplatz gebracht worden. Sonderlich, wenn sie zusammen kamen, welches zum öfftern geschahe, blieb ein ieder zu Hause, und suchte seinen Nutz, der auf etlichen beruhete, die bey den Lacædemoniern erzogen, welche ihre Kinder aus der Kunst stehlen gelernet, damit sie verschlagen und witzig würden. Das andere waren gute arme Leute, und musten erst von den Dritten erfahren, ob sie gestanden oder gesessen, als sie ihr Ja Wort abgegeben. Unter welchen ich eine schier verkandt, biß man mich berichtete, es sey eben derselbige, dessen Weib gleich den Augenblick als sie aufgehöret zu leben, gestorben. Die einander durch sonsten eine nicht ungelehrte Schrifft mehr beklaget, als er selbst. In welchem Paß, meines Beduncken, der gute Mensch etwas gefehlet, daß er nicht bedacht, welch eine angenehme Sache es ist, wenn man den Ochsen ein Gebund Heu vorleget. Damit ich aber niemanden betrüge, als ob der gute Coridon alle List und Räncke, wie die Kinder ihren Meß Kram u. Tocken Werck, aufbünden würde, als wil ich ihn wieder zu seiner Keule weisen. Dann, daß ich ihm diesen Mantel, welcher Mehrentheils von euren Abgängen u. Überbleibungen zusammen gesetzt ist, umbgehüllet, ist aus euer Ordnung geflossen, da keinem bey Verlust seines Ansehens gestattet wird, sich, wie er an ihm selbst ist, darzustellen. Besser habe ich ihn nicht können in Schauplatz führen, umb von andern erkant zu werden, als in gegen über Stellung eurer

(32) 7. den / 8. von den Chinesern / **(33)** 21. die einander ... bis ... er selbst ... fehlt /

Händel. Dannenhero mehrentheils unter einem Gelehrten nichts, als etliche Wörter vom verschimmelten Latein, das den Römern anstatt einer Purgation gedienet; Unter einem Reichen, nichts als /26/ gute, arme Leute und Schulen, welche von dem (26)
Mercurius, wann er ihn den Glaübigern ausgerissen, mit ein paar Sporen, wie solchen Rittern gebühret, bezahlet werden, verdecket liegen. Ja, daß keine übeler regieren, als die sich nicht von der Vernunfft regieren lassen, weil es am schweresten; daß keine schneller betrügen, als sie redlich seyn wollen, weil es ihnen am leichtesten; endlich, daß keine elender sind, als die ihren Untergang scheuen, und doch befördern und verterben, weil sie nicht wollen verterben. Doch werden sie unbeschwert ihre Masken und Decken ablegen, weil ich sie durch die Palläste und Rath Haüser geführet, und sich mit der Einfalt fassen, stracks weges auf die Bauer Hütte des Coridons zuzugehen.

Entzwischen führet mich die Ursache meines Vorhabens wieder zu Eu. Gn. und befinde alsbald nach Vorstellung meiner Reden, daß ich so ungerecht und so unvernünfftig mit dero unvergleichlichen Leutseeligkeit gebahre, als wahrhafftig und als billig dieselbte mein Urtheil erkennen werden, das ich von denen fälle, die, wie sie keines leiden können, das sie ihnen selbst bereitet, so von allen urtheilen wollen, das sie nicht verstehen. Dann, nachdem ich sie dis Fastnacht-Spiel zu beschauen ersucht, leite Eu. Gn. Gedancken ich von viel höheren Dingen ab, und fehlet nicht viel, daß ich etliche Zeugnüsse über mich werde erdulden müssen, samt ich, nachdem ich ihren scheinbaren Lastern die falsche Hülle der angestrichenen Tugenden abziehe, selbige Eu. Gn. umb- /27/ hüllen solte. (27)
Daß also meine Gedancken, indem sie vermeinen glückl. einzulauffen, an ihrem eigenen Port Schiffbruch leiden, weil sie Eu. Gn. geben, was dieselbige hertzl. hassen, und sich durch anderer Lügen bey diesem angenehm machen, der wie von ihm selbst, so von diesen Sachen so weit abgeschieden, daß

---

(34) (35)

er sich offt nach ihm selbst in seinen Gedancken umbschauet. Wie ich mich aber von dem Vorsatz meiner Reden, welche, weil ie alles besser unter einer Larve verkaufft wird, unter der Falschheit und Mißtraulichkeit nichts als ein redliches Gemüthe zu entwerffen gesonnen, entschuldiget zu seyn vermeine, so empfinde ich mich im Gegentheil verdam̃t zu seyn, von der Hoheit, und Erkäntnüß Eu. Gn. Sinnen, welche, weil sie alles, was ihnen nicht gleich, verachten, durch die angenehme Erzehlung derer Eigenschafften, so ihnen zuwieder, aus ihrer Ruhe können gesetzet werden. Dieses hält der Feder das Verbrechen vor, jenes scheinet es aus zu reden: beyde können durch ihre scheinbare Einwürffe die Sache nicht ausführen, daß nicht dieser unauflösliche Zweiffel solte übrig bleiben, ob deroselben die Laster vorzutragen, ich unverschämter, oder Sie geduldiger, mir Verhör zu ertheilen. Und was suche ich meine Sünden und Eu. Gn. unvergleichliche Tugenden zu vergleichen? Ist es nicht, als ich einen schönen gepflasterten Weg zu einem Königl. Pallaste vorgebe, umb in einen Bauern Hoff einzugehen? Und bin ich mir doch selbst so ungerecht, daß ich fast zu dem worden, was ich geschrieben, wann sich die Gedancken nicht mit dem Gemüthe versöhnet. Daß ich also dis gar
(28) schwerlich von mir /28/ erlangen kan, was ich mich unterstehe von Eu. Gn. zu bitten. Dann dero Gemüthe ist viel zu edel, die Sinnen viel zu göttlich, daß Sie deroselben Gedancken solten lassen auf der Erde herumb lauffen. Indem ich aber gesonnen, Eu. Gn. Lob meiner Zungen und Feder zu vermiethen, habe ich alsbald befunden, daß die Unsterblichkeit dessen die Spitze meines Verstandes gestümpfft und meine Sinnen krafftlos gemacht, daß sie, indem Sie in Himmel dero Tugenden zu fliegen gedacht, auf der Erde blieben liegen, von der sie geschrieben. Dann, wie eifrig und hitzig mein Gemüthe sich erzeigt, so weich und schläffrig ist es darüber worden, daß ich kaum anzudeuten vermocht, was ich vollbringen wollen, kaum zu entwerffen gedacht, was ich ausführen sollen, kaum gewolt zu verstehen geben, wie wenig

---

4. **Mißträulichkeit / (36)** 18. **Bauer-Hoff / (37)**

ich meinen Vorsatz verfolgen können. Und also ist dis, was mir zu schreiben Anlaß gegeben, eine Verhindernüß und Irrung worden. Darumb muß ich mich bemühen anderwerts zu bezeugen, wie hoch Eu. Gn. ich verbunden.

Unterdessen nehme ich meine Zuflucht zu dero Gnade, von der ich noch keinmahl traurig gegangen, und befinde auch schon eine gütige Anzeigung, welche mir nicht allein ein Hertz einspricht, sondern auch den Coridon anfängt redende zu machen. Und weil er auftritt, heisset er mich stille schweigen; Deme zu folgen bin ich auch so willig und bereit, als unbescheiden und verwegen ich gewesen, Eu. Gn. grosse Geduld
/29/ mißzubrauchen, und befehle mich also dero Gunst und (29)
Gnade, der ich mich auf keine Mittel würdig weiß zu machen, als daß ich erkenne, daß ich ihr nicht würdig bin.

(30)

Erstes Buch. (31)

(leer)

Innhalt: (32)

Nachdem sich der Erfinder etwas in Ermunterung seines Gemüthes und Anruffung der Musen auffgehalten, führet er den Coridon in seiner Sprache ein: Dieser nihmt nach Erzehlung der Glückseeligkeiten von seinem Daphnis und seiner holdseeligen Phyllis Abschied: tröstet sich und sie nach Schäfferischer Ausstreichung ihrer lobwürdigen Eigenschafften mit seiner Wiederkunfft. Nach dessen Abtritt der Erfinder entzwischen Vollziehung seiner Reise dem abgematteten und krancken Vaterlande sichere Ruhe und auffrichtigen Frieden verkündiget und wünschet: ohne den kein Mensch was gutes weder verrichten, noch genüssen viel minder besitzen kan.

Phyllis und ihr Coridon, (33)
Sind mein Buch, mein Lied, mein Thon:
Beyde fang ich an zu singen:
Was er da vor ihrer Thür
Brachte voller Liebe für,
Wil ich zu Papiere bringen.

Delie, dich ruff ich an,
Leite mich auf deiner Bahn;
Hirten bist du ja gewogen,

---

(38) (39) = (31) **(40)** = (32) 26. genüssen, viel / **(41)** 29. singen /

Auf dem Feld in Liebesbrunst
Bist du deiner Daphne gunst
Hintern Schaafen nachgezogen.

Und ihr Schwestern, schönste Schaar
Nehmt des neuen Tichters wahr;
Pegasus kom̄t itzt geflogen.
Last mich zu dem Brunnen ein,
Unsre Mägdlein, wie sie seyn,
Sind mir sonst nicht unbewogen.

Liebste Musen, dencket nicht,
Daß ich wieder meine Pflicht
Eure Quelle wil beflecken:
Ich wil kein Gewehr und Schwerd,
Welches eure Ruh verkehrt,
Auff des Hoemus Spitze stecken.

Tichter, so ohn übersehn
Reim auf iede Märckte drehn;
Mögen viel von Helden sagen:
Helden, siehet man sie an,
Welche sonsten nichts gethan,
Als die Menschen todt geschlagen.

(34) Nein: ich wil kein Tröpfchen Blutt,
Weder Kraut, noch Loth, noch Glutt
Unter euern Castall grüssen:
Thränen, weil er muß davon,
Sind es, die dem Coridon
Ueber seine Wangen flüssen.

Hirten! Neulich schaut ich an,
Was die Welt vor Künste kan,
Seit Athen und Rom verblichen:
Nun Europa, deine Zier
Geht an ihren Sprachen für
Alten Römern, alten Griechen.

---

(42) 22. **Tröpfgen /**

Wer verehrt die Feder nicht,
Drinnen nach der Weisheit Pflicht
Spanien, deine Meister stutzen?
Ihrer Mund Art hohe Pracht
Kan ja, wer es recht betracht,
Phoebus seinen Mund betrutzen.

Seht Tuscanien drauff an,
Was Petrarcha da gethan:
Wie sein Ariost gesungen?
Wie durch ihren Helicon
Tassus und sein Bullion
Ihren eignen Ruhm bezwungen.

Wer ist, dem nicht komme bey,
Was vor Zier in Franckreich sey.
Alle Welt kom̄t zugelauffen:
Jedes Volck wil voller Schein
Seinem Mund ein Kläpperlein
An der linden Seine kauffen.

Altes Deutschland sage mir, (35)
Wie klang deiner Sprache Zier?
Dein Geschichtbuch waren Reime:
Deiner strengen Lieder Schall
Gab an Schilden starcken Hall,
Itzund ist niemand daheime.

Iedoch, auch wir wachen auff,
Wo der Oder ihren Lauff
Boreas pflegt zu betrücken:
Wo der Queckquall seine Stadt
Buntzlau offt erquicket hat,
Seh' ich unsre Cyrrha blicken.

Opitz, der aus freyer Hand
Das gelehrte Niederland
Konte hochdeutsch reden lehren:

---

3. Spanjen / **(43)**

Bracht an Bober seine Zier
Unsre Musen, welche wir
Durch das wehrte Deutschland hören.

Wann die Schaaff ich eingethan,
Wie ein wacher Schäffer kan,
Wil ich mich an Ecker machen:
Ich wil bringen an den Tag,
Was da Land und Stadt vermag,
Hoher Fürsten weise Sachen.

Nun indem du voller Preiß
Findest das gelehrte Gleiß,
So die Ober Alpner haben:
Deutschland, weil du baust die Bahn,
Wil ich sehen, ob ich kan
Auch mein Theil aus Pimpla graben.

(36) Eine neue Schäfferey
Bring ich in den Büchern bey,
Weit vom Stadt- und Hofe-Wesen.
Eines stillen Lebens Ziel
Ist mein Werck, mein Lied, mein Spiel,
Dieses sol mein Deutscher lesen.

Ich wil zu den Brunnen gehn,
Wo die Schaaf und Wieder stehn,
Daphnis fängt mir an zu ruffen:
Daphnis, ihr seyd fort und fort
Meiner Feder Wind und Port,
Meiner Sinnen Wunsch und Hoffen.

Liesse mich auch Phoebus gleich,
Seyd ihr doch mein Königreich
Und mein Hippocrenen Bronnen:
Und im Fall wir es besehn,
Daphnis, was durch euch geschehn,
Phoebus giebet Euch gewonnen.

---

(44) (45)

Glaubet, sonder Eure Pflicht
Kenn ich Dint und Feder nicht,
Kan ich mich nichts unterwinden:
Ich kan sonder Eure Hand,
Die durch West und Ost bekan̄t,
Weder Euch noch Hüttung finden.

Eure Schwester, wincket mir,
Der da suchen für und für
Phoebus Töchter nachzutreten:
Ach! verzeiht mir, daß ich knie,
Ihre Huld vor meine Müh
Meiner Arbeit anzubeten.

Sie hat unter ihre Macht (37)
Das Aoener Schloß gebracht,
So die Barbarn eingerissen:
Helicon, die heilge Fluth
Muß ihr reiner, als sie thut,
An gelehrten Ufern flüssen.

Meine Demuth sieht Sie an,
Und das schlechte, was ich kan,
Sie wil meinen Vorsatz preisen:
Darumb wird sie meine Hand
Auff die Bahn, die sie erkan̄t,
Hochberühmter Seelen weisen.

Sie wird meine Tichterey
Mit der ihren froh und frey
Auf den regen Saiten schlagen.
Sie wird meinen Coridon,
Meiner Sinnen ersten Thon
In den liebsten Händen tragen.

Coridon in seiner Pein,
Welcher mir sol ähnlich seyn,
Wie mich meine Freunde lehren:

---

(46) (47)

Welchen ihr von seiner Brunst,
Seiner Schaaff Trifft, seiner Kunst,
Nunmehr werdet spielen hören.

Gestern war es, da er kam
Und so seinen Abschied nahm:
Auf das Feld kam er gegangen,
Jeder sahe seine Noth
Ihm an Augen an, die Gott
Über ihn bisher verhangen.

(38) Offte wolt er frölich seyn
Inner Lust und inner Pein:
Offte wolt er sich beklagen;
Wo ich Coridon noch bin,
Sprach er, ich wil weiter ziehn,
Und mein Leiden mit mir tragen.

Und so er zurücke denckt,
So er siehet, was ihn kränckt,
Coridon kan nichts ersinnen:
Dieses scheint das beste seyn,
Daß er laß in ihrer Pein
Schlesien und sein Beginnen.

Schlesien, das arme Land,
Das numehr in Raub und Brand
Wilder Krieges Gurgeln worden:
Sein Beginnen, das fort hin
Nichts nicht wuste zu vollziehn,
Im betrübten Liebes Orden.

Nun ich mache, was ich wil,
Sprach er, es gilt gleich so viel,
Demnach es so weit gekom̃en:
Lässest du dein Vaterland,
Dieses wird dir nicht entwandt,
Wo du Abschied hast genommen.

---

8. Ihr an Augen / 9. Über ihr /

Zwar, er nahm die Flöte vor,
Sahe gantz betrübt empor,
Dahin, wo er ausgegangen:
Aber, weil des Daphnis Grund
Ihm in seinen Augen stund,
Wust er nichts nicht anzufangen.

Daphnis, sang er, werther Held, (39)
Schwerlich seh ich mehr das Feld,
Mehr die Trifft von Euren Schaaffen:
Wann ihr meinen Tod erkiest,
Sprecht, mein treuer Schäffer ist
Weit von Daphnis eingeschlaffen.

Und ich weiß, ihr könt forthin,
Weil ich sol von hinnen ziehn,
Meiner nicht so gar vergessen:
Meiner Saiten süsses Spiel,
Welches Euch so wol gefiel,
Spricht, ich sol mich so vermessen.

Doch es wird umb unsre Grufft
Mancher Hirt in freyer Lufft
Sehen seine Heerde springen:
Traurig wird umb unser Grab
Und umb unsern Hirten Stab
Manche schöne Schäffrin singen.

Nun ich scheide voller Leid,
Lieber Daphnis, es ist Zeit:
Werd ich Euch auch wieder finden?
Sol ich voller Ehr und Pflicht
Wieder sehen dieses Licht,
Euch mit Liedern anzubinden.

Ach! Du armer Coridon,
Zeuchst du gleichwol nun davon.
Ist es nicht vergunt zu bleiben?

---

(48) 8. seh' / 13. könnt / **(49)**

Welcher Mensch wird ohne Scheu
Dir erweisen solche Treu,
Dir also die Zeit vertreiben?

Keinmahl wirstu her und hin
Auf den Güttern mit ihm ziehn,
Ihm nicht deine Sachen lesen:
Keinmahl kriegst du Unterricht
Von der Weisen Bücher Pflicht,
Keinmahl vom gelährten Wesen.

Er wird dich so offt und viel
Nicht mehr umb das letzte Ziel
Unsrer höchsten Weisheit fragen:
Nicht mehr von Athen und Rom,
Wie hier umb den Oder Strom,
Wann wir bey den Schaaffen lagen.

Ewig kömt es nicht dazu,
Daß ich leb in solcher Ruh,
Wie ich bey ihm angefangen:
Dann, wo Baüm und Blumen stehn,
Kont ich in die Schule gehn,
Wust' ich Weisheit zu erlangen.

Was ein gutes Leben sey,
Bringt mir iedes Gräßlein bey,
Nicht ein Haus von Marmorsteinen:
Iede Schöpffung, iede Spur
Weist und zeigt mir die Natur,
Die es nicht kan böse meinen.

Bey Ihr ist ein Buch zu sehn,
Da zwey Blätter umbzudrehn:
Eines Himmel, eines Erde:
Darauff steht ein eintzig Wort,
Sonder Anfang, sonder Ort,
Daraus ich gebohren werde.

---

9. gelehrten / **(50)**

Dieses lehret mich so viel (41)
Einen Blick, als ie ein Ziel
Sonsten lehrt von tausend Stunden:
Wer es hört, der sieht ein Licht,
Wer es sieht, erkeñt die Pflicht,
Wer es keñt, hat alles funden.

Daphnis! Ach, es ist mir leid,
Daß ich von Euch vor der Zeit
Sol hin in die Frembde reisen:
Keine Stunde geht noch hin,
An der ich nicht klüger bin,
Also kontet ihr mich weisen.

Und ich denck ihm offte nach
Da, als Tyrsis uns besprach,
Tausendmal war er willkommen;
Alle Fragen löst' er auff,
Durch des Himmels Trieb u. Lauff
Hatten wir es wahrgenommen.

Ach, wie fleissig hörten wir,
Wann er etwas brachte für:
Von dem Wesen, von den Dingen,
Schien es nicht, als wir und er
In dem Himmel hin und her
Mitten untern Sternen giengen.

Offte fiel mir aus der Hand
Dieser Stab, wann er genañt,
Was die alten Weisen lehren:
Offte stund ich wie ein Schaaff,
Wann er die Gedancken traff,
Und mich kont' ohn Worte hören.

Die geheime Scheide Kunst (42)
Ließ er uns aus Gottes Gunst
Ihre Wirckung gleichfals schauen:

---

(51) 13. denck' / **(52)**

Kupffer ward ja, wie er wolt,
Unter unsern Händen Gold:
Wer wil nun der Kunst nicht trauen?

Wie der Wolff das goldne Lam̄
Jenes Spanschen Flusses Stam̄
Wust im Magen aufzuschlüssen:
Wie das Lam̄, ward er verbran̄t,
Kam dadurch in höhern Stand,
Können wir nun besser wissen.

Wie der goldnen Pfeile Macht
Vater Phoebus hat gebracht
In der Schlangen grünen Rücken:
Wie das Blut sich drauff ergoß,
Draus die heilsam Artzney floß,
Sehen wir aus freyen Stücken.

Wie der Hirten Stab von Bley
Kam dem Wasser Thiere bey,
Und zubrach die schweren Eysen,
Drüber Sie Adromede
Aus dem Felsen gieng ohn Weh,
Können wir an Fingern weisen.

Wie des Wunder Hirten Hand
Jenes goldne Kalb verbran̄t,
Heist die Asch' ins Trincken streuen:
Wie er jene Schlang erhöht,
Und was da vom Stabe steht,
Kan uns nunmehr baß erfreuen.

(43) Kurtz: er öffnete die Spur,
Zeigt uns Gott und die Natur:
Erd und Himmel, wo wir giengen,
Erde war voll Ertzt und Gold:
Himmel voller Krafft und Huld.
Ach! Der Lust, so wir empfiengen.

---

3. nu / 4 ff. Wie der Wolff ... bis ... besser wissen. fehlt. /
(53) 27. numehr / 29. Zeigte Gott /

Gott weiß, als er Abschied nahm,
Und zu meiner Heerde kam,
Hefftig gieng es mir zu Hertzen:
Mit ihm zog ich weit hervor,
Biß den Zoten ich verlohr,
Voller Wehmuth, voller Schmertzen.

Lebe, meine Wonn und Lust,
Ich wil künfftig, wie du thust,
Dich vor andern Hirten singen:
Meine Heerde sol sich mehrn,
Wird sie deinen Nahmen hörn,
Sol auf grüner Heiden springen.

Ehe wird die Wölffin gehn,
Wie ein Lam̄ im Stalle stehn,
Und die Zieg in Lüfften weiden:
Ehe wird die Imme hin
Auf den finstern Rauchfang ziehn,
Ehe wir vonsammen scheiden.

Wie der Berg die Than̄e weist,
Wie die Bach die Pappel preist:
Und die Thäler ihre Myrten,
Wie die Gärte für und für
Mispeln nennen ihre Zier,
So erheb ich diesen Hirten.

Aber! ach die Zeit ist hin, (44)
Auch du Coridon must ziehn,
Must den Stab zum wandern fassen:
Ach wie hoch bist du betrübt,
Denn dein Daphnis, der dich liebt,
Muß und sol nun seyn verlassen.

Tytir, mein getreuer Knecht,
Schau, es steht um beÿde schlecht,
Liß zusam̄en unsre Sachen:

---

(54) 15. Zieg' / 19. die Danne / 24. erheb' /

Meine Reis' ist dir bekan̄t,
Bey mir wirst du halten Stand,
Dich mit mir von Daphnis machen.

Gutes hast du mir gethan,
Daß ich dich nicht lassen kan,
Als ich tödlich kranck gelegen:
Aber, was sol Tytir seyn,
Daphnis, weil ich bleib in Pein,
Weil Ihr nicht könt meiner pflegen.

Künfftig werd ich schlecht bestehn,
Daphnis wird nicht mit mir gehn,
Nicht nach seinem Schäffer fragen:
Keinem Menschen kan ich nicht
Künfftig solcher Zuversicht,
Was mir umb mein Hertze, sagen.

Hirten, wann es wird geschehn,
Werden gegen Himmel sehn,
Warumb wir vonsam̄en leben?
Warum mir des Himmels Lufft,
Daphnis, neben eurer Grufft
Auch nicht wil ein Raümchen geben.

Frommer Schäffer liebste Schaar
Reisset nicht in euer Haar,
Wißt, ich muß unschuldig leiden,
Wißt, ich habe nichts gethan,
Als, daß ich nicht falsch seyn kan,
Daß ich nicht kan Tugend meiden.

Grim̄ und Eyfer, Haß und Neid
Mache künfftig, was dir leid,
Übe, was du vorgenommen:
Ewig bringst du es nicht hin,
Daß wir, sol ich von ihm ziehn,
Nicht hinfort zusammen kommen.

---

(55) 21. Raümgen / **(56)**

Ach! Zu fest ist dieses Band,
Das kein Mutter Mensch erkañt,
Viel zu schlecht ist dein Beginnen.
Kein Betrug, kein Heucheln nicht
Löset wahrer Weißheit Pflicht:
Sie besteht in innren Sinnen.

Wisse, weil des Eyfers Pest
Dir aus deinen Därmen bläst,
Daß wir miteinander gehen.
Ich hab eine Kunst erdacht,
Daß wir durch Sie Tag und Nacht
Unzutreñt beysammen stehen.

Ja wir leben dort und hier,
Ich in ihm und er in mir,
So kan uns die Weisheit zwingen:
Daphnis kan ja sonder mich,
Sonder ihn ingleichen ich
Keinen Augenblick vorbringen.

Darumb, bilde dir nicht ein, **(46)**
Daß wir ie geschieden seyn:
Berg und Thal kan uns nicht trennen.
Zwar wir gehen vom Gesicht
Aber vom Gemüthe nicht:
Dieses must du recht erkennen.

Doch ich schwere bey der Noth,
Bey dem süssen Freudenbrod,
Als ich erst die Welt gesehen:
Doch ich schwere bey der Kost,
Bey der lieben Mutter Brust,
Umb die ich so konte flehen.

Mehr, ich schwere bey dem Mund,
Als er etwas kürmeln kunt,
Und den Vater wolte grüssen:

---

(57) 19. bilde mir / **(58)**

Bey den Worten, die ich sprach,
Da, als ich gelispelt nach,
Welches bloß die Eltern wissen.

Mehr noch, daß es für und für,
Wie nach Hertzen gienge mir,
Wolt ich seyn nach Eurem Willen:
Wolt ich hier ohn Pracht und Kunst,
Wo ich würdig Eurer Gunst
Meine Lebens Zeit erfüllen.

Hier wolt ich ohn List und Tück
Auch den letzten Augenblick
Treu in Eurer Pflicht beschlüssen:
Alle Schäfer durch das Feld
Solten von Euch, Werther Held,
Und von Euern Sachen wissen.

(47) Alle Bücher nehm ich mir
Von den alten Schäffern für,
Aus den grossen Königreichen:
Hirten, wie hoch sie zu ehrn,
Solten sie mich lesen hörn,
Würden Eurem Stam̄e weichen.

Das bewährte Pohler Land
Stellte Schriften mir zur Hand,
Von den ältesten Sarmaten:
Allda würden ohn Vergehn
Auff den ersten Blättern stehn,
Euer Vorfahrn wehrte Thaten.

Dieses unbesiegte Reich
Preiset ja durch vollen Streich
Die vortrefflichen Zigotten:
Ihre Dienste sucht der Neid
Weniger als Sie, die Zeit
Dieses Zepter auszurotten.

---

(59)

Ihrer Sebel Glantz und Licht,
Ihrer Pfeile Schärff und Schicht,
Ihre Pferd in Tiegers Haüten:
Ihrer Bogen Stärck und Krafft,
Ihrer Lantzen Spitz und Schafft
Zeigt ich unsern Schäffers Leuten.

Ohne Sie, bey meiner Treu,
Ward kein Krieg noch Frieden neu,
Ward kein Feind niemals bestritten:
Ward niemals ihr Erden Kreiß
Von den Türcken feist und heiß,
Dorte nie von Moscowitten.

Der Ertz Bischoff' Ehr und Zier (48)
Zieh ich selbst den Kronen für
Mit den grossen Hirten Stäben:
Wie vielmahl Altar und Heerd
Sie erhalten, Sie bewehrt,
Wolt' ich zu verstehen geben.

Würd' ich drauff in Ungerland
Überschlagen nach der Hand,
Die beblutten Schäffereyen:
Lange dörfft' ich blättern nicht,
Eurer Tugend neue Pflicht
Singt man da auf allen Reihen.

Vater, hier ward Euer Ahn
Aus Zigotten ein Czigan:
König Corvin war umbschlossen
Mit Zigainern, die er fand,
Rettet Er ihn und das Land,
Draus der Nahme drauff entsprossen.

Als in Eyl und in Gefahr
Niemand auffzubringen war,
Kam das schwartze Volck gezogen:

---

13. Bischöff / **(60)** 25. hie / 27. umbschlossen, /

Das nahm Er zu Diensten an,
Schlug den Türcken Mann an Mann,
Macht ihm Cron und Reich bewogen.

Drauff der König unverwandt
Seinen Czigan ihn genan̄t,
Welcher Nahme so beklieben:
Dieses wolt ich dar und hier
Unsern Schäffern bringen für,
Und was sonsten auffgeschrieben.

(49) Und ihr Götter, wo ihr nicht
Hasset so gerechte Pflicht,
Laßt mich es vom Himmel haben:
Bringt mich durch so manches Land
Wieder hier an Oder Strand,
Last mich neben Ihn begraben.

Und im Fall es ausersehn,
Daß ich umb Ihn müste flehn,
Ach! wie hertzlich solt ich klagen!
Selber, käm ich nur dahin,
Wolt auf meinen Achseln ihn
Ich zu Grabe helffen tragen.

Bey dem Bette wolt ich stehn,
Keinen Tritt nicht von Ihm gehn,
Ihn mit meinen Armen heben:
Biß sein Ohren suchten Ruh,
Biß die Augen fiellen zu,
Biß den Geist er auffgegeben.

Durch der Thränen milden Schein
Wüsch ich sein Gesichte rein,
Grabelieder ließ ich singen:
Hirten bät' ich hier und dar,
Daß sie kläglich par und par
Hinter Seiner Leiche giengen.

---

2. Mann vor Mann / **(61)** 21. Ihn zu Grabe / 32. klüglich /

An den allernechsten Baum
Wolt ich, daß es Platz und Raum,
Mein und sein Gedächtnüß schneiden:
Leute, die vorüber gehn,
Schauten an den Rinden stehn,
Hier sein Lob, und da mein Leiden.

Ja, ich würde voller Huld, (50)
Wo die Leiche liegen solt,
Einen kleinen Tempel bauen:
Beyde Hertzen auf das neu,
Eine Lieb und eine Treu
Würde man darinne schauen.

Als ein Heiligthum stellt ich
Einen Todten Kopff vor mich:
Biß mein End auch wär erschienen,
Aussen wüchsen dar und hier
Schöne Sinnenbilder für,
Seine Lob Sprüch unter Ihnen.

Statt des Kirchhoffs um den Plan
Legt ich mir ein Gärtgen an,
Streute darein Kraüter Saamen:
Wohin man denn würde gehn,
Würd' uns stets entgegen stehn,
Hier sein Wappen, da sein Nahmen.

Fenchel, Raute, Roßmari
Weinten umb Ihn spat und früh:
Würde Sie der Thau befeuchten.
Durch die Straüche schauten wir
Der beträhnten Liljen Zier
Wie durch kleine Wäldchen leuchten.

Doch ihr Götter, hört mein Flehn,
Lasset es ja nicht geschehn,
Laßt mich Seinen Sarg nicht schmücken:

---

(62) (63)

Lasset, wo ihr es erkan̄t,
Ihn mit Seiner lieben Hand
Mir mein Augen niederdrücken.

(51) Lobt man gleich die neue Welt,
Glaubt mir, doch wird unser Held
Meine Saiten höher heben:
Was ist Welt und Geld und Gutt,
Daphnis, sehn wir Euern Muth,
Sehn wir Euer Göttl. Leben.

Wie die Tann in hoher Zier
Wächset einer Weiden für,
Und die Rosen faulen Melden:
Wie die Oder sich erhöht,
Und vor seichten Quellen geht,
So ist Daphnis untern Helden.

Da, wo man von Tugend hört
Und die Weißheit wird gelehrt,
Ist sein Lob auch auszubreiten:
Sein Gedächtnüß, ob die Welt
Gleich zu Grund und Scheitern fält,
Wird bestehn zu allen Zeiten.

Könt ich Ihm in süsser Ruh
Etwas höhers bringen zu,
Wie sehr wollt ich drüber wachen:
Aber, was kan höhers seyn
Als des guten Nahmens Schein,
Welchen nichts kan finster machen.

Alles nihmt das faule Grab,
Stand und Ehre, Gutt und Haab,
Jedes Läm̄lein muß sich geben:
Alles deckt die lange Nacht,
Bloß der gute Nahme wacht,
Bloß der Ruhm bleibt nach dem Leben.

---

(64)

Da, wo dieser Gräntz Stein liegt, (52)
Wird der kalte Tod besiegt,
Streckfuß kan nicht drüber schreiten:
Tengeln mag er, wie er wil,
Seine Sense fleucht dis Ziel,
Er verstum̄t vor unsern Saiten.

Ich begab mein Vaterland,
Freunde, Glücke, Gut und Stand,
Daphnis bloß von Eurentwegen.
Euer bleib ich, was ich bin,
Biß mein Geist wird von mir ziehn,
Und mehr keinen Puls bewegen.

Ja, ich sey auch, wo ich sey,
Wil ich ohne Heucheley
Bloß nach seiner Liebe trachten:
Ich wil ihr der Schäffer Schaar,
Macht Gott meine Wünsche wahr,
Jährlich einen Ham̄el schlachten.

Also nahm den Abschied er
Voll Betrübnüs, voll Beschwer.
Dieses war sein Wunsch und Seegen,
Hiermit gab er seine Noth
Gab er sein Geseegne Gott
Seinen Freunden zu erwegen.

Und so wir es recht besehn,
Ursach ist genung zu flehn,
Er wird keinen Daphnis finden:
Jedes Land hat ja sein Licht
Aber dessengleichen nicht.
Sein Gemüth ist nicht zu gründen.

Ehe der gewölckte Thau (53)
Seine Perlchen auf der Au
Jedem Blümchen aufgehangen:

---

(65) (66)

Eh es etwas grau und klar,
Umb den Morgen wieder war,
Kam schon Coridon gegangen.

Bisher, wo er gieng und stand,
Ward sein Daphnis blos genan̄t,
Daphnis stackt ihm in dem Hertzen:
Daphnis kam ihm immer für,
Aber Daphnis glaubet mir,
Macht ihm nicht allein die Schmertzen.

Es war übern Daphnis was,
So ihm Hertz und Seele fraß:
Phyllis, darff ich euch wol nennen?
Ihr, Ihr seyd es, was ihn plagt,
Was ihn ängstet, was ihn nagt,
Eure Glutt kan ihn so brennen.

Lieb und Feuer birgt sich nicht,
Darum rieff er voller Pflicht,
Was er immer ruffen können:
Seinem Daphnis rieff er zu
Vor der Phillis ihre Ruh
Ihn noch besser zu gewinnen.

Unterdessen, weil ich bin
Fertig, sang er, fortzuziehn,
Daphnis, last mich hie genesen:
Nehmt, weil ich bin auf der Bahn
Meine liebe Phyllis an,
Die Ihr allhie werdet lesen.

(54) Könte Daphnis, weil er liebt,
Was ihm meine Leyer giebt,
Auch die treue Phyllis hassen?
Phyllis die den besten Thon
Euerm lieben Coridon
Muß von Ihrer Liebe lassen.

---

(67) 33. lassen? /

Phyllis meine Lust und Pein
Phillis mein Gewölck und Schein
Mein gewünschter Regenbogen:
Meine Sonn und Wonn und Licht,
Meiner Seelen traute Pflicht,
Der ich hertzl. wol bewogen.

Ach werd ich euch diesen Tag
Diesen Gang, wie ich ie pflag,
Liebstes Sehllgen sehen können?
Weil es nunmehr sol geschehn,
Daß wir uns nicht wiedersehn,
Uns nicht werden mehr beginnen.

Alle Glieder zittern mir,
Bittre Zähren treten für:
Alle Geister gehn zu Hertzen,
Ja das Hertze klopfft davon
Wann dein treuer Coridon
Denckt an dis sein traurig Stertzen.

Nun, ich muß nur weiter gehn
Biß, wo jene Wiesen stehn,
Biß, wo jene Pappeln prangen:
Biß, wo jene Gegend sich
Wird erzeigen, welche mich
Mehr als alle Welt gefangen.

Schaut das schöne Thälchen stehn, (55)
Drumb die grünen Plätze gehn,
Welch es wie ein Krantz umbschlüssen:
Wie die Schlangen her und hin
Sich durch bunte Wiesen ziehn,
Schaut die Quelle so entspriessen.

Fornen macht der Oppau Rand
Hinten zu der Oder Strand
Lustige bebaumte Gänge,

---

(68) 9. Seelgen / 20. iene Weiden / **(69)**

Hier da springen Fische für,
Dorten singen Vögel Ihr
Alles in gewünschter Menge.

Mitten sieht das wehrte Haus
Mit den kleinen Giebeln raus,
Es liegt zwischen zweyen Teichen,
Aus den Fenstern, wo sie steht,
Auff den Bühnen, wo sie geht,
Sieht man nichts als Liebes Zeichen.

Schäffer, dorte siehet man,
Die nicht grosse Wohnung an,
Da ich doch viel Glück empfangen:
Da mir ja viel besser war,
Weil die Phyllis wohnte dar,
Als wo hohe Schlösser prangen.

Aber ach! itzt ist es aus,
Künfftig werd ich, liebes Haus,
Mich bei dir nicht mehr verweilen:
Phyllis, Euer Aüglein Schein
Wird von mir geschieden seyn
Über mehr, als hundert Meilen.

(56) Ach, wo fang ich, wo ich kan
Im̄er mehr den Abschied an?
Was wol werd ich erstlich singen?
Kan ich dann? Wo sol ich hin?
Sol ich dann? Wie kan ich ziehn?
Nichts nicht weiß ich vorzubringen.

Und ihr Füsse, wie dann nu,
Traget ihr mich noch dazu?
Schwerlich wird es mehr geschehen.
Und ihr Augen, seht ihr an,
Daß ihr auf der Lebens Bahn
Schwerlich werdet weiter sehen.

---

(70)

Manchen Tag und manche Nacht
Hab ich traurig durchgebracht,
Seither ich mit umbgegangen:
Ach! Des Daphnis hohe Gunst!
Ach, der Phyllis reine Brunst
Werd ich nicht hinfort umbfangen.

Offte, wo mir recht geschehn,
Hab ich eine Kräh ersehn,
So mir lincks dis nach geschrieen:
Offte machte Sie ihr Raum,
Flog auf jenen hohlen Baum,
Sagte: du must von ihr ziehen.

Und der Schäfflein liebes Heer
Sah ich wegen der Beschwer
Offt in einen Klumpen fahren,
Anders dacht ich nicht bey mir,
Als der Wolff, das böse Thier
Würgte mitten untern Schaaren.

Über dis, daß andre Vieh (57)
Prillte furchtsam spat und früh,
Wenn ich zu Ihr wolte gehen:
Offte kroch die Schlange vor,
Rackt ihr listig Haubt empor,
Gab mein Elend zu verstehen.

Und wie jener schwere Traum
Überwind ich es gar kaum
Vom verwirrten Liebes Wesen:
So ward er gedeutet mir,
Von der Mutter, welche hier
In der Erndte nachgelesen.

Sagten mir doch aus der Hand
Die Zigainer diesen Stand,
Wann ich es nur recht erwogen:

(71)

Ihre schwartz gebrañte Schaar
Nahm auch meiner Farbe war,
So durch unser Dorff gezogen.

Mehr: Es sagt: Es ist umbsonst
Einer, welcher aus der Kunst
Den Planeten konte lesen:
Mehr, es sagt ein alter Mann,
Lieber Sohn: Dir seh ichs an,
Schwerlich wirst du hier genesen.

Vater! Ach wo sol ich hin?
Seit, daß ich wil weiter ziehn,
Wollen Wald und Wiese grauen:
Und das Vieh ist matt und kranck,
Welches man voll Speiß und Tranck
Muß ohn Milch und Eyter schauen.

(58) Alle Schaaff umb unsern Port,
Als ich bloß gedachte fort,
Wolten wie mein Leiden fühlen:
Und als es die Schaar erkañt,
Schaarte sie sich in den Sand,
Die mit Hörnern pflegt zu spielen.

Sing ich gleich: Der Mund ist blaß:
Spiel ich gleich: die Zung ist laß:
Steh ich, lieber möcht ich liegen:
Leib und Block Pfeiff und Gesang
Sind wie Hertz und Sinnen kranck,
Finden weiter kein Vergnügen.

Schaut, die Wolcken umb und an
Trauren auf des Himmels Bahn;
Seht, sie sind wie gantz zuschwollen:
Seht, wie sie geruntzelt stehn,
Tag vor Tag mit Regen gehn,
Wie sie mit den Winden schmollen.

---

(72) 25. Block, Pfeiff /

Gestern, als mich ohngefehr
Sahe gehn der Sternen Heer
Hiessen sie es mich erzehlen:
Ach sie nahmen, weil es klar,
Meiner mit Erbarmen wahr
In den blau gewölbten Saälen.

Und des Morgends, als ich gieng,
Eh es an zu Tagen fieng,
Phillis, Phillis Euch zu ruffen:
War in Feldern alles naß,
Baum und Blume, Kraut und Graß,
Alle grüne Zweiglein troffen.

Ach! es war fürwahr kein Thau, (59)
Was da fiel auff Wieß und Au,
Ob es gleich die Leute meinen:
Thränen Wasser war es bloß;
Das von goldnen Sternen floß,
Welche meinetwegen weinen.

Und, als ich in Garten kam,
Einen Kürbis für mich nahm,
Euren Nahmen drein zu schneiden:
Sprungen aus den Wunden mir,
Phillis, bittre Thränen für,
Wolten meine Schmertzen leiden.

Die betrübte Nachtigall,
Wenn sie schlägt den süssen Schall,
Meint Ihr, sie wil Ithim suchen?
Ich, ich bin es, den sie klagt,
Ich, nachdem sie traurig fragt,
Wann der Morgen angebrochen.

Saget aus, Du Wald und Wild,
Daß mit Schreyen ich erfüllt,
Sagt ihr Schaaff in euren Weiden,

---

(73) (74)

Sagt wie lange früh vor Tag
Ich nun singe meine Plag,
Ich nun singe dis mein Leiden.

Ich bin eine Thränenbach,
Thränen folgen Seufftzern nach:
Seufftzer die gebären Flam̄en,
Biß in einem inner sich
Flam̄en, Seufftzer Thränen mich
Schwem̄en, hem̄en und verdammen.

Dennoch beth ich heilig an
Ihre Zier und meinen Wahn:
So hoch bin ich eingenommen:
Ach! wie elend ist der Stand,
Den die Lieb uns zuerkan̄t,
Keiner Qual ist abzukommen.

Nymfen hier am Oder Strom
Euch beschwer ich, wo ihr from̄,
Ihr solt sie für allen lieben:
Wo ihr nach der Schönheit fragt,
Welche mir so wol behagt,
Gebt, daß sie nichts mag betrüben.

Länger als ein Rehbock springt
Und die Schwalb in Lüfften singt,
Nach dem Klee die Bienen fliegen:
Länger als ein Brackhund jagt,
Und die Zieg am Rutten nagt,
Bleibet Phyllis mein Vergnügen.

Zieh ich gleich nun hin und her,
Über Land, und über Meer,
Meer und Land kan uns nicht scheiden:
Bey ihr bin ich Tag und Nacht,
In mir fühl ich ihre Macht,
Von ihr schreibet sich mein Leiden.

---

7. immer sich / 10. bat / **(75)** 26. an Rutten /

Doch, wann ich zu lange bin,
Last Sie drüber ihren Sinn,
Liebste Hirtin, nicht betrüben:
Schaut wol zu, und haldet Hutt,
Daß Sie ihr kein Leid anthut,
Saget Ihr, was ich geschrieben.

Hirten, Euch vertrau ich Sie, (61)
Nehmt Sie, meine Sorg und Müh,
Wie ihr Mich habt angenommen:
Seht ihr Sie ie einsam gehn,
Sprecht und bleibet bey Ihr stehn,
Coridon wird wieder kommen.

Liebste Phyllis, schönste Zier,
Allen Schäffrin geht Ihr für:
Sol ich mich mit Euch geseegnen:
Sol ich reisen ausser Land,
Was wol vor ein härtrer Stand
Kan dem Coridon begegnen.

Erd und Himmel saget frey,
Sang er, daß nichts edlers sey,
Als Ihr Gang, Ihr Thun und Tichten:
Glaubt mir, wo man Nymfen keñt,
Daß man sie die schönste neñt,
Nach der ich mich weiß zu richten.

Seht die Haare, die sie trägt,
Wie sie mich zu binden pflegt:
Seht die Stirne nach Behagen:
Seht die Schläffe ruhig gehn:
Seht die Uhr der Adern stehn,
So die Pülß und Geister schlagen.

Seht das rothe Mündlein blühn,
Als Corall und als Rubin:
Seht das Paar der lieben Wangen:

---

(76) 21. Tichten? / **(77)**

Seht wie iedes, wann es lacht,
Ein behäglich Grüblein macht,
Seht den Hals, der mich umbfangen.

(62) Seht die Augen auch dabey
Voller süsser Zauberey,
Die ich hertzl. lieb gewonnen:
Seht wie Sie, ohn Untergehn
In dem weissen Zirckel stehn,
Pechschwartz, als zwo lichte Sonnen.

Doch ich rath Euch: Gehet fort,
Hier ist nichts als Raub und Mord,
Sie sind wie die Crocodillen:
Wie die Basilischken seyn
Durch des Spiegels Gegenschein
Bloß zu dämpffen, bloß zu stillen.

Seht der Nasen ihre Zier
Als das reinste Wachs da für,
Seht die Monden ihrer Ohren:
Seht die Läpplein warm wie glutt,
Weich wie Seide, roth wie Blut,
Die Ihr selbst die Lieb erkohren.

Seht der Schönheit süssen West,
Der durch ihre Lippen bläst:
Seht die Lippen, wie zwo Rosen,
Seht das Kinn als Schnee gefügt,
Drunter heller Purpur liegt,
Seht, was sonsten lieb zu kosen.

Seht die Zähne voller Schein,
Welche wie ein Demant seyn,
Untern rothen Leffzlein kleben:
Seht den Marmel ihrer Brust,
Als zwo Kugeln voller Lust,
Die sie auff und nieder heben.

---

13. Basilisken / (78) 30. Lefftzlein /

Nun genung: nehmt den Bericht, (63)
Weiter seht bey Leibe nicht:
Leichte werdet ihr Sie kennen:
Sonsten tritt die auch herein,
So gerad als Tannen seyn,
Die Ihr höret Phyllis nennen.

Wann ihr Nymfen ie erkiest,
Sehet, wo die Schönest ist:
Nachricht könt ich da wol kriegen:
Mich beduncket, ich möchte fehln,
Sonst wollt ich euch mehr erzehln,
Aber last Euch so begnügen.

Venus hat es bloß erkiest,
Was dort unterm Röckgen ist,
Sonsten darff es niemand schauen:
Zwar, so gut ich immer kan,
Halt ich täglich bey Ihr an,
Doch sie wil mir noch nicht trauen.

Schweren solt Ihr, daß Euch nicht
Hier im Lande zu Gesicht
Ist dergleichen Mägdlein kommen:
Zieren wird Sie treu und frey
Eure gantze Schäfferey
Wann Ihr Sie zu Euch genommen.

Daß ich doch in süsser Pein
Könt ein kleines Bienchen seyn,
In ihr Gärtgen hin zu fliegen:
Ein beliebtes Honig-Haus
Baut Ich bey den Lippen aus:
in behäglichem Vergnügen.

Allhie stillt ich alles Weh, (64)
Ihre Schoos ist voller Klee:
Untern Füssen stehn Melissen:

---

(79)

Rosen gehn dem Munde bey,
Könt ich Sie doch alle drey
In der schönsten Blüthe küssen.

Sicher läge sie gestreckt,
Wann mit Schmirgeln überdeckt
Solt' ie eine Schlange springen:
Stracks für ihren Augen hier,
Reckte sie ihr Haubt herfür,
Wolt' ich sie zu Tode singen.

Dieses fürcht ich immerdar,
Daß es Ihr nicht werde wahr,
Weil Sie gerne liegt im Grünen:
Besser läge meine Zier,
Meine Wonne neben mir,
Würd' ich doch zu einer Bienen.

Daß ich doch ein Taübgen sey,
Wie daß ihr so frisch und frey,
Umb die Achseln pflegt zu irren:
Umb der Augen Tauben Schlag,
Der mich allzusehr vermag,
Würd' ich auf das liebste kirren.

Mit ihm /: wie ein lieber Fund :/
Schnäbelt ich den Mund umb Mund,
Übersüsse Himmels Speisen:
Mit ihm flieg ich ohn Bemühn
Über ihrem Haubte hin,
Würde Sie von Hause reisen.

Oder, weñ es könte seyn,
Daß die Wünsche treffen ein,
Wolt ich bey den Schaaffen bleiben:
Wünschen wolt ich früh und spat
Mich an Ihres Läm̄leins stat
Ihr die Weile zu vertreiben.

Seelig wär ich, wann ich solt,
Ihr im Sitzen voller Huld
Auff dem grünen Röckchen schlaffen:
Frölich sucht ich noch zu ziehn,
Wann die Schäffrin gienge hin
Mitten untern liebsten Schaaffen.

Knüpffte mir dann ihre Hand
Umb den Hals ein Nesselband,
Würd ich Ihre Farbe tragen:
Hienge Sie mir auf der Bahn
Ein gegoßnes Glöckchen an,
Würd ich Ihren Nahmen schlagen.

Stiege Sie denn ohne Müh
In die Bach biß an die Knie,
Unsre Wolle rein zu machen:
Schauten in dem Wasser wir
Unsre Schatten leuchten für.,
Welches unser würde lachen.

Als ein Maüßgen immerdar
Wolt ich liegen in der Schaar
Unter allen andern Schaaffen:
Meine Wolle voller Schein
Würd' ihr Bett und Polster seyn,
Wann Sie darauff wolte schlaffen.

Daß ja keines andern Hand, (66)
Weil ich wander über Land,
Breche, was Sie mir versprochen:
Nun Sie gab mir (: merckt den Kauff :)
Einen Hut voll Aepffel drauff,
So Sie selber abgebrochen.

Seh ich Ihre Freundschafft an,
Die mir so viel gutts gethan,
Sind es froñ und deutsche Leute.

---

(81) (82)

Ihr Gewerb ist Feld und Vieh,
Ihre Baarschafft saure Müh,
Ihre Pracht nicht frembde Beute.

Weil Sie auch, was an mir ist,
Durch getreue Dienst erkiest:
Denck ich, Sie sind mir bewogen:
Sie sehn es der Phyllis an,
Daß Sie kein gemeiner Wahn
Hat zu meiner Huld gezogen.

Und der Glaube fält mir bey
Daß es Ihr auch hertzlich sey,
Daß ich Sie noch werd erheben:
Sie wird keinem, was Sie mir
Zugesagt von Ihrer Zier,
Umb die beste Melck Kuh geben.

Daß ich ja den lieben Tag
Vor dem Ende sehen mag,
Da Sie sich nicht mehr wird grämen:
Da die Woll ich spat und früh
Nach viel ausgestandner Müh
Ihren Schäfflein werde nehmen.

(67) Glaubet, daß die ich erkiest,
Zärter als ein Läm̄lein ist,
Das man wil der Mutter rauben:
Als ein Taüblein, das man eest,
Das da kiehlt, und lernt im Nest
An der Alten Schnäbel klauben.

Weicher, als Caninchen seyn,
Süsser, als der Bienen Wein,
Edler, als ein Rad von Pfauen:
Weisser, als der Mertzen Schnee,
Rischer, als ein flüchtig Reh,
Ist Sie von uns anzuschauen.

---

(83) 25. äst / 26. kielt / (84)

Sie ist schneller als ein Wind,
Fröm̄er als ein kleines Kind,
Sänffter, als ein Schlaff im Kühlen:
Sie ist klärer, als ein Glas,
Frischer, als bethautes Gras,
Freyer, als ein Ball im Spielen.

Sie ist heller als die Bach,
Welch am Grunde nach und nach
Läst ein jedes Steingen sehen,
Schlauer als ein stiller Traum,
Dessen Thun und Gang gar kaum
Von den Sinnen auszuspehen.

Liebste Phyllis, lebet wohl!
Saget, weil ich wandern sol,
Wollt Ihr mir ie was befehlen:
Künfftig kön̄t ihr hier und dar,
Phyllis, bey der Schäffer Schaar
Viel von unser Lieb erzehlen.

Wann ich werde von Euch seyn, **(68)**
Wird Euch alles kommen ein,
Was mit Uns ist vorgelauffen:
Was Ihr vor und ietzt gethan,
Kön̄t Ihr lustig zeigen an,
Unter Eurer Schaaffe Hauffen.

Wann Ihr untern Schäffrin seyd,
Zu verkürtzen Eure Zeit,
Kön̄t Ihr unsre Lieder singen:
Was ich Euch im Felde schrieb,
Hinter meiner Schaaffe Trieb
Kön̄t Ihr den Gespielen bringen.

Dort auf jenem grünen Plan
Werdet Ihr, wie ich gethan,
In den schönen Büchern lesen:

---

30. der Gespielin / **(85)**

Was die Hirten uns gesand
Über See und über Land
Wird sich ziehn auf unser Wesen.

Was Theocritus gemacht,
in Sicilien erdacht,
Wañ er Morgends ausgetrieben.
Was umb Mantua Virgil
Übet vor ein Sitten Spiel,
Phyllis, wird Euch auch belieben.

Und, was wil ich weiter gehn?
Hier seh ich die Nymfen stehn,
Sie verlassen ihre Gräntzen:
Ihre Kräntze, die sie führn,
Damit sie die Schäffer ziern,
Seh ich weit vor Cronen gläntzen.

(69) Laura kom̄et ohn Beschwer
Aus Tuscanjen zu ihr her,
Schwester, spricht sie, bist zufrieden:
Tassus steht nicht weit von Ihr,
Seiner Welschen Ehr und Zier,
Mit Chlorinden, mit Armiden.

Wie die Sonn ohn Untergehn
Seh ich die Diana stehn,
Circe wil ihr Dienst entbitten:
Ariostus singt ihr zu,
Seiner Göttin Leid und Ruh,
Imma selber kom̄t geritten.

Jede Schäffrin aus Forest,
Die der Urfe von sich läst,
Wil mit dir im Felde schwätzen:
Seht, wie Sie Astraea sucht,
Wie sie sich wil auf der Flucht
Nechst an Ihre Seite setzen.

---

3. unsere / **(86)**

Und Melanthe voller Preiß,
Die nicht deutsch zu reden weiß,
Sagt Ihr Händel aus den Städten:
Und von Hofe voller Weh
Komt die arme Clytie,
Die sie Ihr zu Trost erbethen.

Argenis, das Himmels Pfand
Beut ihr ihre treue Hand,
Die dem Poliarch ergeben:
Auch Hercynie tritt ein,
Unsers Schlesiers Mägdelein
Wil Sie biß in Himmel heben.

Phillis, was ist sonsten da?
Ist nicht selbst Arcadia
Euch zur eignen Heimath worden?
Gehet, die von Pembrock köm̄t,
Und, wo man mein Spiel vernim̄t,
Seyd ihr unter ihrem Orden.

Sitzet zur Parthenie,
Tröstet Euch mit ihrem Weh,
Ehret der Pamela Sinnen:
Nehmet als ein Beyspiel an,
Was Philoclea gethan,
Liebt Ihr Lob und Ihr Beginnen.

Aber, woher kom̄t dis Licht?
Seh ich eine Göttin nicht
Zu uns her vom Himmel steigen?
Hirten, last die Nymfen stehn,
Kom̄t, ich wil euch, wolt ihr gehn,
Unsers Daphnis Schwester zeigen.

Ja Sie ist es, seht den Schein,
Alles stimmet mit ihr ein:
So kan Sie ein Ding erzehlen:

---

5. Kömt / 7. des / **(87)** 16. Pembrook /

Alles was ihr seht, ist Sie;
So kan Sie sich spat und früh
Unsrer Musen Schaar befehlen.

Jeder ist mit ihr bekan̄t:
Auch die, welch' ich itzt genannt,
Pflegen Sie hoch zu verehren:
Alle Barbarn gehen bey,
Lassen ihre Barbarey,
Wann dis Barberle sie hören.

(71) Reime, die kein Wort nicht zwingt,
Lieder, die ein Engel singt,
Reden, die kein Sinn kan machen:
Bücher, /: doch es ist allhie
Keines so gelehrt, als Sie :/
Sind ihr Werck, ihr Spiel, ihr Wachen.

Phoebus zanckte sich mit mir,
Daphnis unlängst wegen Ihr:
Sprach: Ich wil Sie Schwester heissen:
Ach! er wolt es nicht gestehn,
Daß Sie mit Euch solte gehn,
Sich zu Ihrem Bruder reissen.

Vater Phoebus, laßt es seyn,
Daphnis ist mein Berg allein,
Seine Schwester, meine Musen:
Sie ist Pallas, tretet her,
Jene Hand, die trägt den Speer,
Die den Brust Schild von Medusen.

Schöne stehet es Ihr an,
Daß Sie so klug reden kan,
Und noch klüger weiß zu schweigen:
Saget, wo Ihr Sie erkiest,
Ob Sie nicht ein Wunder ist,
Ob Ihr was kan gleiche steigen?

---

(88) (89)

Sie ist recht ein Göttlich Bild
Mit Verstand und Witz erfüllt,
Auf der Welt nicht nach zu mahlen:
Seelig muß an Glück u. Schein
Jedes Frauen Zimmer seyn,
Sieht und sucht es diese Strahlen.

Darumb, wann ein guter Geist (72)
Euch zu dieser Göttin weist,
Liebe Phillis, last euch lehren:
Küsset ihre Händ und Knie,
Voller Andacht, wann Ihr Sie
Wollet nach Gebühr verehren.

Einsam geht Sie warlich nicht,
Alle Götter voller Pflicht
Kom̄en mit Ihr aufgezogen:
Liebet Sie, als wie ihr thut,
Euch ist Erd und Himmel gut,
Eintzig, wo Sie euch bewogen.

Mit ihr werdet ihr denn hin
In den schönsten Garten ziehn,
Mit Ihr zu den Blumen treten:
Durch die Blumen, wie Sie kan,
Wird Sie selbst euch reden an,
Wann Sie Euch zu Ihr gebethen.

Ietzund wird Sie dis erzehln,
Ietzund euch ein Buch befehln,
Ietzund von den Sternen lehren:
Von der Weisen Scheide Kunst,
Von der Götter Wunder Brunst
Werdet Ihr viel Sachen hören.

Was man von den Griechen sagt,
Was man von den Römern fragt,
Alles wird hier angetroffen:

---

(90)

Was Athen u. Rom erkan̄t,
Heissen uns von Ihrer Hand
Unsre deutsche Musen hoffen.

(73) Wo ihr Euch, wie Sie gesin̄t,
Endlich in Sie schicken kön̄t,
Wird Sie euch die Zeit vertreiben:
Sie wird, iedoch gantz verdeckt,
Drunter lauter Weißheit steckt,
Ihren Lebenslauff beschreiben.

Wie sie sich die süsse Pein
Niemals lassen nehmen ein,
Wie Sie selbst Sie angenommen:
Wie Sie solch auch abgelegt,
Was sich zuzutragen pflegt,
Phillis, das wird für Euch kommen.

Solten, dürfft ich bey Euch stehn,
Nicht die Augen übergehn,
Würd es umb ein schlechtes fehlen:
Wann sie voller Quaal und Noth
Ihres treuen Schäffers Tod
Euch vor Wehmuth kont' erzehlen.

Seiner Liebe Hirten Stab,
Welchen Er ihr letzlich gab,
Wird sie Euch betrübet lesen:
Phillis, dieser hohe Geist,
Den Ihr Kling Gedichte preist,
Ist nicht von der Welt gewesen.

Ich beken̄, es ist mir leid,
In der Blüthe seiner Zeit
Ist er untern Waffen blieben:
Doch, der klugen Thränen Macht
Reißt ihn aus der langen Nacht,
Die sie auf sein Grab geschrieben.

---

(91) 15. Phyllis / **(92)**

Göttin, klagt ihn nicht so sehr, (74)
Er ist voller Ruhm und Ehr.
In des Himmels Zelt gestiegen:
Gustav, welcher seinen Rath
Offt und viel beklaget hat,
Muste so im Felde liegen.

Phillis, ja es ist wol wahr,
Sie ist nicht aus unser Schaar,
Sie ist von den Göttern kommen:
Hält uns das Verhängnüs an,
Wisset, daß sie mehr gethan,
Wann sie ihr was vorgenommen.

Keinen Menschen läst sie für,
Der da wil von Ihrer Zier
Und von seiner Liebe schwätzen:
Sie wird ihm von ihrer Pflicht,
Davon bringt sie niemand nicht,
Ewge Gründ entgegen setzen.

Phillis, Sie wil voller Pein
Aehnlich der Cassandra seyn,
Die mit Troja ist vertorben:
Ob ihr niemand folgen wil,
Sucht sie doch das letzte Ziel,
Wo ihr erstes Lieb gestorben.

Lernet, lernet, wo ihr kön̄t,
So beständig seyn gesinnt,
So im Tode treu zu bleiben:
Sie sie höret drüber an,
Wird Euch ie ein Leid gethan,
Wird Euch ie ein Kummer treiben.

Untern Engeln, schöne Zier, (75)
Steht ihr kaum so gut, als hier,
Seht ihr kaum so kluge Sinnen:

---

(93) (94)

Lebet, wo ihr Phillis seyd,
Mit ihr in Vertraulichkeit,
Die euch stets wird gutes gönnen.

Also wird ohn Furcht und Pein
Euch mein Abschied leichter seyn,
Also wird man Euch erkennen:
Treffet dieser Göttin zu,
Ihre Tugend, ihre Ruh,
Ihre Liebe sol euch brennen.

Unterdessen werd ich hin
Zu den grossen Hirten ziehn,
Zu der Weißheit hellen Sternen:
Unter Ihnen werd ich stehn,
Und bey Ihrer Heerde gehn,
Umb viel Wunder Ding zu lernen.

Dann fürwahr, ihr fehlet sehr,
Dencket ihr, es kan nichts mehr
Coridon als Schaaffe weiden:
Hirten sind vom Himmel her,
Nichts kom̄t ihnen ohngefehr,
Können sich vom Pöfel scheiden.

Was ein Weiser kaum erkiest,
Warumb dis und dis nicht ist,
Sehen sie an ihren Schaaffen:
Sichrer liegt ihr liebes Vieh
Auf dem Feld, in Sinnen Sie
Als die, welche stehn in Waffen.

(76) Wo war, als ein Feld und Wald
Aller Götter Auffenthalt?
Wo die Schaar der Pierinnen?
Wo war Orphe, dessen Klang
Wild und Wald zugleich bezwang,
Wo die Weisheit reiner Sinnen?

---

31. Orpheus /

Sol ich euch dann wiedersehn,
Und nach vieler Winde Wehn
Meinen lieben Daphnis grüssen:
Wil ich meine Lebens Zeit
Mit euch beyden sonder Neid
Hier im grünen Felde schlüssen.

Würdet ihr dann, wie vorhin,
Mir, mein Kind, entgegen ziehn,
Sprecht ihr: Schäffer, gut willkom̄en;
Keine Mutter hätt ihr Kind,
Brächt es ihr ie Mast und Wind,
Also freudig angenommen.

Seyd ihr es? ist es mein Wahn?
Fieng ich, liebste Schäffrin, an,
Ja, hie das sind eure Wangen:
Mancher, der auf einen Tag
Seinen Schatz nicht sehen mag,
Ist als wie ein Licht vergangen.

Ach! ihr Aüglein, welche naß,
Eure Wänglein, welche blaß,
Eure Lipplein, welch erstummen:
Eure Händlein, welche kalt,
Zeigten mir, wie die Gestalt
Vor Betrübnüß abgenommen.

Wie der süssen Pfierschken Zier, (77)
Geht den bittern Schleen für:
Schleyen goldgepinckte Fohren,
Eulen eines Habichts Schwung,
Kühen eines Läm̄leins Sprung,
So seyd ihr auch auserkohren.

Auserkohren seyd ihr so:
Seh ich euch, so bin ich froh,
O mein sehnliches Verlangen!

---

(95)

Glaübet, daß den Wanders Man̄
So kein Qual erquicken kan,
Der sich müd und matt gegangen.

Beyder Hertzen gleiche Treu
Würde täglich funckel neu,
Und in reiner Liebe brennen:
Keines Seigers Schlag und Lauff
Hüb in uns die Eintracht auff,
Nichts kan treue Seelen trennen.

Unsre Leichen, unsre Bein,
Ob Sie tieff verschorren seyn,
Würd ein Göttlich Lob verjüngen:
Hirten, die wir itzt nicht sehn,
Würden unsern Tod beflehn,
Und von uns viel guttes singen.

Und, obgleich kein Lands Man̄ nicht
Uns erweiste diese Pflicht:
Würd es doch nicht gantz verbleiben,
Der bey uns vorüber reist,
Würd, im Fall man es ihm weist,
Uns dergleichen Grabschrifft schreiben:

(78) Wie in beyden Cörpern hier
Eine Seele gläntzte für,
So hat beyd ein Grab erlesen.
Pilgram, trieffst du ie hie zu,
Wüntsche zweyen eine Ruh,
Welche niemals zwey gewesen.

Dieses war sein Wunsch und Ziel,
Seiner Flöten süsses Spiel,
Abschied hat er so genommen.
Dann, so wolte ziehn davon
Unser guter Coridon,
Dann so wolt er wiederkommen.

---

(96) 3. Quall / 4. Beyder Hertzen ... bis ... Seelen trennen ... fehlt. / 25. triffstu /

Unterdessen würde man
Friede stifften umb und an,
Und das Römsche Wesen stillen:
Unser liebes Vaterland
Würde sich in alten Stand
In der Vorfahrn Tugend hüllen.

Dieser Friede, solt er stehn,
Müßt auf wahre Freundschafft gehn,
Freundschafft auff! auff! rechte Sinnen!
Sinnen auf vertraute Pflicht,
Alles seyn auf Gott gericht,
Ohne dem wir nichts beginnen.

Was nu dis und jenes Theil,
Hat gesucht vor Hülff und Heil:
Alle treue Bundsgenossen,
Was mit Waffen u. mit Rath
Jeder beygestanden hat,
Würden in Vergleich geschlossen.

Es würd über dis Vertraun (79)
Licht u. Recht vom Him̄el schaun,
Gottes Brunnen würden fliessen:
Wahrheit und Gerechtigkeit
Würden sich ohn Unterscheid
Hertzlich auf den Gassen küssen.

All /: es wäre Recht gethan :/
Stünden so vor einen Mann,
Setzten Hertz und Schwerd zusam̄en:
Giengen mit gesam̄ter Hand
Hin in das gelobte Land,
Daß es knastern solt und flam̄en.

Was nun durch Gewalt und List
Inner dieser Krieges Frist
Hier und dar verübet worden:

---

(97) 12. Ohne den / **(98)**

Würde gäntzlich übersehn,
Als ob es niemals geschehn,
Brennen, Rauben, Plündern, Morden.

Niemand dächte mehr daran,
Was du Ihm, er dir gethan,
Alles müste seyn vergraben:
Die Versöhnung wär ein Stein,
Drauff der Frieden hätt allein
Das gemeine Heil gegraben.

Nach so hartem Hertzeleid
Sässen wir in Sicherheit,
Welche wir so sehnl. suchen:
Auch wir Schäffer, wo wir gehn,
Würden mit im Brieffe stehn,
Und mit auf den Frieden pochen.

(80) Aus Vertrauen würden nu
Alle voller Lust und Ruh
Wieder zu dem Ihren kommen:
Wiederstattet müste seyn,
Was man hätt aus Zwang und Pein
Dem und jenem abgenommen.

Was die Acht und Ober Acht
In den andern Standt gebracht,
Wäre wieder abzutragen:
Abzutragen wäre nicht,
Was vor Zuspruch, Recht und Pflicht
Stände gegen Stände klagen.

Mehr Recht käme mit der Ruh
Keinem Eingesetzten zu,
Als er vorgehabt in Reichen:
Das bedingte bliebe frey,
Oder müste, wer er sey,
Rechten oder sich vergleichen.

Pfaltz und Bayern umb den Rhein
Würden ausgesöhnet seyn,
Beyde stünden bey dem Throne:
Pfaltz und Bayern voller Zier
Trügen unserm Kayser für,
Er den Apffel, der die Krone.

Beyde würden in dem Lehn
Und in der Gesam̄nüß stehn:
Gienge Pfaltz ein, blieb es Bayern:
Träff es Bayern: Land und Stand
Würden seyn zur Pfaltz gewand:
Wie die Erb Brieff es betheuern.

Die Verträge, welche meist (81)
Heidelberg und Neuburg preist,
Blieben, wie sie eingegraben.
Sonsten müste dieses Haus
Bey der Cam̄er Rechten aus,
Was es wil, von andern haben.

Hertentgegen wär ohn Scheu
Pfaltz dem grossen Kayser treu:
Mit des Hauses Anverwandten,
Stehen blieb in Ruh und Krafft
Neben Ihm die Nachbarschafft:
Unter Ihm die Lehns genan̄ten.

Ja der Kayser würd aus Huld
Ein und andre Tonne Gold
Lassen dem Geschwister geben:
Brüdern, so wie es gefällt,
Schwestern, als ein Mitgifft Geld:
Sachen, welche hoch zu heben.

Hierauff würd in gleiche Macht
Beydes Württenberg gebracht:
Gleicherweise beydes Baaden,

---

(100) (101) 26. Tonnen / 32. Würtenberg /

Jedes Haus würd ausser Flehn
Seiner Stämme Gräntzen sehn,
Keiner mehr dem andern schaden.

Wäre so in Haab und Gut,
In Besitz, in Recht und Hutt
Eingesetzt, was einzusetzen:
Würd in Seine Heymath hin
Grafe, Ritter, König ziehn,
Jeder sich des Leids ergötzen.

(82) Schulden, die man abgedruckt,
Eingehandelt und verruckt,
Suchte Niemand einzutreiben:
Urtheil von dem Kriege her,
Führte Niemand drob Beschwer,
Würden bey der Würckung bleiben.

Endlich kämen ingemein,
Wer sie immer möchten seyn,
Alle Räthe, Krieger, Knechte:
Ob erwehlt Sie als ihr Heil
Dieses oder jenes Theil,
Wieder auf den Schluß zu rechte.

Also brächte Stadt und Haus
Beydes Recht- und Erb-Leut aus,
Recht zu Güttern und Personen:
Aber Gütter liesse man,
So vor Schweden eingethan,
Denen, so sie itzt bewohnen.

In der Kirchen voller Pflicht
Und in keinem Winckel nicht
Suchte man Gott anzubethen:
Jeder würde, wie sie lehrn,
Seine Pröbst und Priester hörn,
Und in ihre Stapffen treten.

---

(102)

Jeder, würd er zeigen an,
Daß er was nicht recht gethan,
Dürfft in seine Heymath kom̄en:
Alle, wann sie ingesam̄t
Ihre Sach und sich verdam̄t,
Würden wieder auffgenom̄en.

Wär es einmal recht verziehn, (83)
Dürffte keiner, wie vorhin,
Andrer Eyd und Pflicht verwachen:
Einig solten ingemein
Aemter und Gewissen seyn,
Über der Gemeine Sachen.

Leute, die ohn Tadel seyn,
Setzte man in Aemter ein,
Drunter andre stehln und schinden:
Mancher, der nicht recht gebohrn,
Treu und Redlichkeit verlohrn,
Würde wie ein Dampff verschwinden.

Keine Krieger dürfften hin
Nach versessnen Resten ziehn,
Küh und Pferd aus Ställen holen:
Niemand sagte Tag u. Nacht
Von dem Feinde, von der Schlacht,
So uns Brieff u. Geld gestohlen.

Unverbürgte Sicherheit,
Treu und Lieb ohn Pflicht u. Eyd
Würden sich zu Geisseln geben:
Jeder würd auf Rosen gehn,
Sein bekräntztes Haupt erhöhn,
Und auf seinem Gutte leben.

Menschen, welche Lermen schreyn,
Müste man zu ihrer Pein,
Wie Sie uns gedraüt, verjagen.

---

(103) 9. Anderer / (104)

Steuer dörffte voller Noth
Niemand auf des Armen Brod,
Auf der Waisen Thränen schlagen.

(84) Ceres zöge wieder ein,
Wo die wüsten Gütter seyn,
Ließ aus Waffen Sensen schmieden,
Bey den Picken, wie man kan,
Und am Degen würde man
Hüner braten, Fische sieden.

Wie die Piltz im Pusche hier
Wüchsen neue Bauern für,
Neue Bürger in den Städten:
Gras, das auf der Gasse steht,
Würde, wen̄ man fährt und geht,
Und von Kindern eingetreten.

Niemand dörffte Wach aufführn,
Und die wüste Drom̄el rührn:
Niemand vor den Thoren schantzen:
Ja, wir könten, wie vorhin,
Sicher auf die Kirmeß ziehn,
Wieder in dem Kretschem tantzen.

Aus den Aeckern würde man,
Was da gäntzl. abgethan,
Röhr und Spieß und Degen pflügen:
Glatte Schädel schauten wir
Untern Todten Knochen hier
Im gebraachten Felde liegen.

Jeder sagte, was man fragt,
Fragte wieder, was man sagt,
Dürfft es den̄och nicht versteuern:
Niemand dürffte seinen Eyd
Voller deutscher Redlichkeit
Jedes viertel Jahr verneuern.

---

1. Steuern / 21. den / **(105)** 27. Im gebrachten /

Keiner, würd er was verjähn, (85)
Dürffte hintern Rücken sehn,
Des Verräthers Grieffel scheuen:
Jeder würd in stiller Ruh
Seinem Herren lauffen zu,
Und sich keines frembden freuen.

Es würd eines ieden Heerd
Von der Tracht, die er begehrt:
Ohne wilde Gäste rauchen,
Jeder könt ohn Furcht und Noth
Seinen Schweiß, das liebe Brod
Über seinem Tische brauchen.

Jeder, der sich matt gekriegt,
Reich gestohlen, arm gesiegt,
Würd' in Ruh zu Hause sitzen:
Leichte nihmt man Länder ein,
Aber Sie erhält allein,
Der Sie kan durch Ruh beschützen.

Ruh erwehln, bringt Sicherheit,
Kriege führn, Verterb und Leid,
Ruhm, mit Nachbarn sich vergleichen:
Gnad erweisen, Ehr und Scheu,
Recht verschaffen, Macht und Treu,
Sieg, der guten Sache weichen.

Worte, die der Stand Nutz bricht,
Urtheil, die der Degen spricht:
Rathschläg, alles arm zu machen:
Künste, so die Ehrsucht treibt,
Vortheil, so die List vorschreibt,
Flöhe man wie Hund und Drachen.

Fürsten hätten Recht und Land, (86)
Herren Ansehn, Ehr und Stand,
Ritter Lehn, das Sie verlohren:

Bürger Zünfft und Kauffmañschafft
Bauren Vieh, der Gütter Krafft
Voller Zuversicht erkohren.

Das erhöhte Kayserthum
Würde voller Preiß und Ruhm,
Wie der Phoenix sich verjüngen:
Und der Adler voller Lust
Mit der Burgundischen Brust
Die 4. Welt Theil überschwingen.

Andrer Ferdinand, ich wil
Seyn ein anderer Virgil,
Ich wil singen Mañ und Waffen:
Sieht uns Gott genädig an,
Daß ich ruhig leben kan,
Werd ich nicht dein Lob verschlaffen.

Ob ich hintern Schaaffen geh,
Umb die Garb und umb den Klee,
Dennoch wil ich höher klettern:
Weise Schrifften wil ich baun,
Und dein Lob in Pfeiler haun,
Die kein Sturm nicht sol zuschmettern:

Hier da, wo die Oder fleusst,
Und die grünen Werder schleußt,
Wolt ich sieben Bogen schlüssen:
Oben stünd ein Marmel Stein
Drauff die Völcker, wo sie seyn,
Unsern Kayser würden grüssen.

87) Meine Musen werden hin,
Vor den Trost der Zeiten knien,
Und Sein Ertz-Haus übersingen.
Ich wolt ihm vor Seinen Thron
Seiner Thaten wahren Thon
Voller Lorber Zweige bringen.

---

2. die Gütter / **(107)** 23. schleusst / **(108)** /

Seiner Kriege weites Meer
Sol durch meine Feder her
Auf der Blätter Marmor flüssen:
Seiner Siege gleichen Lauff
Schrieb ich in die Taffeln auf,
Die die Nach Welt würde küssen.

Hie, da solten Helden stehn,
Welche Seine Macht erhöhn;
Neben Ihnen ihre Schlachten,
Ihre Cörper, die es spührn,
Würden sich in Gräbern rührn,
Und nach Ruhm und Ehre trachten.

Städte, die zerstöret seyn,
Solten unter Kalck und Stein
Ihren alten Glantz empfangen:
Flüsse, die mit Bergen man
Eingeschrenckt auf nasser Bahn,
Würden freien Strom erlangen.

So wird Troja noch erkañt,
Ob es zehn Jahr ausgebrañt,
So bleibt Rom in Büchern stehen:
So gläntzt Hectors Helm und Schwerd,
So sieht man des Caesars Pferd
Auf der Feinde Haüpter gehen.

Nun zu dieser Göttlichkeit (88)
Ist mein Styl, itzt nicht geweiht,
Dieses Werck wil beßre Stunden:
Bis des Krieges Wolck und Pein
Durch des Friedens Glantz und Schein
Wie ein Dampff wird seyn verschwunden.

O Gott! wo ein Gott noch ist,
Der dis deutsche Lied erkiest,
Tilg in uns das Mißvertrauen:

---

(109)

Laß uns als des Friedens Lohn
Mit dem guten Coridon
Endlich unsre Gütter bauen.

Laß uns, hilff uns doch dazu,
Künfftig unter linder Ruh,
Unsers Grossen Kaysers leben:
Bind ihm nicht die milde Hand,
Die er auf dein Volck gewand,
Ihnen Gnad und Trost zu geben.

FERDINAND, der from̄e Held,
Den wir sehn der Fall der Welt,
Bloß mit seiner Weißheit halten:
Der dich über Ihm bloß hat,
Wil in Ländern früh und spat
Ruh und Frieden lassen walten.

Offte zürnt der Himmel zwar
Wegen seiner Völcker Schaar,
Daß dis Pfand bey uns sol gehen:
Daß dis Haubt uns sol berührn,
Und nicht seine Sterne ziern,
Dennoch laß Ihn bey uns stehen.

(89) Höchster Vater! steh ihm bey,
Setz uns Krieg und Steuer-frey,
Hilff einmahl das Ende machen:
Hertzlich, wie ein Vater kan,
Nim̄t er sich ja unser an,
Ein Beschützer deutscher Sachen.

Kan doch schier das deutsche Blut,
Das da tobt wie eine Fluth,
In der Welt nicht weiter rinnen:
Wilt du denn uns Menschen nicht
Weiter dieses Hauses Pflicht,
Dieses Hauses Langmuth gönnen?

---

(110) 11. den Fall / 23. Krieg- / 28. teutsche /

Waffen, drunter alle Welt
Itzund wie in Ohnmacht fällt,
Können Städt und Länder zwingen:
Köñen Thrön und Zepter hin
Von beherrschten Völckern, ziehn:
Aber dich nicht unten bringen.

Du verbleibst, die Feinde gehn,
Keiner kan ja nicht bestehn,
Der sich wieder dich verbunden:
Deutschland wird offt umgekehrt,
Durchgeplündert, ausgeheert,
Aber niemals überwunden.

(90)
(leer)

Anderes Buch. (91)

Innhalt: (92)

Das andere Buch ist gleichsam eine offentliche Stachel- und Schimpff-Schrifft. Der Erfinder hat deswegen was von der Schäfferischen Einfalt abtreten, und seine Reden offt in Dörner und Stacheln einhüllen müssen: iedoch mit solcher Bescheidenheit, daß er nicht die Leute, sondern eintzig und allein ihre Laster und verdam̃liche Gewohnheiten angestochen:

Wie er nun seinen Coridon einführet, fängt derselbige alsbald an die Mißgunst, und ihre Nachtreterin die Wäscherey mit höhnischen Worten zu hancken. Setzet einen Abriß der von Lügen u. geborgten Kleidern zusam̃en genestelten Aufwärter Seiner Phillis unter Augen: Darauf durchforschet er etliche Stände, stellet derselben Glückseeligkeiten seiner entgegen: Als er aber in den Kirchen an statt der Göttl. Lehre nichts als Zanck und Hoffarth, in den Lägern unser Kriegesleute anstatt der deutschen Auffsicht u. löbl. Gesetze, nichts als reiffe Anschläge auf einen Stallvoll überbliebener Kühe u. Ausfressung der Länder: In den Städten an statt löblicher Ordnungen und rühmlicher Tugenden, nichts als Eigennutz und böse Sitten; In den Höfen an statt der Mässigung und durchgehenden Gerechtigkeit, nichts als nasse Lippen und wolfeile Gewissen: Endl. bey den Meisten an statt der Liebe des Vaterlandes und Erhaltung allgemeiner Wohlfarth,

---

(111) **(112** [leer].) **(113)** = (91) **(114)** 16. etwas / Schafferischen / 17. Dörner oder / 23. verspotten (anstatt hancken) / 27. unserer Kriegesleute / 29. Auffressung / **(115)**

nichts als zutren̄te Gemüther und blutige Rathschläge gehört, gesehen, erkan̄t und abgemercket: fället ihm die Sache und das Urtheil, wie von dem Tripode des Apollo zu, daß neml. die seel. Ruh seines Lebens den Verwirrungen u. Irrthümern der andern Stände weit vorzusetzen. Welchen Schluß er mit etlichen Gründen befestiget, u.
(93) nachdem er die Glückseeligkeit, /93/ in welche Sie die Liebe setzen wird, seiner Phillis vorgesungen, leget er die Gelübde Seiner beständigen Wolmeinenheit vor dem Throne der ewigen Vorsehung ab, und nim̄t darauff zum andernmal seinen Abscheid.

(94)

I.
Exordium.

Schäffer, der du dieses siehst,
Wo auch deine Heymath ist,
Sag und sing es deinen Schaaffen:
Coridon hat nicht wie Ihr,
Wo Parnassus raget für,
Untern Reimen können schlaffen.

Keinen Traum hat er gehabt;
Der ihn mit der Kunst begabt,
So die Seelen kan verkehren:
Was ihn fast in einer Nacht
Zu dem Tichter hat gemacht,
Ist die Lieb und ihr Beschweren.

Als Aurora wiederkam,
Und das Tuch von Augen nahm,
Und bepurpert ihre Wangen:
Als die Sonne Berg und Thal
Golden macht umb ihren Saal,
Da kam Coridon gegangen.

Seine Laute, sein Gesang
War ein Holtz, ein Stroh, ein Klang,
Dessen sich die Künstler schämen:
Sein Geticht, sein Spiel und Thon
War allein, wie Coridon
Seinen Abschied solte nehmen.

---

3. Ruhe / **(116 [leer]) (117)**

Aber besser seht es an,
Als er selber glauben kan,
Hab ich seine Wort erkohren:
Seiner Stimme süsse Zier
Fiel mir auf mein Schreib Papier,
Als Sie dieses Lied gebohren.

Bißher hast du angehört, (95)
Wie er seinen Daphnis ehrt,
Was er gutts von Ihm empfangen:
Wie er vor der Phillis Haus
Seine Pein geschüttet aus,
Und betrübet heim gegangen.

Eine Schimpff Schrifft von der Hand,
Hab ich dieses Buch genan̄t,
Von der Menge seiner Sachen:
Coridon wil sich bemühn,
Alle Stände durchzuziehn,
Bloß umb seinen groß zu machen.

Aber, ob er höhnt und spitzt,
Und die Ruh der Keulen schützt,
Dennoch ist sein Mund bescheiden:
Niemand laße Sich bethörn,
Ob er müsse zu viel hörn,
Zu viel lesen, zu viel leiden.

Laster, aber nicht den Mann,
Nicht die Aembter sticht er an:
Sucht sich selbst nicht auszudrehen:
Ieder kan hie (der sie fühlt
Leid es, weil er mitgespielt)
Ohne Leid ein Schauspiel sehen.

Reiche mir drumb, wie zuvor,
Deiner Liebe süsses Ohr,
Laß geneigte Strahlen glim̄en:

---

(118) (119)

Leser, laß auf dieser See,
Ohne Schiffbruch, ohne Weh
Meiner Rede Segel schwim̄en.

(96) Und Ihr stellt euch weiter ein,
Daphnis, ihr mein Trost u. Schein,
Daphnis, ihr mein Ruh und Nahmen:
Schaut der Musen edle Schaar,
Nihmt der süssen Worte wahr,
Die von eurem Schäffer kamen.

Eure Schwester tritt herfür,
Ihrer Fama goldne Zier,
Sie entzündet meine Sinnen.
Ach! Der gantze Helicon,
Seh ich ihrer Gaben Thron,
Wil durch meine Feder rinnen.

Phoebus, wo du hast erkiest,
Diese Gottheit, die du siehst,
Hier aus beyden Hertzen brennen:
Wo du diesen Glantz erwegst,
Ihre Nahmen bey dir trägst,
Laß mich neue Kräffte kennen.

Stärcke meinen Muth und Geist,
Der mich höher steigen heist:
Pegasus wil mich erhitzen:
Dencke, daß ich voller Spott
Mit dem Icar fiel in Koth,
Lässest du mich untersincken.

Auff ihr Töchter, kom̄t herbey,
Reicht mir meine Feld Schalmey,
Hertze, Pulß und Adern springen,
Coridon der fängt schon an,
Seine Treu, so gut er kan,
Seiner Phillis vor zu singen.

---

(120)

Schauet da vor ihrer Thür (97)
Nihmt er seine Flöte für:
Sein Gesicht ist voller Thränen,
Da, wo kühle Linden blühn,
Tritt er für ihr Fenster hin,
Voller Wehmuth, voller Sehnen.

Phillis, wolt er heben an,
Schlug die Augen zu der Bahn,
Wuste doch kein Wort zu machen:
So erbärmlich rufft er ihr,
Daß die Wehmuth und Begier
Seiner selber musten lachen.

Phillis, Ehre dieser Zeit,
Meine Wonn und Seeligkeit,
Sprach er: Wolt ihr treu verbleiben,
Wolt ihr mir beständig seyn,
Wil ich, Phillis, meine Pein,
Euch mein Leben hie verschreiben.

Ob der arme Coridon
Keines reichen Scholtzen Sohn,
Ist er doch nicht zu verachten:
Glaubt es, Coridon der kan,
So gut als ein Ritters Mañ,
Auch nach Ruhm und Ehre trachten.

Zwar, Ihr komt von Ahnen her,
Die zu Land und über Meer
Ihren Ritterstand erstritten:
Doch, was wahr ihr Gut u. Geld,
Warlich nichts, als Vieh u. Feld,
Welches ich euch werd entbitten.

Es ist wahr: Ja, ich bin schlecht, (98)
Aber deñoch from̄ und recht,
Viele wissen mich zu nennen:

---

(121) 18. hin / 28. war /

Viel, die voller Pracht und Schein
Sprechen, ich sol stöltzer seyn,
Sol mich von dem Pöfel trennen.

Denckt ihm nach, was ist der Stand?
Nichts nicht, als ein eitler Tand,
Federn, die von andern kommen,
Briefe, die ein Schreiber mahlt,
Die man, ob sie wol gezahlt.
Selten bey uns angenommen.

Zwar, ihr dürfft nicht vor die Thür
Mühsam gehen, gleich wie wir:
Pferde mögen vor euch springen,
Aber Sie, wer stallt sie auff,
Muß das Dorff nicht ohne Kauff
Sie und auch ihr Futter bringen.

Nun ich sol zu Fusse gehn,
Dennoch wil ich euch erhöhn:
Ich wil andre Pferde zaümen,
Fama, Fama wird euch ziern,
Euch in schönen Himmel führn,
Und nicht einen Blick versaümen.

Lasset, die mit Sechsen fahrn,
Und kein Glaß am Wagen sparn,
Die dadurch ins Armuth steigen:
Die durch dieser Fenster Schein
Ihren Schuldnern, wo sie seyn,
Prächtig ihren Undanck zeigen.

(99) Zwar die Göttin dar u. hier
Sind so schöne nicht, wie Ihr,
Doch wo wünschten sie zu leben?
Phillis, wollt ihr klüger seyn,
Und den Stand, den sie allein
Auf dem Feld erwehlt, begeben?

---

(122) (123)

Ist denn dis ein Spott u. Hohn,
Daß der gute Coridon,
Hinterm Pfluge pflegt zu gehen?
Schäffrin, besser früh und spat,
Als ein Juncker aus der Stadt,
Wird er seinen Man̄ bestehen.

Und was wird den̄ mehr gethan,
Wenn ein neuer Edel Man̄
Morgen ist von Hofe kom̄en?
Wenn er seinen Jungen schickt,
Und den Hut zurechte rückt,
Und den Weg zu euch genommen?

Schaut doch, wie er prahlt und stutzt,
Seinen Bart /: wird er geputzt :/
Man muß durch viel Eisen ziehen:
Jedes Haar wird ausgelegt,
Auf dem Zopffe, den er trägt,
Müssen seidne Rosen blühen.

Wann er ihm denn wolgefällt,
Und sich vor den Spiegel stellt,
Wird er nach der Kleidung fragen:
Welche, wen̄ man auf ihn dringt,
Wenn der Kramer Zettel bringt,
Alte Mütter den̄ vertragen:

Noch muß es frantzösisch seyn, **(100)**
Solte drüber sonder Pein
Keine Kuh im Stalle bleiben:
Franckreich schreyt er überlaut,
Franckreich steckt ihm in der Haut,
Franckreich wil er hörn und schreiben.

Allda steht der feine Held,
Reich genung, doch ohne Geld:
Seinen Goldschmied läst er holen:

---

(124) 23. Krämer /

Dieser muß, sol er ihm traun,
Schon auf eure Heurath schaun,
Sonsten wird sein Kram bestohlen.

Nun da tritt der Freyer hin,
Seine Göttin an zu knien,
Zu den Füssen ihr zu liegen:
Ach, er schneidet grausam auff,
Daß sich vor der Worte Lauff
Dach, und Stub u. Balcken biegen.

Da vor Lützen in der Schlacht
Hat er, als er aufgewacht,
Helffen den Gustav erschlagen:
Ja er schweret, daß sein Schwerd
Tod u. Teuffel umbgekehrt,
Da, als sie vor Leipzig lagen.

Rühmen sol er sich durchaus,
Kom̄t er in ein frembdes Haus,
Wenn er euch was abgelogen:
Phillis hütet euch dafür,
Schlüßt vor denen eure Thür,
Die so manches Kind betrogen.

(101) Ach! wie manche Jungfer weint,
Die, wann sie es gut gemeint,
Schändlich wird herumbgetragen:
Wann sie solche Buhler sehn,
Und von ihr, was nie geschehn,
Bey dem Glas und Schencken sagen.

Ja ein solcher Bösewicht
Käme mir vor mein Gesicht,
Ach wie solt ich ihn zudreschen:
Ich zuschlüg ihn, solte man
Nimmermehr, was ich gethan,
Aus dem schwartzen Buche leschen.

---

(125) 9. Dächer, Stub und Balcken /

Nein, ich bin nicht solcher Haar,
Ehe sol die Pfluges Schaar
Mir durch Hertz und Nieren gehen:
Ehe sol ein Strang und Stein
Meine letzte Hinfarth seyn,
Eh ich wolt ein Wort gestehen.

Keine Jungfrau wird sich nicht
Über meine Treu und Pflicht
Dürffen hie und da beklagen:
Wo ich ie gewesen bin,
Darff ich täglich wieder hin,
Erden zu kein Auge schlagen.

Tugend ist mein Zeug und Kleid
Baarschafft meine Redlichkeit,
Ehr und Demuth mein Beginnen:
Damit wil ich aller Welt,
Wo sie mich nicht gültig hält,
Vor dem Richter abgewinnen.

Phillis, und was rücket mir (102)
Euer Volck für Mängel für,
Warumb sollen sie mich schelten?
Sol ich, weil ich Tag und Nacht
Nicht auf Hoffarth bin bedacht,
Darumb bey euch minder gelten?

Bin ich schwartz? Das ist mir gut,
Schwartze Farb ist frischer Muth,
Ist Bestand, ist Stärck, ist Leben:
So pflegt unser Volck zu gehn,
Das sind Leute, die bestehn,
Die auf keinen Puff nichts geben.

Schaut die besten Helden an,
Sind sie schwartz, es ist gethan:
Dieses ist der Tugend Zeichen.

---

(126)

Phillis, wann ihr Kirschen seht,
Und das Ästlein wird gedreht,
Wollt Ihr selbst nach schwartzen reichen.

Buhler, die ihr Haar beziern,
Und das Gold auf Kleider schmiern,
Mögen sich von hinnen machen:
Männer sollen erbar seyn,
Sollen ohne Schmuck und Schein
Vor der Liebsten Thüre wachen.

Bin ich ernst? Was ist es mehr?
Das ist deutscher Männer Ehr.
Unsre Kunst ist sonder Sehen.
Phillis, doch mit Unterscheid:
Jedes Ding hat seine Zeit,
Lachen, tantzen, schelten, flehen.

(103) Lächerlich ist wol ein Mann,
Der nur Kurtzweil treiben kan,
Zeit und Glücke läst er walten:
Nein, ich geh in meiner Tracht,
Ohne Hoffarth, ohne Pracht,
Meine Lust steht bey den Alten.

Also gieng der stärckste Held,
Wie ihr hörtet, über Feld,
Der zur Omphale gegangen:
Nu wie ernst er immer war,
Hat er über Haupt und Haar
Noch des Leuen Haut gehangen.

Bin ich grob? es ist mir leid,
Hätt ein ander dieses Kleid,
Würd ein gröber drinne stecken:
Dis ist meine Zuversicht,
Daß derselbe, der es spricht,
Auch nach Menschen pflegt zu schmecken.

---

(127) (128) 19. einer Tracht / 23. höret /

Nein, man hat mich, wie ihr seht,
Nicht aus Butter abgedreht,
Eisen ist der Zeug gewesen.
Meine Faüste zeigen an,
Was da Fleiß und Arbeit kan,
Perlen hab ich nie gelesen.

Denckt, was sol ein Zärtling thun,
Schreibt er gleich als wie ein Huhn,
Das durch einen Bruch gegangen.
Tritt der kecke Stuben Mann
Gleich daher, als wie der Hahn,
Der im Miste pflegt zu prangen.

Phillis, es sey mir verziehn, (104)
Daß ich also eifrig bin:
Ich erkenne mein Gebrechen,
Meine Sünde klagt mich an,
Daß ich euch zu viel gethan,
Hertz und Seele wil mir brechen.

Doch, so ihr bedenckt dabey,
Was der Menschen Falschheit sey,
Solt ihr es zum besten kehren:
Du bezeugst es lieber Gott,
Daß ich weder Recht noch Noth
Mich anitzo zu beschweren.

Euer Liebe süsse Macht
Hat es ja dahin gebracht,
Daß ich euch darff sicher trauen:
Eure Treu und meine Pein
Heißt mich stum̄ u. stille seyn,
Und darauf viel Hoffnung bauen.

Liebstes Kind, ich bin mir gram,
Mein Gesicht ist voller Scham,
Daß ich euch so sol betrüben:

---

(129) (130) 25. Eurer / 33. ich mich /

Daß ich mich so herb und frey
An der Leute Plauderey
Wieder meinen Brauch gerieben.

Ach! ihr wisst nicht auf den Schlag,
Was ein böses Maul vermag,
Was des Neides Lippen draüen:
Keine Schlang in dieser Trifft
Führt dergleichen Pest und Gifft,
Keine Kröt ist so zu scheuen.

(105) Weder des Orestes Schwerd,
Weder des Osiris Heerd,
Weder des Perillus Brüllen,
Weder der Medusa Kopff
Werden des Verlaümbders Kropff.
Des Betrügers Wanst erfüllen.

Wo zwey Hertzen einig seyn,
Da gebührt sich solche Pein
Auf des falschen Nachbars Zungen:
Alles, was der böse Geist
Ihnen vor die Augen reisst,
Damit kommen sie gesprungen.

Sie ertichten und verjähn,
Was da niemals ist geschehn,
Sie betheuren ihre Lügen:
Sie erwecken blinden Neid,
Weil ihr arggedencklich seyd,
Können sie euch stracks betrügen.

Briefe tragen sie uns nach
Biß hin in das Schlaffgemach,
Sicher darff man selten husten:
Ach ein einfzigs Hutabziehn,
Das Sie anders deuten hin,
Kan uns Leib und Leben kosten.

---

(131) 17. gebiert /

Dencket, wie viel Sehlen gehn,
Die es auf den Tag gestehn,
Dort auf des Plutonis Auen:
Ach wie viel Gemüther schreyn
Voller Lieb in höllscher Pein,
Die wie Schatten an zu schauen.

Darumb nehmt die Warnung an, (106)
Beßer, als ich sagen kan:
Hütet euch vor solchen Leuten:
Glaubet, daß Sie, wie sie sind,
Alles, was man nur begin̄t,
Auf das allerärgste deuten.

Ich, so gut ich es vermag,
Wil mich auf der Weisen Schlag
Von dem Koth und Pöfel scheiden:
Ich, kom̄ ich ie wieder her,
Wil die Ursach und Beschwer
Aerger als den Teuffel meiden.

Niemand solte mich nicht sehn
Viel umb Schlecker Bißlein flehn,
Die vor grossen Herren stehen:
Keinem wolt ich, kriegt ich gleich
Umb ein Wort ein Königreich,
Zu Gebot und Diensten gehen.

Alle Gauckeley der Welt,
Ehre, Hoheit, Pracht und Geld
Würd ich gantz und gar verachten:
Dafür würd ich immer zu,
Nach der Seelen ihrer Ruh
In dem gantzen Leben trachten.

Hie, da wolt ich sonder Pein
Meiner Freyheit Diener seyn,
Und ein stilles Leben führen:

---

(132)

Trotz dem Richter, daß er mir
Hielt ein Wort zu Rechte für,
Das sich solte nicht gebühren.

(107) Meiner Herrschafft höchstes Gut
Wär ein unverzagter Muth,
Mit mir wolt ich mich vertragen.
Dieser möchte, der die Welt
Vor sein eigen Erbschafft hält,
Sich umb Land und Leute schlagen.

Täglich /: es ist Sein Gebot :/
Lobt ich meinen lieben Gott,
Stünd auf mit dem Morgenseegen:
Mit dem Abendseegen drauff,
Umb des Tages letzten Lauff
Wolt ich mich zu Bette legen.

Über Gott nichts zu begehrn,
Alle Laster zu verschwern,
Keinen Menschen zu betrügen:
Meinem Nechsten zu verzeihn,
Dieses wäre gantz allein
Mein Gesetz und mein Vergnügen.

Dieses führte Zeugnüß an,
Welchem Theil ich beygethan
Unter vielen weisen Leuten:
Gottes Wort das helle Licht,
Würd ich voller Schuld und Pflicht
Stets nach Geist und Leben deuten.

Glaubet sichrer, als ihr solt,
Irret schlauer, als ihr wolt,
Lasset euch den Wahn verblenden:
Keiner, wer es recht erwegt,
Als der auf sein Hertze schlägt,
Hat sein Himmelreich in Händen.

---

(133) (134)

Lest die Schrifft, und lest sie nicht, (108)
Eines frommen Pilgrams Pflicht
Ist nicht lesen, sondern lassen:
Sich verlassen muß der Mann,
Daß er sich Gott lassen kan,
Der die liebet, die sich hassen.

Glauben, wo nicht Wercke seyn, II. Religio.
Ist ein Thon, ein Wahn, ein Schein:
Welche alle Dinge rauben:
Glaubet, daß sich ihrer viel
Ausser ihres Glaubens Zil
Daran in die Hölle glauben.

Schlecht fürwahr ist der Gewinn,
Mit der Schrifft zur Kirche ziehn:
Und zu Haus in Lastern stehen:
Rein u. lauter ist das Licht,
Aber diesen hilfft es nicht,
So da irr und sicher gehen.

Zwar, das Joch ist abgelegt,
Aber wann ihr es erwegt,
Lieget ihr in härtern Ketten:
Ihr beschreibt die rechte Bahn,
Doch das Leben zeiget an,
Daß ihr gantz von Gott getretten.

Gottes Wort wird ja erkohrn,
Jedoch, weil der Schild verlohrn,
Wieder Welt und Tod zu gehen,
Weil der Willen und der Geist
Des Gehorsams Band zureißt,
Kan der Glaube nicht bestehen.

Weiter, was ist euer Sold, (109)
Die ihr nicht nach Gottes wolt,
Sondern Eurer Satzung lehren?

---

(135) 17. dieses / **(136)**

Euer Dienst, wer sieht es nicht,
Führt die Welt in Dienst und Pflicht,
Welch ihr nützl. könnt empören.

Was da, wird nicht bald erkiest,
Unter diesem Titul ist,
Welchen Fürsten oben schreiben,
Auch der gegen Himmel sieht,
Meint die Erd, auf der er kniet,
Die wil er in Schaaff Stall treiben.

Viel, die vor dem Opffer stehn
Und in weissen Kitteln gehn,
Werden Himmel unter kommen:
Sie sind schwartz, siehst du sie an,
Dieses wird dir kund gethan,
Wenn die Casel weggenommen.

Endlich, was sol dieses seyn,
Durch des Wahnes falschen Schein
Sich in Gottes Rath Schluß winden?
Es ist der Vernunfft zu hoch,
In des Teuffels Netz und Joch
Werdet ihr das Ende finden.

Keine Taffel, noch Geschicht
Leidet ihr in Kirchen nicht
Hoffarth aber wol im Hertzen.
Und was solt ihr lange flehn,
Seyd ihr doch vorhin ersehn,
Nicht ihr, Sünder fühlen Schmertzen.

(110) Wo, als wie ihr es erkiest,
Gott des Übels Ursach ist,
Mag er ihm die Schuld vergeben.
Gebet, es ist recht gethan,
Gutes oder Böses an,
Wie die Wahl, so ist das Leben.

---

(137)

Nein, o Nein der Wahrheit Pflicht
Lernt ich in den Schulen nicht,
Wo der Elbe Ströme fliessen:
Noch der stoltzen Tyber Strand,
Noch des alten Neckars Rand
Wolt ich umb ein Wort begrüssen.

Zu den Hirten wolt ich hin
Vor die Heilge Krippe knien,
Drinnen unser Heil gelegen:
Bethlehem das würd allein
In mir meine Seele seyn,
In mir meines Gottes pflegen.

Andre möchten Bücher schmiern,
Krieg mit Mund und Federn führn,
Und einander wol verdammen:
Möchten theilen frommes Blut,
Wenn die Dinte nichts mehr thut,
Zwischen See und Lufft und Flammen.

Waffen, die der heilge Geist
Nim̄er brauchet, nimmer preißt,
Sprüche, die vom Leben bringen:
Psalter, welche jung und alt
In dem Lande mit Gewalt
Endlich gar zu Tode singen.

Und was bringt ihr in das Licht, (111)
Die ihr Gottes Wort und Pflicht
Sucht in Büchern feil zu bitten:
Dieses, daß der Meister Schaar,
So auf hohen Schulen war,
Drüber Gott und Heil verstritten.

Die dadurch bekehret seyn,
Hör ich täglich drüber schreyn,
Kein Braselier wil kommen:

---

4. des stoltzen / 14. Feder /

Keiner, der umb Zembla stirbt,
Hat davon, wenn er vertirbt,
Was am Glauben zugenommen.

Was, davor euch niemand danckt,
Eure Feder ausgezanckt,
Muß nu das Papier beschlüssen:
Deutschland, das euch zugehört,
Habt Ihr durch und durch empört,
Und zu Stiehl und Strumpff geschmissen.

Andre, die den Nutzen sehn,
Drüber so viel Länder flehn,
Mögen die Gewissen binden:
Mögen die Gemüther hin
Mit Gewalt und Furchte ziehn,
Wo sie ihre selbst nicht finden.

Nein fürwahr, es ist umbsonst,
Selten finden Treu und Gunst
Schrifft und Gifft, Gebet und Ketten:
Ist Gott ohne Krafft und Schluß,
Daß ein roher Lands Knecht muß
Seiner Jünger Am̄t vertreten.

(112) Dieser Dienst sucht frey zu seyn,
Wer ihn zwingt, der stellt ihn ein,
Er besteht in heilgen Seelen:
Leiber hält man ja in Pflicht,
Aber die Gemüther nicht,
Geister kennen keine Hölen.

Keine Seiffe trifft man an,
Die das Blut verleschen kan,
Das da fleußt aus dem Gewissen:
Dieses Regens rothe Bach
Hat ja, dencket ihm doch nach,
Manches Haus in Grund gerissen.

---

(138) 8. durch und durch bethört / **(139)** 14. Furchten /

Und wer hilfft die Schaar vermehrn,
Die das Stücke Purpur ehrn?
Heuchler, die ihr Glücke suchen,
Die den Mantel lassen gehn,
Wenn der Nord sich wil erhöhn,
Und verjähn, was sie verfluchen.

Wo die Braü Pfann und ein Am̄t
Schwillt vor Hefen, quillt vor Sam̄t:
Wo ein Mündlein zu beklauben,
Wo man einen frommen Mann
Stets bebürgermeistern kan,
Ey da wird man starck im Glauben.

Viel, die vor dem Höchsten knien,
Haben, wann sie von ihm ziehn,
Eine Herrschafft angeschryen;
Mancher schlägt voll Wonn und Lust
Einen Dienst aus seiner Brust,
Nicht, weil ihm die Schuld verziehen.

Andre, die den blinden Wahn (113)
Überm Glauben ruffen an,
Mögen sich in Himmel schwingen:
Mögen voller Witz und Streit
Von der Allenthalbenheit
Und von andern Sachen singen.

Wenn man in ein Wirths Haus köm̄t,
Hat der Pöbel angestim̄t,
Hört man scharffe Glaubens Fragen,
Jeder, der da reden sol,
Ist des nassen Geistes voll,
Drauf so folgt auf Fragen Schlagen.

Unterm Spielen kan man hörn,
Die erwehlten Kinder lehrn,
Sie begrübeln Gottes Wesen:

---

(140) 5. Mond / 6. verjahn / **(141)** 30. Darauff folgt /

Weiber von des Höchsten Rath,
Von des Freyen Willens That,
Hört man unterm Spinnen lesen.

Wer des Vatern Willen thut,
Der erlangt das höchste Gut,
Nicht, der alles draüt zu wissen:
Lucifer weiß mehr, als du,
Dennoch hat er keine Ruh,
Gott kan der Verstand nicht Schliessen.

Menschen, unter welcher Schaar
Ihr auch stehet, nehmet wahr,
Thun und Reden sind 2 Sachen,
Gott gewehret That u. Bund,
Gott begehret Hertz und Mund,
Beyde müßt ihr einig machen.

(114) Nein, das ist noch nicht ein Christ,
Welcher stets die Bibel list,
Welcher schreyt: Wir glaüben alle!
Welcher die Gebete zehlt,
Welcher spricht, ich bin erwehlt!
Welcher täglich füllt die Halle.

Buß und Reu biß in den Tod,
Trost und Zuversicht zu Gott,
Streit und Kampff mit Fleisch und Lüsten·
Creutz und Andacht, Furcht und Huld,
Die Vergebung unser Schuld
Zeigt in uns das Am̄t der Christen.

Tretet, wo ihr Christen seyd,
In des Glaubens Einigkeit:
Tragt in Sanffmuth die, so irren,
Lebet recht, und lehret wol,
Jeden, der euch folgen sol,
Werdet ihr sonst mehr verwirren.

---

(142) 30. Sanfftmuth /

Wer den andern wil bekehrn,
Muß das Werck von Gott begehrn,
Muß in Lieb und Demuth leben:
Muß das Wort des Herren lehrn,
Muß Geduld in ihm vermehrn,
Muß den Ruhm dem Höchsten geben.

Wo man keiner Schrifft wil traun,
Drauf die Menschen so viel baun,
Wo man nichts kan, als verdammen:
Wo man den zum Fröm̄sten zehlt,
Der viel fröm̄re plagt und quält,
Kom̄t man nim̄ermehr zusammen.

Doch wer ist so ungehirnt, (115)
Der mit einem Todten zürnt,
Daß er nicht wil mit ihm wandern?
Mir und jenem irren die,
Ich und jene diesen hie,
Keiner vor sich, ieder andern.

Unser Himmel, unser Reich
Scheinet einem Schatze gleich,
Der im Acker liegt verborgen:
Ach wer kriegt ihn? Niemand nicht,
Als der inner seiner Pflicht
Vor sich läst den Höchsten sorgen.

Diese Lehre würd allein
Meiner Seelen Ruhstadt seyn,
Welche Gottes Sohn gepriesen.
Welch er auf der Schädelstadt
Durch sein Blut besiegelt hat,
So er, eh er war, erwiesen.

Die durch Busse Seegen giebt,
Die durch Seegen Feinde liebt,
Die durch Lieben Gnad erkohren:

---

(143) 28. **Schädelstat /**

Die durch Gnade Gott gekriegt,
Die durch Gott sein Reich besiegt,
Durch die wird kein Mensch verlohren.

Zu der Kirche wolt ich hin
In den Garten Eden ziehn,
Und dort jene Predigt hören:
Jene Predigt, der ihr glaubt,
Die der Schlangen Hertz und Haubt
Kan biß auf den Tod versehren.

(116) Darnach hülff ich auf Vertraun
Noah seinen Kasten baun,
Thier und Vögel ehrlich paaren,
Er der Glaube voller Schein
Würde Mast und Ancker seyn,
Durch die Sündfluth hin zu fahren.

Schaut ich auf Morija Bahn
Unsers Glaubens Vater an,
Wolt ich hin zum Opffer treten:
Abraham aus treuer Pflicht
Schonet seines Sohnes nicht,
Den er erst von Gott erbeten.

Vater, da du bandest Ihn,
Da du ihn selbst legtest hin,
Da du ihn sahst sehnlich flehen:
Da du itzo woltest haun,
Was erhielt dich! Dein Vertraun,
So kan es der Herr versehen.

Ja ich suchte jenen Stein,
Schlieffe drauf wie Jacob ein,
Da sich Gott ihm wolte zeigen:
Jener Leiter eilt ich zu,
Drauff er schaut in seiner Ruh
Engel an und unter steigen.

---

(144) 4. Kirchen / **(145)** 26. Was erhielt Dich? /

Mit ihm wolt ich voller Krafft
Nach des Glaubens Eigenschafft
Gott und Menschen überwinden:
Ob die Morgenröth entbricht,
Laß ich dich, mein Gott, doch nicht,
Biß ich kan Genade finden.

Und nachdem der Wunder Mann (117)
Würde durch die nasse Bahn
Mauern aus den Wellen bauen:
Wenn das Meer sich würd erhöhn,
Wolt ich aus Egypten gehn,
Und die Feind im Sumpffe schauen.

Manna, das von Wolcken kam,
Wasser, drunter Honig schwam,
Stralen, die um Sina giengen:
Das geweihte Gottes Haus,
Doch die Saüle zuvoraus
Wolt ich vor den Völckern singen.

Endlich folgt ich durch die Bach
Josua dem Richter nach,
Das gelobte Land zu bauen:
Wie zwey Gassen durch die Stein
Überall umbpflastert seyn,
War ihr Durchgang anzuschauen.

Hier da trügen Helden mir
Ihres Glaubens Vollmacht für,
Draus sie ihre Feind' erschlagen:
Da tritt Gideon heran,
Zeiget, was sein Schwerd gethan,
Drüber Seb und Oreb klagen.

Der des Leuen Kopff zerreißt,
Der des Esels Backen preist,
Draus er Sieg und Tranck empfangen:

---

(146)

Der die Thor aus Angeln hebt,
Feinde, Haus und sich begräbt,
Sagt, wo Stärcke zu erlangen.

(118) Hier da schleudert voll von Gott
David den Philister todt,
Will mir die fünff Stein erklären:
Dorte lehrt mich Salomon
In dem Tempel, umb den Thron,
Was ich sol von Gott begehren.

Schaut ich drauff die Männer an,
Die den Vorhang abgethan,
Und das Heil mit Fingern weisen:
Die auf die Verheissung hin
Durch gekränckte Seelen ziehn,
Würd ich ihre Wunder preisen.

Unter andern nehm ich mir
Des Elias Einzug für,
Als er fuhr mit Feuer Pferden:
Der die Bein, ob sie verhellt,
Umbgefleischet, eingeseelt,
Ließ auch mich erwecket werden.

Hier, da scheute sich die Glut
Vor der drey Gesellen Muth,
Drinnen sie spatzieren giengen:
Dorte glaübt in sichrer Ruh
Daniel die Rachen zu,
Welche seine Feinde fiengen.

Den das Los vom Schiffe hub,
Den der Wallfisch zu sich grub,
Der sein Beth Haus drauff gewesen:
Den des Kirbses Schatten hielt,
Wil, was Gottes Zorn gestillt,
Mir und allen Sündern lesen.

---

3. erlangen? / **(147)** 19. verheelt / **(148)** 29. in sich **grub,** /

Also nehm ich in der Schaar (119)
Der verworffnen Wercke wahr,
Suchte Gottes Heil mit Ihnen:
Aber, sehet auf der Bahn
Selbst den Schlangentreter an,
Der uns aus der Höh erschienen.

Hier da liegt das α und ω,
Gott und Mensch auf Heu und Stroh:
Greifft das Wort, es ist Fleisch worden:
Was der Herr verheissen hat,
Hält und gibt er in der That,
Sünd und Tod kan mehr nicht morden.

Das ist Gottes Lam̄, kom̄t her,
Seht, es trägt der Welt Beschwer:
Kom̄et her, der Herr ist kommen,
Gott spricht selbst: Das ist mein Sohn,
Höret ihn, ich bin der Lohn
Aller, die ihn angenommen.

Mercket, das ist sein Gebot:
Über alles solt du Gott,
Wie dich selbst den Nechsten lieben.
Lieb ist bey ihm Pflicht und Bund,
Lieb ist bey ihm Hertz und Mund,
Liebe hat er vorgeschrieben.

Nun hier bey der Jünger Schaar
Nehm ich Seiner Wercke war,
Folgt ich seinem Wort und Leben.
In dem Hertzen hier allein
Würd er Lehr und Lehrer seyn,
Seinen Preiß in mir erheben.

In das Allerhöchste Gutt, (120)
Wolt ich ausser Fleisch und Blut,
Aus den innren Kräfften sincken:

---

12. nicht mehr / **(149)** 20. solst /

Gott, der würd ohn Untergehn
In der Seelen Boden stehn,
Und im Geiste wieder blincken.

Meine Sinnen zieh ich ein
Still und heiml. nur zu seyn,
Alles Stückwerck auszufegen:
Fünde Gott mich ledig stehn,
Würd er, solt er drum vergehn,
Sich in mir zum Grunde legen.

Allen Dingen wär ich todt,
Daher müst im Grunde Gott
Sich und alle Ding erweisen:
Ich wolt, oder wolte nicht,
Müßt ich auch nach seiner Pflicht
Ihn als meinen Heyland preisen.

Meinen Willen im Bekehrn
Würd er selbst so weit erklärn,
Weil ich wolte, solt ich können:
Aber wollen könt ich bloß,
Weil er es zuvor beschloß,
Daß ich solt es so beginnen.

Sucht ich in mir umbzudrehn,
Was wir sehn und auch nicht sehn,
Traff ich an ein tieffes Schweigen:
Kinder, dieses ist die Nacht,
Draus der Herr das Licht gebracht,
Das uns heist in Himmel steigen.

(121) Diesem Worte geh ich nach,
Das der Vater zu sich sprach,
Es erfüllet Hertz und Sinnen.
Es bezeigt ein andre Bahn,
Drauf man anwerts steigen kan,
Die viel Priester nicht beginnen.

---

6. Glückwerck / **(150)** 24. Treff /

Aber was beginn ich hier?
Gott wird selber Mensch in mir,
Kom, o kom̄ du Trost der Heyden:
Schau Egypten meiner Brust
Hat nicht mehr zun Götzen Lust:
Es wird ihre Rätzel meiden.

Eigne Liebe ist mir Gifft,
Eigen Ehr, ein Dorn und Stifft,
Eigner Wille, Weh und Zagen:
Eigner Ruhm, ein Hohn und Spott.
Eigne Wolfarth Haß und Tod.
Eigner Nutzen, Höll und Klagen.

Mensch, dann ist das Kind gebohrn,
Wenn du strenge Buss erkohrn,
Wenn du fühlst den Haß der Sünden:
Wenn der Geist dem Willen steurt,
Wenn dir Gott dein Hertz erneurt,
Wenn in dir sein Reich zu finden.

Nichts als Sünd ist wieder Gott,
Darumb wolt ich bis in Tod
Sie in allen Menschen hassen:
Sie durchkränckt mir Seel und Geist,
Daß mir Hertz und Marck zureißt,
Wenn sie nicht wird unterlassen.

Lieber wolt ich seyn verlohrn, (122)
Als das Kind, das uns gebohrn,
Mein Gott, Mein Gott ruffen hören:
Tag für Tag zwing ich und du
Seinen heilgen Mund dazu:
Nichts nicht kan mich so versehren.

Aber ich wil mich in Gott,
Wie er sich bis in den Tod,
In mich wolt am Creutze kleiden,

---

(151) 9. Klagen / 12. Zagen / **(152)** 33. Ja /

Ich wil auch umb seine Huld
Gleich wie er umb meiner wolt,
Alles bis zum Tode leiden.

Unterm Wasser voller Gnad
Ist er selbst der Seelen Bad,
In Ihm wird die Schuld vergeben:
Er wil unterm Brod und Wein
Selbst der Seele Speise seyn,
Wer sie braucht, erhält sein Leben.

Nu der Gottheit gantzes Meer
Praust durch mein Gemüthe her,
Des Gemüthes Ufer brechen:
Schaut das Holtz auf Golgatha
Steht in meinem Hertzen da
Mit den fünff gefärbten Bächen.

Ich bin wie ein Qualm und Traum
Des gelobten Landes Baum
Wil mir Hertz und Sinn entzücken:
Schaut, wie Lieb und Hoffnung heist
Aus dem Leibe meinen Geist
In das tieffste Wesen rücken.

(123) Unsre Seel ist wie ein Glas,
Spielet ohne Ziel und Maß
In der Gottheit Bruch und Bronnen.
Wie ein Spiegel, dessen Schein
Voller Strahlen pflegt zu seyn,
In dem Bildnüß ihrer Sonnen.

Ach! wie schreyt ihr voller Wahn
Menschen, das Verdamnüß an,
Wann ihr wolt so sicher gehen.
Woher bringt ihr Zeugnüß bey,
Daß er euer Heyland sey,
Wenn ihr nicht wolt bey ihm stehen?

---

2. umb seine / 10. Nun / **(153)** 23. Maas /

Nihm sein Creutz, er lehret dich,
Folg ihm, er erniedrigt sich,
Leid ihn, er hat dir gelitten:
Wiltu? gut. Wo nicht? nur hin,
Keiner kan die Crone ziehn,
Als der ritterlich gestritten.

Es ist nicht so bald geschehn,
In der tieffen Demuth Flehn,
Hertz und Geist durch Reu betrüben,
Im Gehorsam immer stehn,
Im̄er, wie es solt auch gehn,
Gott und seinen Nechsten lieben.

Menschen, wo ihr dieses thut,
Ist der Glaube wahr und gut:
Hierauff könt ihr Schlösser bauen,
So hat die Verheischung statt,
Darauf wolten früh und spat
Durch die Schrifft die Väter trauen.

Aber nehmt die Werck in acht, (124)
Ob sie Gott in Euch gebracht:
Meint ihr Gott, Ihr seyd genesen,
Meint ihr Euch, Ihr seyd verlohrn,
Wieder, Seht was ihr erkohrn,
Gott und Tod ist auszulesen.

Alle Wercke sind umbsonst,
Laütert sie nicht Gottes Gunst,
Die muß deinen Geist bewegen:
Muß, wann die verborgne Macht
Leib und Blut hinein gebracht,
Dich zu allem guten regen.

Wann der Grund, der in dir steht,
Daraus Seel und Leben geht,
Sauber ist von eitlen Dingen:

---

4. Wilst du / **(154)** 16. Verheissung /

Wann er Sonn u. Regen führt,
Kan der Baum, den er berührt,
Nichts als gute Früchte bringen.

Wercke sind, die ieder thut,
Vor sich böß und vor sich gut:
Böse, die sind unser eigen,
Gute, die hat Gott gethan,
Gottes heissen Himmel an
Unsre Höllen unter steigen.

Darumb wirckt, ihr kriegt die Kron,
Umb Genad und nicht umb Lohn.
Gnad ist leicht und kömt von Lieben.
Vom Verdienst ist Lohn und schwer.
Dienen kom̄t von Menschen her,
Lieb aus Gott, der heist sie üben.

(125) Und auf dieses zu vertraun,
Wolt ich mein Erwehlung baun.
In dem Kind ist sie zu suchen.
Glaubst du recht. Du bist versehn,
Glaubst du nicht. Es ist geschehn.
Du hast selbst den Stab zubrochen.

Denn die Wahl, die seh ich stehn,
Nicht in mir, Ich muß vergehn,
Nicht in Gott. Gott ist erhaben.
Wunden sind es, dann bin ich
Ausersehen, wann ich mich
Durch den Glauben drein gegraben.

Doch kan ich auch nicht allein,
Weil ich glaub, erwehlet seyn,
Sondern bin erwehlt zu glauben.
Gott hat seinen Sohn gesand,
Diesen, wenn ich ihn erkan̄t,
Kan mir kein Entwehlung rauben.

---

(155) 12. vom Lieben / **(156)**

Wenn ich meiner Seelen Ruh
Endlich so gesiegelt zu,
Wolt ich frey und sicher schlaffen,
Gottes Wundern dächt ich nach,
Die er in der Schöpffung sprach,
Stünden hinter meinen Schaaffen.

Hier da wolt ich in der That,
Die der Glauben in ihm hat,
Meinen Hirten Stand erweisen.
Gottes Sohn, der Völcker Schein,
Wolte selbst ein Hirte seyn,
Wer wil nicht die Hirten preisen?

Ich bin eines Hirten Sohn, (126) Ita historiam referam ad declinandum Invidiam.
Und es ist kein Spott und Hohn
Meiner Eltern ersten Schaaren:
Hirten ehrt man für und für,
Derer lehren dir und mir
Gottes Willen offenbahren.

Meinst du, der du übel siehst,
Daß es uns ein Schandfleck ist,
Dadurch sind wir höher kommen.
Ihre Pflicht, in der sie stehn,
Muß vor allen Ständen gehn,
Denn Gott hat sie aufgenommen.

Sie erforschen seinen Rath,
Sie vertreten seine statt:
Sie befehlen den Gewissen:
Unsre Seelen weiden sie,
Unser Heil ist ihre Müh,
Niemand löset, was sie schlüssen.

Sehet in die erste Welt,
Niemand ist, der sie bestellt,
Als die Stäb und Kronen tragen.

---

(157)

Ja die Schrifft zeigt selbsten an,
Wie da ieder Hirte kan,
Beydes lehren, beydes schlagen.

Darumb last mich unverlacht,
Kom̄st du gleich in frembder Pracht
Sechzehn Schildig aufgezogen:
Juncker, was ihr nicht gethan,
Gehet euch fürwahr nichts an,
Ihr seyd sechzehnmal betrogen.

(127) Spiesse, die ein Ahn geführt,
Schilde, die ein Mahler ziert,
Briefe, die sich längst verschwiegen:
Fahne, die durchschossen seyn,
Hör ich nach der Ordnung schreyn:
Folget; oder laßt uns liegen.

Der da (dencket, was er trägt)
Seiner Hunde Tugend pflegt
Mehr als seine raus zu streichen:
Der da nichts als Hasen plagt,
Die er untern Öhmen jagt,
Kan die Vorfahrn nicht erreichen.

Dennoch bleibet es dabey,
Wie geschickt auch einer sey:
Hier wird er nicht angenommen.
Denn, wer nicht nach Miste reucht,
Nicht mit Kraut zu Marckte zeucht,
Darff nicht in ihr Mittel kommen.

Juncker, wer hat euch gemacht,
Briefe, die ihr ausgebracht,
Umb das Geld, so ihr gewonnen:
Aus der Pfeffer Säcke Schaar
Ihrer viele (nehmt es wahr)
Sind ja so zum Adel kommen.

---

(158)

Schilde, das wil euch gebühren,
Solt ihr vor den Kayser führn,
Von dem Kayser ist der Orden.
Wo ein Brieff den Stand gewehrt,
Ist dadurch, die ihn verzehrt,
Manche Maus geadelt worden.

Tugend ist es, die mehr kan (128)
Als ein halb verfaulter Ahn,
Als ein Brief mit goldnen Strichen.
Dieser hat sich, den sie ziert,
Vor der Taffel ausgeführt.
Drüber mancher ist verblichen.

Sonsten, (dieses ist gemein)
Wann der Stand geborgt muß seyn,
Dran sich ihrer viel verzahlen.
Wenn ein Anherr etwas thut,
Kan ich mein Geschlecht und Blut
Auch mit frembden Farben mahlen.

Suche die Geschichte dir
Aus Sarmatien herfür,
Den Mechovius für allen:
Sehen wirst du, daß ich nicht
Gestern in der letzten Schicht
Übern Sautrog hingefallen.

Dorten umb Lycaons Schein
Ist ein Ort, da Leute seyn,
Draus sie nichts nicht kan verbannen:
Ihr Gemüth, indem sie gehn,
Sieht man übern Haüptern stehn
Höher, als zwey tausend Spannen.

Dieser Ort, da umb den Belt
Ist die Straff u. Zucht der Welt,
Strenge Meister seh ich kommen:

---

(159) 15. ihrer viele zahlen / **(160)**

Meister, die der Herrscher Pracht
Unter Pflicht und Joch gebracht,
Wann sie zu viel eingenommen.

(129) Genserich der steht noch da,
Alerich und Attila
Mit den Wenden, Gothen, Hunnen.
Dieser Fürsten Eigenschafft,
Dieser Völcker grimme Krafft
Ward in diesem Ort entsponnen.

Wie Gesetze hier und dar,
So seh ich bey dieser Schaar
Länder ihren Adel holen:
Mit dem Adel füllten auch
Lech und Czech auf solchen Brauch,
Dieser Böhmen, jener Polen.

Nu da umb das deutsche Meer
Kamen unsre Vorfahrn her,
Und was sol ich weiter rechten?
Gar genung, daß einer hin
Draus zum Zischka wolte ziehn
Mit mehr als Zehntausend Knechten.

Was der theure Krieges Mann
Nicht allein bey Ihm gethan,
Nicht allein bey seinen Waysen,
Sondern wie er nach der Schlacht
Ruh beym Kayser ausgebracht,
Werden Brieff und Schrifften preisen.

Endlich, weil des Himmels Schluß
Jeder unterzeichnen muß,
Demnach sie viel Ehr erworben:
Demnach sie, wo Böhmen steht,
Nahmen und Geschlecht erhöht,
Sind sie, gleich wie wir, gestorben.

---

(161) 15. Pohlen / 16. Nun da / teutsche /

Andre sind dahin gereißt, (130)
Wo das Schnee Gebürge gleisst,
Davon ich noch überblieben:
Aber, warum bring ich dir
So viel frembde Græcken für?
Tugend ist allein zu lieben.

Höher acht ich es fürwahr
Als der Ahnen helle Schaar,
Daß mich wil ihr Feuer brennen:
Andre gehn mich mindrer an.
Als die, so ich andern kan
Weder zeigen, weder nennen.

Der ich bin, der wil ich seyn,
Wil die lassen ingemein
Dort auf grüner Heyde schlaffen.
Sie sind hin, ich trete zu,
Jeder fleucht die lange Ruh
Ich durch Bücher. sie durch Waffen.

Fürsten mögen Kriege führn, III. Militia.
Ich wil. ob sie Drommeln rührn,
Meine Haut doch nicht verkauffen:
Dieses Tichters Handvoll Blut
Darff sich umb des andern Gut
Nicht biß in die Grube rauffen.

Was wird endlich draus gemacht,
Ist gleich alles umbgebracht,
Ist gleich Volck und Land vertorben?
Ach und Weh der strengen Noth,
Denckt, ihr schlaget diese todt,
Vor die Gottes Sohn gestorben.

Ach! Der Mensch, den Gott erkiest, (131)
Dessen Nachbild er auch ist,
Muß er auf der Farth vergehen.

---

(162) 24. Nicht... bis... rauffen... fehlt / **(163)** 31. Mensch, der /

Sol das Theil, wo Menschen seyn,
Gantz geäschert werden ein,
Sol darauf kein Deutscher stehen.

Reiset, wo ihr es erkan̄t,
Doch einmahl durch unser Land,
Schaut, was unser Aecker tragen:
Schaut, ob nicht viel Meilen hin
Pilgrams Leute müssen ziehn,
Eh ein Wirths Haus zu erfragen.

Haüser liegen sonder Zier
In der Dörffern vor der Thür:
Wermuth wächst in leeren Stuben,
Ja in Städten geht das Vieh
Durch das Gras biß an die Knie,
Wie auf ungebrachten Huben.

Gütter, die sechstausend werth,
Eh als Sechs Jahr umbgekehrt,
Seh ich vor sechs Thaler kauffen:
Ja der sie geschencket kriegt,
Muß offt, eh er baut und pflügt,
Umb den andern Tag entlauffen.

Der zuvor mit Geld erfüllt,
Einen Stall voll Pferde hielt,
Muß am weissen Stabe gehen,
Der viel Malter eingeährt,
Und nicht einen Bauch ernährt,
Bleibt für frembden Thüren stehen.

(132) Unser Land sieht voller Graus,
Sieht so wüst und einsam aus,
Daß es gantz nicht zu beschreiben:
Daß, der alles finster macht,
Boreas nicht über Nacht
Ihm darinne traut zu bleiben.

---

2. seyn / 3. stehen? / **(164)** 16. Zehntausend /

Nun so wird der Ort geziert,
Wo man reiche Kriege führt,
Und das Volck wil Armuth lehren:
Armuth, welche voller Noth
Weder Menschen, weder Gott
Endlich pfleget anzuhören.

Nein, ich hasse diese Pflicht,
Ich wil aus dem Halffter nicht
Mein bescheidnes Brod gewinnen:
Brod, das manchen hat erwürgt,
Und vom Galgen loß gebürgt,
Da er sichrer sterben künnen.

Solt ich einer solchen Schaar,
Welche schiert auf Haut und Haar,
Dienste, Leib und Blut entbitten?
Welch ohn Ehr und Erbarkeit
Ihre Städte fort gespeyt,
Als den Unflath böser Sitten.

Das Gesetze, drauf sie schwern,
Drauff sie Kraut und Loth begehrn,
Ist nur plündern, stehlen, rauben:
Wer am ärgsten fluchen kan,
Ist der beste Krieges Mañ,
Hat allhie den rechten Glauben.

Und wie kan er sonst bestehn, (133)
Sol er hinterm Locken gehn,
Sich mit Durst und Hunger schlagen?
Wann der Sold dahinten bleibt,
Muß der Bauer, der da treibt,
Ihm das Sein entgegen tragen.

Doch ein Wunder sehn wir an
Umb der Gräntzen ihre Bahn,
Wird ie einer angetroffen:

---

(165) 8. der Halffter / 11. gewürgt / 15. Diensten / 18. Aus dem Unflath / **(166)**

Denn kein Haas in Freyer Jagd
Wird so überhaupt geplagt,
Wann die Hund einander ruffen.

Aber wenn ihr ärgster Feind
Durch verschrumpffne Magen scheint,
Und die Knecht ein Land verfressen:
Wenn man nicht mehr Menschen kriegt,
Muß der Nachbar, wo er liegt,
Lassen seine Gräntzen messen.

Hunger, der nihmt Oerter ein,
Jagt das Volck durch Glut und Stein,
Oeffnet Päss an Land und Flüssen:
Wo man einen Pflug noch spührt,
Wird das Heer nicht abgeführt,
Weicht nicht für dem letzten Bissen.

Endlich wann die Feinde gehn
Dorte, wo die Bauern stehn,
Wenn die Knechte sich verweilen:
Wenn er, die er stets vermißt,
Vor dem Lager eingebüßt,
Wil der Feld Herr sie vertheilen.

(134) Wie die Amsen kriebeln sie,
Auf den Gassen spat und früh,
Finden alles, was sie stehlen:
Jeder pauckt und pfeifft sich ein,
Wil da, wo die Plätze seyn,
Keine Stunde nicht verfehlen.

Hier da kom̄t denn paar und paar
Glied umb Glied die helle Schaar
Einem Spiesse nachgegangen:
Und da noch auf halber Bahn
Fläscheln sie den Rauchfang an,
Der die Gäste sol empfangen.

---

(167) 22. krübeln / 27. nichts /

Wenn der Haubtmann in die Stadt
Sich denn eingespielet hat,
Da wird Steuer ausgeschrieben:
Denn es ist kein schlechter Held,
Seinen Feind hätt er gefällt,
Wär er nicht im Leben blieben.

Drauff so giebt er Rollen ein,
Welche wol besetzet seyn
Wie sein Kleid, mit alten Knechten.
Was das erste Blat betrifft,
Da vergiebt er keinen Stifft,
Solt er vor dem Kayser rechten.

Wenn man ihm, damit er köm̄t,
Die verschmitzten Urtheil nihmt,
Stahl er selbst an leeren Plätzen:
Jedoch, was der Ausschuß schleust,
Der auch was davon geneußt,
Muß er mit uns gültig schätzen.

Drauff so theilt man Zettul aus, (135)
Jeder Troß bekom̄t sein Haus:
Wirthe mögen Tische decken.
Denn wie hoch man sie verpflegt,
Dienste reichet, Steuer legt,
Wird es doch zum minsten klecken.

Lehnt der Knecht an deine Wand,
Was er träget in der Hand,
Hast du Zeit ihm auf zumachen:
Denn kein Huhn ist so bemüht,
Wenn es einen Sperber sieht,
Als die Bürger müssen wachen.

Tritt der Bube Stuben ein,
Wil er stracks dein Kayser seyn,
Ob er dir gleich vor getrieben:

---

7. Darauff / so (fehlt) / **(168)**

Sein ist alles, klein und groß,
Er ist Herr, du Hausgenoß,
So hat es sein Schwerd beschrieben.

Ob das Haus, das er erkiest,
Leerer als sein Magen ist:
Must du es doch stets vergeben.
Ja dich, ob du Leute fleuchst,
Kaum den magern Athem zeuchst,
Wil kein Nachbar überheben.

Und was über alles Leid,
Ob dein Kind nach Brodte schreyt,
Must du doch sein Maul verpflegen:
Must (es ist ja zu beflehn)
Reiche Haüser ruhig sehn
So die Last auf deines legen.

(136) Wann er sich hat ausgelaußt,
Eingefressen, voll gemaußt,
Fängt er Gassen an zu treten:
Dann geht dort ein grosser Mann,
Den, der nicht bewirthen kan,
Den er vor umb Brod gebeten.

Alles, was er thut und macht,
Hat des Kaysers Dienst erdacht,
Dieser Dienst dehnt sich vor allen:
Manche kriegt, da, wo sie sind,
Auf des Kaysers Dienst ein Kind,
Die in Diensten ist gefallen.

Doch vor allen, wann er sieht,
Daß sein Glück im Beutel blüht,
Fängt ihr Haubtmann an zu schnarchen:
Keiner, wär er gleich verlohrn,
Hätte seinen Wanst erkohrn,
Mitten untern Mist Monarchen.

---

(169)

Wenn er einen Bürger grüßt,
Wenn er von dem Seinen ißt:
Und uns zeiget seine Schaalen,
Wenn er junge Weiber ehrt,
Muß das Land, das er vermehrt,
Ihm die Höfflichkeit bezahlen.

Schaut, da kom̄t er ohngefehr,
Auf dem Bügel Draber her:
Alles wil er nieder treten.
Recht gesagt auf dieses mahl,
Kleine kriegen Hanff und Stahl,
Grosse Gold zu ihren Ketten.

Seine Gnade hält sich wohl, (137)
Die viel Hecheln durch Tyrol
Auf der Buckel ausgetragen:
Fraülen holt er täglich ein,
Welche seines Standes seyn,
Auf dem neuen Fenster Wagen.

Wenn er bey der Taffel ist,
Hat er Dörffer auserkiest,
Und verspeisen Küh und Bauern:
Thränen, die er ausgepreßt,
Geben Wein, den er nicht läst
Durch das Gastgebot versauern.

Er hat Wechsel Brieff erkan̄t,
Drinnen wil er Stadt und Land
Auf der Post nach Hause machen:
Daß er, wann ihn voller Pracht
Seine Vorsicht heim gebracht,
Unsrer Deutschen könne lachen.

Unterdessen, weil es raucht,
Weil man Kart und Würffel braucht,
Weil sie manchen Griff versuchen:

---

(170) (171)

Weil sie fleissig nichts gethan,
Kom̄t die bleiche Botschafft an,
Daß der Feld Herr aufgebrochen.

Wann er vor den Knechten hin
Drauf der Drom̄el nach sol ziehn,
Sieht man ihm die Nase blutten:
Mägde tragen voll Beschwer
Baüch- und Säck-voll Kinder her
Untern Adelhafften Rotten.

(138) Offte pflegt es zu geschehn,
Wenn man wil die Mannschafft sehn,
Daß er ihm läst Bauern stehlen:
Diese leugt er, wie sie seyn,
Ihren Muster Herren ein,
Weil ihm andre Diebe fehlen.

Was er sonsten hinterläßt,
Ist Gestanck, ist Seuch, ist Pest,
Volle Ställ und leere Kasten.
Dies begiebt sich in der Stadt,
Dencket, was die Dorffschafft hat,
Wo kein Hund verm̄ag zu rasten.

Wer beklagt den Landmann nicht,
Der da stündlich voller Pflicht
Muß mit Weib und Kind entfliehen:
Muß ihm lassen Haut und Haar
Offte von bekan̄ter Schaar
Schändlich Ohren über ziehen.

Theuer können wir ja schwern,
Daß die, welche wir ernährn,
Viel mehr Wirth als Feind erschlagen:
Viel mehr Riett auf unser Vieh
Übernehmen, als auf die,
So auch Spieß in Faüsten tragen.

---

(172)

Dennoch wird er früh und spat,
Ob er nichts beym Blute hat,
Umb den Nachstand angesprochen:
Biß sein Gutt vergeben ist,
Drüber du den Lands Knecht siehst,
Brieff aus seinem Sacke suchen.

Grausam ist es zu beflehn, (139)
Voller Hunger Andre sehn
Seiner Kinder Gut verdaüen,
Sehn, wie unsrer Arbeit Sold
In die wüsten Gurgeln rollt,
Die den Tod den unsern draüen.

Wenn die Steuer-Quäler hin
Auf die wüsten Gütter ziehn,
Wird ein ieder Preiß gegeben:
Wo auch pflegt ein Kind zu schreyn,
Fallen die Verfolger ein,
Was vom Vater zu erheben.

Ach! wie elend ist sein Stand,
Fornen henckt die faule Wand,
Er und Armuth steht dahinden.
Alles, was er hat, ist hin,
Dennoch wil ein ieder ihn
Wegen seines Lebens schinden.

Ob er ausgemergelt ist,
Ob du ihn gleich betteln siehst,
Ob er Menschen solte fressen:
Ob ihn über Hoff und Stadt
Längst der Brand geleschet hat,
Doch wird seiner nicht vergessen.

Zu geschweigen andrer Pein,
Die er muß gewärtig seyn,
Wenn die Strassen Raüber kom̄en:

---

(173) (174) 32. Der /

Der verfluchten Henckerey
Gehen keine Teuffel bey,
So sie offte vorgenommen.

(140) Und wer denckt an solche Pflicht?
Wolt ich gleich, ich könte nicht,
Minder wolt ich, solt ich können.
Seh ich, wo und wenn und wie
Dis verübet ihre Müh,
Kan ich mich auf nichts besinnen.

Häls an Sattel Knöpffe schnürn,
Umb die Stirne Knebel rührn,
Glieder aus den Faüsten schrauben:
Eisen, die voll Feuer seyn,
In die Gurgeln schmeltzen ein,
Ist die Frucht von ihrem Glauben.

In die Oefen, wo sie sind,
Seh ich Mann und Weib und Kind
Offt auf einen Klumpen sacken:
Seh ich über ihrer Brust,
Biß ihr ist kein Schatz bewust,
Brände rauchen, Flam̄en knacken.

Welcher Geist wird nicht versehrt,
Wenn er ihren Schlafftrunck hört,
Sehet, der wird umbgerissen,
Einer treibt durch Holtz den Mund,
Einer füllt ihm Jauch in Schlund,
So vom Miste pflegt zu flüssen.

Wenn die Pfütz in Därmen braust,
Und durch Nas und Ohren saust,
Springt der ein ihm auf den Magen:
Also tritt nach einer Thür
Diese Jauch aus vielen für,
Draus sie wird mit Macht geschlagen.

---

(175)

Überlebt er diese Noth, (141)
Quälet ihn ein schwerer Tod:
Jedes Glied beginnt zu zittern:
Ohren, Augen, Nas und Mund,
Draus die Jauche springt, ist wund,
Lunge, Hertze, Haubt erzittern.

Händ und Füß in Feuer Fang
Hencken andre durch den Strang,
Drüber wird ein Baum gezogen:
Geht das Feuer unten an,
Schockeln ihrer zwey den Mañ,
Biß sie ihn gantz tod gewogen.

Und wer kann die Mörder zehln,
Wo, das Leben einfach stehln,
Wo, das Haubt vom Leibe trennen,
Wo, das Knebeln voller Noth,
Wo das Prügeln biß in Tod
Eine Gutthat ist zu nennen.

Endlich, wer erträgt die Pein?
Leute, die ein Schatten seyn,
Die sich arm und kranck gegeben:
Die man sieht wie Raben hin
Nach den todten Aeßern ziehn,
Die, wie Vieh im Felde leben.

Ihrer viel in solcher Noth
Bitten den getreuen Gott
Umb Egyptens seine Plagen:
Solche Straffe nehmen sie
Vor den Seegen spat und früh,
Wenn sie so vor Hunger klagen.

Maüse, die man sonst verflucht, (142)
Werden da mit Lust gesucht,
Ungeziefer wird genommen.

---

6. Hertz und Haubt / **(176)** 13. wer kan die Mörd erzehln /

Frösche kaufft man mühsam ein,
Ja, da sol Gott gnädig seyn,
Wo nur dieses zu bekommen.

Nun es fällt mir offte zu,
Wo man alle Treu und Ruh
Auf das Höchste sucht zu spañen.
Wo man alle wüste macht:
Daß der Krieg bloß sey erdacht
Menschen aus der Welt zu bannen.

(Dañ wo kommen voll Bemühn
So viel Tonnen Goldes hin,
Die nach Ziffern nicht zu zehlen:
Leichter, wie die Sachen stehn,
Könten wir ja untergehn,
Und die Sache Gott befehlen.

Endlich muß es doch geschehn,
Daß wir müssen übersehn,
Recht und Freyheit wider stellen:
So gieng es für hundert Jahrn,
Doch auch uns kan wiederfahrn,
Was viel Reiche weiß zu fällen.)

Aber alle die Beschwer
Kom̃et von dem Höchsten her,
Also sucht er uns zu straffen.
Uns ob langer Misssethat
Schlägt er an der Väter Stadt,
Die in Gräbern sicher schlaffen.

(143) Unsre Sünden reitzen ihn,
Daher stürtzt er auf uns hin
Seines Eyfers gantze Schaalen:
Seine Rache fährt herein,
Landsleut, über unsre Pein
Wie des Aetna seine Strahlen.

---

(177) 10. **(Klammer fehlt.)** / 21. **(Klammer fehlt).** / **(178)** 26. **statt.** /

Dieses ist die strenge Zucht,
Wenn man andre Götter sucht,
So bekom̃t es, Auffruhr machen:
Gott, der schützt die Obrigkeit,
Gott, der setzt sie in der Zeit,
Gott, der führet ihre Sachen.

Darumb lernt den König ehrn,
Seine Macht kan kein Empörn,
Als die ihm sein übergeben:
Wer die Hand, die ihn berührt,
Wieder den Gesalbten führt,
Stösst sie und sich aus dem Leben.

Feld ohn Geld: und Hand ohn Land:
Staat ohn Stadt, und Stand ohn Wand
Städt ohn Mauern, Beth ohn Bauern,
Flucht ohn Frucht, und Bahn ohn Mann,
Und was diessem beygethan,
Helffen unsern Fall betrauern.

Ungehorsam ist ein Thier:
Wie die Biene voll Begier
Sich zu Tode zürnt im Stechen:
Wie das Schwerd die Scheide bricht,
Also pflegt es sonder Pflicht
Welt und Recht und Treu zu brechen.

Doch es hätt uns nie vermocht (144)
Krieg und Pest, und Zwang und Flucht
In dergleichen Noth zu bringen:
Also kont es nicht ergehn,
Wenn nicht die, so vor uns stehn,
Sich so an uns dürfften dringen.

Unsrer Knechte Raub und Macht,
Ihrer Führer Geitz und Pracht,
Die Bestrickung deutscher Leute:

---

(179) 18. betrauren /

Und was die Begier erkiest,
Machen bloß, daß Deutschland ist
Frembder Völcker letzte Beute.

Tausend (ihr müst es gestehn)
Seh ich kläglich untergehn,
Eh ein Krieger stirbt in Waffen.
Wieder tausend fallen hin,
Die umb Steuer sich bemühn,
Eh ein Raubmann ausgesschlaffen.

Ob die Kriege grausam seyn,
Treffen sie doch dis allein,
Welche nichts darzu getragen:
Quidquid delirant reges, plectuntur Achivi.
Unterthanen sind es bloß,
Diese fället Plitz und Schloß,
Wenn sich grosse Herren schlagen.

Wer bedenckt es also frey
Als so gut ein Handel sey,
Daß es recht sey Blut vergiessen:
Ach kein Tröpfflein kom̄t davon,
Davor auch nicht Gottes Sohn
Seines must am Creutze büssen.

Nun ich hab auf Krieg und Streit
Meine Mutter vor der Zeit
Hören auf der Wiegen fluchen,
Und der Vater rieff mir zu:
Lieber Sohn! Wo Treu und Ruh,
Da ist Glück und Heil zu suchen.

Ach ich denck ihm offte nach,
Was er voller Gottheit sprach,
Eh er aus der Welt gegangen:
Wenn die Seele sich erhöht,
Aus des Leibes Diensten geht,
Siehet sie, was Gott verhangen.

---

(180) 24. an der Wiege /

Beyde Söhne, fieng er an,
Hört und merckt, es ist gethan,
Alles seh ich voller Waffen:
Moldau, was in deiner Stadt
Böhmen ausgefenstert hat,
Wird der Völcker Hochmuth straffen.

Diese Funcken, die ihr seht,
Die der Auffruhr aufgeweht,
Werden über Deutschland schlagen.
Was die Schweitz und was der Belt
Zwischen ihren Armen hält,
Seh ich Holtz zum Feuer tragen.

Aber, ob man Lermen schlägt,
Ob ein jeder Spisse trägt,
Ob viel Haüser zürnen lernen:
Ob man Bünde bricht und Macht,
Gläntzet doch des Adlers Pracht
Gleichwie Phoebus untern Sternen.

Nun ich seh ohn Zweck und Ziel (146)
Ein gesetztes Trauer Spiel.
Kriege, Kriege seh ich koñen.
Ich seh alle Winckeln hin
Mit gestörten Fackeln ziehn,
Welch Alecto angeglommen.

Bella!
Horrida bella!
Et multo
Viadrum
Spumantem
sangvine
cerno.

Ihren Vorzug werden hier
Voll erhitzter Welt Begier
Pfaltz und Siebenbürgen schlagen:
Friedrich sieht, was Böhmen sey,
Gabor kömt den Hungarn bey:
Beyde werden Cronen tragen.

Einer wird auf Hoffnung hin
Engelländsche Seegel ziehn:
Einer wird den Türcken laden.

---

(181) (182)

Beyde werden viel empörn,
Viel bedrängen, viel verstörn,
Und die Zaüm im Blute baden.

Die vielköpffìcht Einigkeit
Seh ich auch umb diese Zeit
Ihren Bund zur Welt gebären.
Aber mit der Unter Schaar
Seh ich sie dasselbe Jahr,
Auch betrübt zu Abend zehren.

Wenn der tolle Christian
Dreymahl wird seyn abgethan:
Wann sich Durlach arm geschlagen.
Wann sich Man̄sfeld wird vergehn,
Wird der ander Eingang stehn,
Und die Schantz am deutschen Wagen.

(147) Jedoch ob sie Wien beziehn,
Ob sie mit den Cronen fliehn,
Ob sie alle Welt empören:
Ob sie an das Ertz Haus gehn,
Wird es wie ein Palmbaum stehn,
Welchen nichts nicht kan versehren.

Schaut es wird die Pfaltz vor Spott
Auf dem weissen Berge roth,
Wo die Briefe Löcher kriegen.
Offen Passe wird mit Ruh
Siebenbürgen schliessen zu,
Wo die Römschen Adler fliegen.

Braunschweig, wie es ist zu spührn,
Kan den Wurm nicht lange führn:
Baaden wird am Mayen schwitzen.
Mansfeld kan nicht weiter gehn,
Bleibet todt am Wege stehn,
Vor Antenors seinen Spitzen.

---

(183)

Was ich weiter sehen kan
Ist der Thetis ihre Bahn:
Sie erzittert mit den Wellen.
Sie gedenckt an Lottern hin,
Da ihr Held wird müssen fliehn,
Und sich zu den letzten stellen.

Umb der Donau ihren Port
Gehn gefrorne Bauern fort.
Holland wird die Velau klagen.
Der von Nives steht schon da,
Wil das Lehn von Mantua
Von dem Grossen Kayser tragen.

Endlich wenn der Finnen Macht (148)
Ausgedonnert, ausgekracht,
Wird ihr Haubt vor Lützen liegen.
Adolph, wenn er wird besehn
Was durch seinen Arm geschehn,
Wird sich da zu Tode siegen.

Der die Tembs und der die Sein
Unterthänig heisset seyn,
Werden Hertz und Mund verpflichten.
Werden, was ihr Durchschied Meer
Dort um Cales schicket her,
Lassen durch den Dähnen schlichten.

Was der Lehr, da oben traut,
Bleiben sol, vor Schlachten schaut,
Was die Elbe wird beflehen:
Was vor Blut die Weeser trinckt,
Wenn sie voller Harnisch blinckt,
Werden deutsche Fürsten sehen.

Ja ich seh, eh als der Held
Sich zu seinen Klippen stellt,
Auch die Oder dienstbar lauffen:

(184) (185)

Der zu Dessau sol entfliehn,
Wird mit dem von Weimar ziehn,
Ihm ein Grab in Ungarn kauffen.

Wenn die Erd gestillt wird seyn,
Wann ihr nehmt mit Brücken ein,
Dorte Drusus seinen Graben.
Wenn sich Welschland giebt zur Ruh,
Wird Gustavus platzen zu,
Und den letzten Auffzug haben.

(149) Vom Codan seh ich Ihn hin
Siegreich biß zun Alpen ziehn:
Zwier in Meissen sol er schlagen.
Er wird tauchen in den Rhein
Das beschaumte Mundstück ein,
Stets nach neuen Ländern fragen.

Ja die, so sich seiner freun,
Seh ich seine Siege scheun.
Ihr Verbündnüß wil nicht binden.
Dann er wird durch Pracht und Ruhm,
Durch das grosse Kayserthum
Kommen, sehen, überwinden.

Oesterreich sey wolgemuth,
Gott und Sach ist recht und gut,
Deine Feinde wirst du schlagen.
Und was seh ich voller Pflicht
Vor berühmte Helden nicht
Hertz und Schwerdter vor dich tragen.

Dieser Männer grosse Schaar
Nehm ich vor den Schlachten wahr;
Ich erschreck ob ihren Degen.
Longevall, der Kriege Sohn,
Wil dir anfangs vor den Thron
Deiner Erbschafft Länder legen.

---

(186)

Bayern seh ich bey dir stehn,
Die geharnschte Händ erhöhn:
Die besiegten Fahne recken.
Ja auch Sachsen nihmt das Schwerd,
Heist den Feind, der auf dich kehrt,
Seines in die Scheide stecken.

Spinola der wird den Rhein
Forthin lehren treuer seyn,
Schaut die Einigkeit zuschellen:
Schaut, wie sich an Brüssel hin
Corduba wird können ziehn,
Und die Pfaffen Peitsche fällen.

Wer wiel Städt? ist es den̄ gar?
Wer wil Sieg? Ist nichts mehr dar?
Länder sind es. Wer kan zehlen?
Nun es sey vielmal erkan̄t,
Daß des Tylli seine Hand
Deiner wird das Reich befehlen.

Als viel Haar am Barte stehn,
So viel Schlachten seh ich gehn,
Drüber er wird doppelt siegen.
Als viel Schlösser Deutschland preist,
So viel (wie es Fama weist)
Seh ich Cronen umb ihn fliegen.

Aber warumb bring ich dir
Noch nicht untern Todten für
Deinen Held mit so viel Schrammen?
Pappenheim du bist es wol,
Der den Degen brauchen sol
Mitten unterm Sturm und Flammen.

Deutschland saget, daß es frey
Deiner Siege Stam̄buch sey.
Nu wo bleibet Wallstein stehen?

Wallstein, dessen Schwerd und Stand
Keine Zeit so hoch erkannt,
Würd er unten können gehen?

(151) Solcher Fürsten Eigenschafft,
Solcher Krieger Dienst und Krafft
Wirst du umb dein Ertz Haus mercken.
Dieser Faüste Blitz und Trotz:
Zuvor aus des Höchsten Schutz
Werden deinen Thron bestärcken.

Und was wilt du traurig seyn?
Seh ich doch voll Glantz und Schein
Aus dir deinen Rächer scheiden.
Es wird Einer voller Lust
Seine Kayserliche Brust
Vor die dein in Waffen kleiden.

Dieses (ich hab Ihn erkañt)
Heist der dritte FERDINAND.
Goldne Zeiten seh ich kommen.
Sein Gemüthe bricht herfür
Wie des Monden seine Zier,
Wenn er halb hat zugenommen.

Städt und Länder werden flehn,
Wenn sie diesen Sieger sehn:
Vor ihm werden Völcker weichen.
Denn der Ahnen gantze Pracht,
Ob sie auch sich groß gemacht,
Ist mit Seiner nicht zu gleichen.

Was von Miß Treu übrig ist
Und noch Zanck und Streit erkiest,
Wird er Lethen unterwerffen:
Er wird deutsche Zuversicht
Durch die sein aus wahrer Pflicht
Unter den Gemüthern schärffen.

---

(188) 10. wilst /

Unter Seiner grossen Macht (152)
Werden Löwen Tag und Nacht
Unterm Vieh im Felde gehen.
Mit den Tauben werden hin
Habicht auf die Dächer ziehn,
Untern Läm̄ern Wölffe stehen.

Lebt ich doch zu dieser Zeit!
Daß ich könte sonder Neid
Seines Stammes Taffeln bauen!
Ach wie fleissig würd ich seyn,
Aber itzund heist es: Nein.
Ich muß nach dem Grabe schauen.

Also schloß er: und dazu
Sprach er: Eh ihr diese Ruh,
Lieben Söhne, werdet schmecken:
Eh ihr also schlaffen kön̄t,
Werdet ihr voll Sturm und Wind
In viel tausend Aengsten stecken.

Aber Gott wird bey euch stehn,
Bloß die Krieger lasset gehn,
Krieg ist was von andern kriegen.
Mord und Raub hat Krieg erkiest,
Wie gerecht sein Anfang ist,
Sein Beschluß heist nützlich lügen.

Vater! es wird gantz und gar
Heut auf allen Seiten wahr,
Krieg ist aus der Höllen kommen.
Niemand gehet sicher bey,
Glut und Pulver, Rauch und Bley
Pflegt umb seinen Sitz zu summen.

Solt ich so ein Stieff Kind seyn, (153)
Pech und Schwefel werffen drein,
Wo der Freunde Giebel rauchen?

---

(189) 2. Leuen / (190)

Solt ich meinen freyen Muth,
Meiner Faüste Krafft u. Blut
Blos zu bösen Stücken brauchen?

Eh ich lernte Pferde stehln,
Pflegte man es zu befehln,
Blieb ich gar am Balcken kleben?
Nein: Das Lehr Geld macht zu viel,
Und ich dörfft auf solches Spiel
Nicht mehr nach dem Tode leben.

Ziehet goldne Kleider an,
Holt den Zeug auf jener Bahn:
Ich wil meinen Rock behalten,
Ich wil hie mein Saltz und Brod,
Gön̄t es mir der liebe Gott,
Auf dem satten Tische spalten.

Euer Wein, den ihr vergüßt,
Wird zu Thränen nach der Frist,
Wie er ist von Thränen kommen:
Erben kriegen nicht das Gut,
Das ihr Armer Schweiß und Blut
Untern Waffen abgenommen.

Weit von einer solchen Schaar,
Der das Fallbeyl überm Haar,
Überm Kopffe pflegt zu hencken:
Der, wo ihre Läger gehn,
Galgen für der Nase stehn,
Wolt ich etwas fröm̄ers dencken.

(154) Bauern wolt ich lieber hier
Und im Gute für und für
Auf der Nahrung Wesen dringen:
Oder gienge dieses nicht,
Wolt ich mich in andre Pflicht
Und in andre Sättel schwingen.

---

(191) 23. Die /

Keinen dürfft ich vor mir sehn,
Umb Gewerb und Pferde flehn,
Keinen umb der Freunde leben:
Keinen, den ich angerannt,
Abgesattelt, weggebrannt,
Keinen, den ich Preiß gegeben.

Lieffe man durch Thür und Thor
Endlich selbst dem Feinde vor,
Daß er nicht könt irre gehen:
Dürfft ich, weñ der Rausch vorbey
Solcher ernsten Gauckeley,
Nicht an vieler Lücken stehen.

Ob es manchem ist geglückt,
Daß er etwas heim geschickt,
Darff man es doch wiederholen:
Deutsche dürffen wieder ziehn,
Und dasselbe nehmen hin,
Was man ihnen abgestohlen.

Ja ich wolte Brust u. Haupt,
Wenn es Sach u. Ort erlaubt,
Selber in den Küraß mauren:
Meine Pferde setzt ich hin,
Da wo die Geschwader ziehn,
Manchen Heerzug auszutauren.

Denn was bildest du dir ein, (155)
Der du denckst, du kannst allein
Pulver hintern Ofen riechen?
Der du durch das Vaterland
Voller Gifft u. Raub u. Brand
Wilt als eine Natter kriechen?

Ob ich nicht wil Freunde quäln,
Nicht des Nachbarn Gut bestehln,
Nicht auf freyer Strassen beuten:

---

(192) (193) 21. mauern / 24. auszutauern /

Nicht hin auf die Gartung ziehn,
Nicht des Feindes Antlitz fliehn,
Hat es nichts nicht zu bedeuten.

Ich hab auch ein Schulterblat,
Das gerade Stärcke hat,
Und kan Röhr und Picken tragen,
Diese Hand weiß auch ein Schwerd,
Auch ein Tummel freyes Pferd
Auffzuzaümen, anzuschlagen.

Offte haben diese Krafft
In der Künste Wanderschafft
Strenge Meister hochgepriesen,
Offte hab ich meinen Muth,
Meiner Ausfarth bestes Gut
Durch viel Ritterspiel erwiesen.

Aus dem Holtze, draus ich bin,
Wär auch ein Mercur zu ziehn,
Als ein andrer unterm Hauffen:
Nein: wie schlecht ich anzusehn,
Dennoch wird es nicht geschehn,
Daß mich einer sol verkauffen.

(156) Wisse: Bloß kan ich nicht stehn,
Bloß nicht hintern Schaaffen gehn,
Bloß nicht Hirten-Stäbe schnitzen:
Dieser Leib, der zeiget an,
Was der Sitten Übung kan,
Die mich nicht läst unten sitzen.

Reitest du gleich voller Schein
In gestohlnen Ketten ein,
Must du drumb nicht meiner lachen?
Wem ich gut genung nicht bin,
Diesem hab ich es verziehn,
Daß er mich mag schöne machen.

---

(194)

Bringt den Degen dieser Arm
Jetzt von Stäben heiß und warm:
Wird da blanck im Circkel stehen:
Was die Schwäch und Stärcke sey,
Kom̄et ieder Arbeit bey,
Wieder Roß und Mann zu gehen.

Salvator, der Welschen Zier
Theilt mir ab mein Fecht Rappier:
Don Pacieco wil es messen,
Doch vor allen, die ich weiß,
Bannt mich Tibaut an den Creiß,
Drinnen ich voll Lust gesessen.

Und ich sol dort umb den Rhein
Nicht der letzte Schüler seyn,
Der von Seinen überblieben:
Ja ich habe diese Kunst
Vieler Fürsten wehrten Gunst
Meiner Art nach aufgeschrieben.

Seiner Arbeit Maß und Ziel, (157)
Seiner Angel Satz und Spiel,
Seiner Klingen leises Wesen:
Schnitt und hieb die Faust und Fuß:
Und des Lägers freyen Schluß
Wird dir mein Gestühle lesen.

Bringt die Büchse. Diese Brust,
Der das Sä Tuch itzt bewust,
Weiß sich lincks und rechts zu stellen:
Sehen solt ihr, würd ich ziehn,
Ob ich nicht beschossen bin,
Mitten untern Rott Gesellen.

Alle Vortheil, wie ich kan,
Brächt ich unterm Trüllen an:
Aufrecht und gebückt zu sprützen,

---

(195) 1. Degen, dieser / **(196)**

Eh ich neunmahl Stand gefast,
Hätt ich dreymal aufgepaßt,
Hin zu donnern, fort zu plitzen.

Wie man, wenn die Pursche scheußt,
Glieder öffnet, oder schleust:
Umb und durch sich pflegt zu schwencken,
Halb und gantz, wie es gefällt,
Reyen kehret, oder stellt,
Wollt ich dir ein Muster schencken.

Bringt die Picke. Dieses Blat,
Das die Gabel auf ihm hat,
Wird sie platt und schriemes tragen,
Wird die Würffe, wie sie seyn,
In den Lüfften wechseln ein,
Wird viel freye Stücke wagen.

(158) Deine Stang und mein Rappier
Wolt ich scharff nach Kriegs Gebühr,
Eines umb das andre fangen:
Schön ist es, wenn iedes Spiel
Oben, was ich unten wil,
In dem Himmel aufgehangen.

Spiesse gegen Büchsen stelln,
Spiesse gegen Pferde fälln:
Spiesse gegen Spiesse schwingen,
Und was umb den freyen Plan
Sonst ein Doppel Söldner kan,
Wolt ich aus dem Kober bringen.

Bringt das Reit Pferd. Diese Hand,
Der ein Ochs anitzt bekannt,
Wird es zaümen, wird es halten:
Stangen nach der Theilung hin
Wolt ich an die Laden ziehn,
Seinen Mund mit Eisen spalten.

---

(197)

Wessen Brust wird nicht ergetzt,
Wenn er stutzt und übersetzt:
Wenn er sprengt und streicht im Draben:
Wenn er in den Wend Platz fällt,
Wenn er sich zum Schrancken stellt,
Wenn er haut durch Flüß und Graben.

Griso theilt mir seinen Mund,
Seine Tugend macht mir kund,
Den der Deutsch entlehnt vom Eisen:
Unter allen stellet mir
Pulvinell zwey Saülen für,
Dran er mir wil Wunder weisen.

Wie das lincke Feld zu fliehn, (159)
Das Gewehr frey auszuziehn,
Auf den Arm das Rohr zu legen.
Auf den Sattel Knopff zu zieln,
Gegenpart herab zu spieln,
Wolt ich auf ein End erwegen.

Sonsten was der Fahn belacht,
Wenn er hinten Würbel macht,
Was die Speer im brechen geben:
Was vor Danck die Lantz erhält,
Wenn der Ring und Köpffe fällt,
Ist zur Lust, und nicht zum Leben.

Aber höre, was ich wil,
Denn es ist kein Kinder Spiel,
Drüber ich so ernst gewesen.
Stünd es meiner Keulen an,
Wolt ich dir, du Feder Mann,
Anders aus der Kriegs Kunst lesen.

Aus dem Grunde riß ich dir
Unsers Landes Taffel für:
Alle Winckel würd ich messen:

---

(198)

Seine Blössen brächt ich bey,
Wie es zu verwahren sey
Bey den Flüssen, an den Pässen.

Aus der Erden würd ich spürn,
Wie man solte Wercke führn,
Wenn ein Läger abzutragen:
Wo man solte, drauff zu schaun,
Katzen, Hörner, Sterne baun,
Was nach Holtz und Bach zu fragen.

Meinen Angel setzt ich ein,
Solt ein Ort beschlossen seyn,
Wäll und Flancken zu erreichen:
Eh ich Kammern liesse spieln,
Thürn und Mauern umbzuwühln,
Müste man den Sturm bestreichen.

An der Stirne setzt ich dir
Die behertzten Knechte für,
Solt es an ein Treffen gehen:
Mitten feige, gleich wie du,
Alte stellt ich hinten zu.
Die vor Sieg und Wallstadt stehen.

Aber schaut ich muß mich hin
Aus des Krieges Staube ziehn,
Zärtling aus den Städten kom̄en:
Meinst du denn, du Sem̄el Kind,
Daß die Bauern Flegel sind,
Die dich längst dafür genommen?

Und was hab ich euch gethan,
Ob ich gleich nicht handeln kan,
Sollt ihr mich darumb verachten?
Bürger meine Sach ist recht,
Ob ich als ein armer Knecht
Nicht nach Aemtern weiß zu trachten?

---

(199) (200) 24. Zärtling' /

Hütt ich gleich nur Schaaffe hier,
Bin ich doch so gut, als ihr,
Die ihr wollt in Städten leben:
Was hie unterm Rocke steht,
Wolt ihr nicht, wie weit es geht,
Umb das beste Braü Haus geben.

Denn, was hätt ich da für Lust, (161)
Hüpffte mir die rechte Brust
Bier zu wässern, Wein zu schencken:
Täglich voller Händel hin
Auf das Rath Haus zu zuziehn,
Mit Beschwerden mich zu krâncken.

Ey wie fein trifft eure Ruh,
Städter, eurem Wünschen zu:
Heisset dis in Rosen sitzen?
Ist nun dis ein freyer Stand,
Wo man nicht sieht Haut und Hand
Sondern die Gewissen schwitzen?

In der Stadt ist alles feil,
Spott und Schande, Glück und Heil,
Ehr und Aemter, Haß und Sünden:
In der Stadt, wo Menschen gehn,
Muß man untern Menschen stehn,
Kan doch keinen Menschen finden.

Tret ich früh vor meine Thür,
Finden Leute sich zu mir,
Die mir ihre Traüm erzehlen:
Die mit neuer Zeitung hin
Auf den Marckt der Lügen ziehn,
Und mir Hertz und Ohren quälen.

Wie viel Becher nach der Schlacht,
Die zu Dreßden eine Nacht
Können Stirnen-über drehen:

---

(201)

Wie viel Häls an Galgen hin
Der von Friedland lassen ziehn,
Wissen sie, eh es geschehen.

(162) Andre Zeitung stellt man ein,
Biß ein Schlung gebranter Wein
Zung und Lunge durchgezogen:
Auf ein halbes must du gehn,
Wenn sie bey dir bleiben stehn,
Und die Wahrheit eingelogen.

Dieser Nectar ist so gut,
Sie erschüttern Därm und Blut:
Die es suchen auszuflennen,
Also freundlich sehn sie aus,
Wie, die auf Patroclus Haus
Ihren harten Stuhl zutrennen.

Wenn die Stirne hitzt und glüt,
Ist ein ieder Wirth bemüht
Die Gemeine zu verfechten:
Jeder wil da mit der Stadt,
Wenn er sich besoffen hat,
Wegen krummer Händel rechten.

Ich gedenck es heute noch,
Daß ich unlängst in ihr Gloch
Mit dem Nachbar Mopsus kommen.
Kriegt ich gleich ein Achtel Bier,
Dennoch brächt ich es nicht für,
Was ich damals wahrgenommen.

Als ich, blieb ich aussen stehn,
Meiner Nothdurfft muste gehn,
Hörte, was Sie würden sagen.
Unterm Plaudern, das sie führn,
Wolte sich ein Alter rührn,
Den ich noch nicht kan erfragen.

---

(202) 12. auszuflammen /

Zwar indem ich Seiten hin (163)
Meinen Schaaff Peltz wolte ziehn,
Kont ich nicht den Anfang hören.
Aber dieses fiel mir ein,
Daß es müsten Grosse seyn,
Die man solte billich ehren.

Lieben Leute, fieng er an, IV. Respublica.
Alles ist mit uns gethan,
Jeder wil gestrenge werden.
Niemand, weil es zu gemein,
Wil mehr Vest und Erbar seyn,
Keine Treu ist mehr auf Erden.

Jeder, der ein Aemtlein hat,
Pocht und trotzt die gantze Stadt,
Wil vor Sam̄t und Golde gleissen.
Die man vor nicht angesehn,
So kan sich die Zeit verdrehn,
Sol man weise Herren heissen.

Viel, die von der Werckstadt gehn,
Wenn sie Hals und Mund erhöhn,
Können kaum halb I a sprechen,
Andre treten Plätz und Stein
Jedoch uns zum besten ein,
Wollen vor der Kunst zubrechen.

Die, so unsre Wolfarth fliehn,
Bürger in die Beitze ziehn,
Steuer wissen auszuquälen:
Die, su unter Gut begehrn,
Alles unten, oben kehrn,
Sind vor andern zu erwehlen.

Heuer wird es offenbahr, (164)
Was der Alten Sprüch Wort war:
Jeder Herr hat zwier geschworen,

---

(203) (204) 31 ff. Heuer wird ....

Einmal, seinen Stand zu baun,
Einmal, unsern abzuhaun,
Heut ist beydes auserkohren.

Denn wer (schri[e] er weiter aus)
Kan mir dessen Hoff und Haus
Von dem Rath Tisch unterscheiden?
Unser Geld und seine Hand
Sind einander so verwand,
Daß sie einen Beutel leiden.

Händel handelt er ihm ein,
Wo betagte Leute seyn,
Ist ihm trefflich wol bewogen:
Weil er, wie es wird erkiest,
Richter selbst und Kläger ist,
Wird der Abscheid stracks vollzogen.

Urtheil vor ein jedes Theil
Trägt er auf dem Marckte feil,
Läst mit Briefen sich beschlagen:
Er gebraucht sich seiner Hand,
Schreibt und siegelt voll Verstand,
Drüber ihn kein Mensch darff fragen.

Gerne thu ich es zwar nicht,
Doch ich muß ihn umb der Pflicht
Den Laconern beygesellen:
Wenn er auf das Rath Haus kömt,
Und die Schlüssel zu sich nihmt,
Fang ich an kaum nicht zu bellen.

(165) Ich erschrack dort umb die Thür,
Als er dieses brachte für,
Dacht er würd ihn nennen können:
Aber nein, er wust es wol,
Daß man Straffe geben sol,
Darumb wollt er ihn nicht nennen.

... bis 9. leiden fehlt. / 10 ff. Händel handelt ... bis 27. bellen ... fehlt /

Jedoch lug er weiter hin,
Sprach, so wahr ich redlich bin,
Keiner lebt so eingezogen:
Keiner hat so aus der Kunst
Der Gemeine Geld und Gunst
Seinem Kasten eingelogen.

Seine Fässer für und für
Quellen allgemeines Bier:
Seine Flaschen süsse Reben.
Seinen Flegeln auf den Schlag
Gönnt er keinen Feyertag,
Kein Vergnügen seinem Leben.

Keine Steuer noch Beschwer
Macht ihm seinen Beutel leer;
Seine Rach ist nicht zu stillen,
Wem er nicht zum besten wil,
Den verfolgt er offt und viel.
Alles bebt vor seinem Willen.

Alles, wenn er aus wil gehn,
Muß ihm zu Gebote stehn,
Seiner hat er längst vergessen:
Von dem König ingemein
Wil er sonst der ander seyn,
Der zuvor den Ort besessen.

Ich gedacht, ein Narr bist du, (166)
Wil ihm nicht mehr hören zu:
Weil ich vor zu viel vernommen,
Gebe man mir auf der statt,
Was der Bürge Meister hat,
Solt es vor mein Maul nicht kommen.

Nun eh ich mich umbgesehn,
Fuhr er weiter fort im Schmähn:
Sprach: Ich wil euch etwas fragen,

---

1 ff. Jedoch lug ... bis 24. besessen ... fehlt. / 31. Nun eh ...

Weil hie, wie ihr Sie erkießt,
Einer wie der ander ist,
Wie daß sie sich nicht vertragen.

Keiner, ob sie gleiche seyn,
Stimmet mit dem andern ein,
Hier ist Rhodus, du must tantzen:
Daher ist es, lieber Mann,
Daß ihm, der was feister kan
Auf die Seit als jener schantzen.

Eyd und Am̃t ist dennoch gleich,
Höret einen andern Streich:
Keiner stirbet, weil sie leben,
Keiner darff nicht Rechenschafft,
O der Dienste weisen Krafft!
Vor den allerletzten geben.

Dis erfodert ihre Treu,
Doch ich sag es ohne Scheu,
Keiner weiß, was Treu erkohren:
Ihren Beuteln sind die huld,
Sonsten hat sich ihre Schuld
Wie ein Wind, ein Rauch verlohren.

(167) Wo der, so da nichts nicht giebt,
Seines Herren Volck betrübt,
Recht und Ordnung wil zureissen:
Mit dem Dienst und Am̃t entfleucht,
Und dem Feind entgegen zeucht,
Treu ist, seyd ihr treu zu heissen.

Dieses durch das gantze Haus,
Schutte der Verlaümbder aus,
Andre zu der Banck zu hauen,
Also sah ich Mund und Wein
Voll Gestanck und Laster seyn,
Daß mir selber wolte grauen.

---

bis 27. treu zu heißen ... fehlt / **(205)**

Ja, ich mein, es würd ihm gehn,
Hätt ein Stadt Knecht sollen stehn,
Allda, wo ich konte stecken:
Doch es sey der Wand gesagt,
Ich wil keinem, der mich fragt,
Das geringste Wort entdecken.

Es ist unrecht: Einen Mann
Hinterm Rücken güssen an,
Aber es pflegt zu geschehen.
Alle Haüser, wenn man kömt,
Bier vor einen Creutzer nim̄t,
Wissen was dazu zu schmähen.

Ja sie jagen ihren Lauff
Durch das gantze Leben auf,
Der wil Pech in Faüsten tragen:
Der da Mauern hinterziehn,
Der mit jenem Weib entfliehn,
Der die Stadt zu Marckte schlagen.

Das geringst ist wol nicht wahr, (168)
Doch es bleibet immerdar
Etwas an dem Hertze kleben,
Nu das laß mir ingemein
Einen guten Morgen seyn,
Den die Leut einander geben.

Wer sich zeitlich mit Bedacht
Von den nassen Brüdern macht,
Kan noch recht zur Predigt kom̄en.
Alle Haüsser lauffen bey,
Wenn die Glocken also frey
Ihrer Pracht entgegen brummen.

Umb den Kirchhoff par und par
Hält der Kutschen ihre Schaar
Mit den Farben gleichen Pferden:

---

(206) 21. Hartze / 25. zeitig /

Ihre Sünden müssen hin
Rosse vor den Beichtstuhl ziehn,
Da sie stracks erleichtert werden.

Kom̄ ich in die Kirch, alsdann
Höhnt und äfft mich jedermann,
Jeden Sessel muß ich raümen:
Jeder Predigt wird gehegt,
Auf ein gantzes Jahr verlegt,
So sie keine Nacht versaümen.

Neulich als ich Platz gewan,
Lehnt ich mich an Pfeiler an:
Schaute sie vorüber treten:
Ihre Seelen schaut ich hin
In der Sünden Fessel ziehn,
Ihren Leib in goldnen Keten.

(169) Alles, was zun Stühlen reißt,
Glim̄et, blincket, gläntzt und gleißt,
Die weiß jene hin zustutzen:
Jeder Stand voll Pracht u. Schein
Greifft und fällt dem andern ein,
Alles sucht sich raus zu putzen.

Weben, wie die Spinnen führn,
Nester, wie die Wespen schnürn,
Räder, nach der Art der Pfauen:
Thürne, wie an Kirchen stehn,
Cronen, wie die Printzen gehn,
Tragen schlechte Bürger Frauen.

Zobel schicket Moscau her,
Perlen kommen über Meer,
Niederland ertichtet Spitzen:
Genua spinnt klares Gold,
Mayland ist dem Wircken hold,
Bantam läst den Demant ritzen.

---

4 ff. Kom̄ ich in die Kirch ... bis ...

Dieses muß der arme Mann
Seiner Mutter hencken an,
Solt er 14. Tage fasten:
Sie kan, ob sie früh und spat
Zwar kein gutes Hembde hat,
Nicht ohn diese Hoffarth rasten.

Dorte tritt voll Glantz und Schein
Eines Kramers Fraülein ein,
Schaut, was sie vor Tracht genom̄en?
Anders blincket sie nicht für,
Als ob sie in gantzer Zier
Gestern wär aus Franckreich kom̄en.

Kreide Weiß sind ihre Schuh,
Gold das knüpfft und brämt sie zu,
Drunter edle Steine stehen:
Gold gewürckte Strümpff allein
Windeln ihre Schenckel ein,
Drauff sie auf das Kauff Haus gehen.

Umb den Leib, auf den man gafft,
Ist sie überall betafft,
Voller Schnüre, Knöpff und Rosen.
Rosen roth ist, was sie deckt,
Pech schwartz, was sie drüber streckt,
Als sehr leichte zu gelesen.

Perlen hat es starck geschneyt
Umb das Nest, der Eitelkeit,
Dran aus Ambra Kugeln hängen:
Wie die Jahrmarcktbauden gehn,
Sieht man theure Bänder stehn,
Ihre Hoffarth einzuzwängen.

Ihre Haare sind verlohrn,
Auf Frantzösisch zugeschoorn,
Drauf versetzte Sterne blincken:

Hinten sind sie aufgethrönt,
Durch ein Kräntzlein zugethrönt,
Das dem Schauer pflegt zu wincken.

Finger sind an Ringen reich,
Ohren an Gehencken gleich,
Armen schwer an Goldgeschmeiden:
Überall, wo Nehte gehn,
Siehet man ein Kleinod stehn,
Dessen Glantz die Augen weiden.

(171) Wo man endlich hin muß sehn,
Weiß ich nicht wol auszudrehn,
Dran die Jungfrau zu erkennen.
Hut und Federn, Haar und Blat,
Was sie biß an Gürtel hat,
Ist fürwahr ein Mann zu nennen.

Wenn sie denn in Stühlen sitzt
Eingezänckt und ausgespitzt,
Fängt sie an sacht auf zu spielen:
Seufftzet einen Edelmann
Etwañ übers Büchlein an,
Daß die Bänck ihr Leiden fühlen.

Nun das heißt zur Kirchen gehn,
Heißt für Gottes Antlitz stehn.
So wird Sünd und Schuld verziehen:
Das ist Busse, Reu und Leid,
Also wolten vor der Zeit
Auch die Leute Beichte knieen.

Menschin dencke doch, was du
Untern Kleidern deckest zu?
Unflath ist es, ich muß schweigen.
Selbst die Schönheit, die euch ziert,
Ist nur Farb auf Koth geschmiert,
Drüber Würm- und Maden steigen.

Kleider, die du trägest an,
Sind der Wollust Nest und Fahn:
Schminck ist Gifft: Wolt iemand trincken?
Gott, der sucht in Demuth Ruh,
Selbst dem Teuffel fällst du zu,
Dem du wilt entgegen blincken.

Als ich auf das Bürger Chor (172)
Mein Gesichte hub empor,
Sah ich neue Zeitung lesen:
Briefe, die Sie Hand umb Hand
Dort einander zugesand,
Wuschen viel vom böhmschen Wesen.

Jenem traümte, was der See
Thät an Baltschen Kisten weh:
Franckreich speißte den mit Worten.
Andern kam was neues bey
Aus bekriegter Lombardey:
Andern aus den Türckschen Pforten.

Kauff Leut, als ich mich verwand,
Suchten hier umb ihren Stand
Unterm Beten loßzuschlagen:
Frischen Waaren sah ich sie
Ihrem Mammon vor die Knie
Aus versetztem Glauben tragen.

Der setzt zehn auf hundert hin,
Eh als ihm die Schuld verziehn,
Jener läßt sich feste machen:
Dieser wechselt, was er kan,
Ruffet Gott zum Beystand an,
Der im Kasten pflegt zu wachen.

Eh ich unten fertig war,
Sah ich in vermumter Schaar
Über mir viel Junckern schreiten:

An den Spörnern, die sie führn,
Kan man alle Schritte spührn,
Wenn sie so zu Fusse reiten.

(173) Auf dem Wammest hinten zu
Hängt ein Schwerd biß auf die Schuh,
Eine Hose trit aus Schwaben:
Eine von Wallachen ein,
Offte darff Frantzösisch seyn,
Was die Stutzer drunter haben.

Unter ihrer Plauderey
Lugen sie den Simbs entzwey,
Aber nichts hab ich vernommen:
Alles lallt und tallt daher,
Als sie gestern über Meer
Aus dem seltnen Schiffe kommen.

Da, wo ihre Schwestern knien,
Seh ich sie die Hütte ziehn:
Seh ich sie die Zöpffe küssen:
Seh ich sie wie Böcke spieln,
Die des Metzkers Messer fühln,
Seh ich sie die Sünde büssen.

Dorte treten umb die Thür
Eine Ritt voll Krieger für,
Wollen zu Gotts Tische gehen:
Menschen, fieng ich bey mir an,
Dencket, wie des Herren kan
Bey des Bruders Blute stehen.

Ihr verfolgt bis auf den Tod
Diese, vor die selber Gott
Ist bis in den Tod gegangen:
Von dem Würgen kom̄t ihr her,
Und gedenckt in der Beschwer
Gottes Leichnam zu empfangen.

Nun ich kehrte, sie zu fliehn, (174)
Mich auf andre Stühle hin,
Wo der Bürger Väter stehen.
Ach! bey vielen fiel allhier
Selbst des Vatern Mangel für,
Weil sie unbehutsam gehen.

Sah ich gleich den gantzen Rath,
War er dennoch in der Stadt,
Mit den Herren Schöppen blieben.
Jeder nahm aus gantzer Macht
Die gemeine Sorg in Acht,
So sie in ihr Haus verschrieben.

Als ich ließ, wo Fenster stehn,
Einen Blick mit untergehn,
Sah ich da viel Urtheil machen:
Denn, die Wohlgebohrne Schaar
Nahm des eignen Nutzens wahr
In des Landes Recht und Sachen.

In der Halle weit davon
Stund der arme Coridon,
Traut ihm nicht herfür zu sehen:
Traurig schlug er auf die Brust
Sprach, es ist dir Herr bewust,
Warumb ich muß heimlich flehen.

Als sie ihren Glauben hin
Ohne Glauben aus geschrien,
Kam der Priester aufgestiegen:
Aber schaut, der gute Mann
Ließ auch, was die Hoffarth kan,
Damals nicht zu Hause liegen.

Nun er machte seiner Schaar (175)
Gottes Willen offenbar,
Konte seinen selbst nicht fliehen:

---

bis . . . 18. Recht und Sachen . . . fehlt. / 25 ff. Als sie ihren Glauben . . .

Auf den Himmel weist er zu,
Suchte selbst auf Erden Ruh,
Wo der Menschen Töchter ziehen.

Dieser fiel der Herrschafft bey,
Jener macht den Schelmen frey,
Der hat Aemter zu verstechen:
Ob sie Gott nicht zu viel ehrn,
Können sie sich selbst erhörn,
Ihnen selbst das Urtheil sprechen.

Viel die hatten Händ und Mund
Dorte, wo der Pfarr Herr stund,
Stiessen alldar aus den Bäncken:
Viele wolten voller Schein
Nechst an weiten Ermeln seyn,
Die an Ihrer Würden hencken.

Andre schlugen Bücher auf
Umb des Him̄els Kram und Kauff,
Theilten ihr Gebeth in Stunden:
Andre schielten auf der Bahn
Jeder Sünder Achseln an,
Weil sie Gott so nahe stunden.

Ich gedacht, er trüge mir
Gottes Wort vor seinem für:
Nein. Ich bin zu grob gewesen.
Bauern können, wie ich bin,
Ja nicht, ob sie sich bemühn,
Feigen von den Disteln lesen.

(Ist der Gottes Dienst nicht bloß
(176) Eitler Braüche Hausgenoß,
Und ein leeres Kirchen gehen?
Ach! Der Lehre heilger Schein
Muß noch heut ein Mantel seyn,
Drunter Dieb und Schelmen stehen.)

Aber, ich muß stille seyn,
Sonsten bildet ihr euch ein,
Ich hätt auch nicht wollen bethen:
Dieses hab ich bloß erdacht,
Daß man seh, in was vor Pracht
Städter in die Kirche treten.

Wenn sie drauff zu Tische gehn,
Müssen Thürmer, wo sie stehn,
Ihnen zu der Suppe pfeiffen.
Nach der Mahlzeit geht man aus,
Alles wil durch Hoff und Haus
Nach dem Glas und Würffel greiffen.

Denn, das ist auf ihren Schlag,
In der Stadt ein Feyertag,
Wenn man langsam auf darff stehen:
Wenn man in den Fenstern liegt,
Wenn man Kart und Schachspiel kriegt,
Wenn man sol zu Gaste gehen.

Beten mag, wer darff und kan,
Bürger haben wol gethan,
Die des Pfaffen Chor Rock sehen:
Wenn man einmal in der Stadt
Ausgepaternostert hat,
Ist ihr Gottesdienst geschehen.

Geh ich an dem Marckte hin, (177)
Seh ich Müssiggänger ziehn,
Hör ich neue Zeitung lesen:
Dieser fraget, ob die Magd,
Die ein junger Wurm geplagt,
An dem Kinde sey genesen.

Dorte führt man eine Braut,
Hie, wo sie sich umbgeschaut,
Trägt man ihr ein Kind entgegen:

... bis 6. Städter in die Kirche treten ... fehlt. / **(207)** 19 ff. Beten mag ... bis 24. geschehen ... fehlt /

Diesem wird ein Sarg gemacht,
Jener, das er nie gedacht,
Setzet sich in sein Vermögen.

Andre sieht man schleunig hin
Wegen ihres Glaubens ziehn,
Den sie auf der Post verlohren.
Andre, wenn die Stunde kom̄t,
Daß ihr Mündlein Rechnung nim̄t,
Fluchen, daß sie sind gebohren.

Halt ich einen Schulmann an,
Da ist es nicht recht gethan.
Da wil ieder haun und stechen:
Jeder läßt bey dieser Zeit
Über seine Redlichkeit
Erst ein schlimmes Urtheil sprechen.

Offte stehen ihrer zwey,
Ruffen dritte Mann herbey,
Den sie wolbedacht betrügen:
Dorte tritt ein Schneider her,
Als was Erbars an ihm wär,
Und erzehlet hundert Lügen:

(178) Niemand kan vorüber gehn,
Wo die Leut an Thüren stehn,
Er wird rückwerts angestochen:
Ja auch Kinder in der Stadt
Sagen, was der fromme Rath
Nach der Ordnung hat verbrochen.

Dorte schleudert Kloster ein
Jener Bube seinen Stein,
Solt es selbst dem Vater gelten:
Nun die Mutter weiß es wol,
Doch sie muß nicht, wie sie sol,
Ihres Knabens Fehler schelten.

---

(208) 4 ff. Andre sieht ... bis ... 15. Urtheil sprechen ... fehlt. / 22. Niemand kan ... bis 33. Fehler schelten ... fehlt /

Eh ich auf und ab gesehn,
Hör ich alle Gassen flehn,
Hör ich alle Glocken klingen,
Wart ich denn bey meiner Thür,
Seh ich einen Todten mir
Mit dem Creutz entgegen bringen.

Auf dem Rücken muß er hin
In die ewge Kam̃er ziehn,
Fackeln seh ich umb ihn tragen:
Solt es, wie die Pfaffen schreyn,
In der Höllen finster seyn,
Wär er eher zu erfragen.

Hinterm Sarge paar und paar
Zeucht der Freundschafft helle Schaar,
Auch der Artzt bleibt unten stehen:
Er sol (Er bringt ihn zur Ruh')
Ihre Klagen schliessen zu,
Und im längsten Mantel gehen.

Alle klagen seine Treu, (179)
Aber kein aus solcher Reu,
Als die umb die Erbschafft kommen:
Durch Betrug hat er gelebt,
Durch Betrug (nach dem ihr strebt)
Hat er auch sein Spiel genommen.

Doch der Priester streicht sein Haus,
Seine Dienst und Thaten aus,
Billich hätt er sollen alten:
Wenn er ohne Heller war,
Hat er bey der Bürger Schaar
Von dem Glauben viel gehalten.

Als er tieff genung versenckt,
Sah ich, die an andern denckt,
Seine Wittib wieder kommen:

---

(209) 20. kein' / Rey / 25. Doch der Priester.. bis 30. gehalten.. fehlt /

Weil sie sich gantz ausgeweint,
Hat sie zu sich, wie man meint,
Drauff ein Trünckgen Wein genommen.

Endlich läst sie auf Vertraun
Dennoch ihm ein Grabmahl baun:
Die Geduld und List zu lehren:
Denn weil er so kont entfliehn,
Henckt sie ein paar Spörner hin
Dem Mercurius zu Ehren.

Jener, wo die Krame seyn,
Spricht da bey der Frauen ein,
Die er selber hat erzogen,
Umb ein schlechtes schwür ich dir,
(Nachbarn schweiget) daß er ihr
Nicht gar übel ist bewogen.

Dorte legt man auf der Bahn
Diesem Band und Ketten an,
Daß er ungeschickt gestohlen:
Andre, die es anbefehln,
Möchte man zun ersten zehln,
Die ihr Gut auf Strassen holen.

Andre zechen durch das Haus
Mit dem Zechen eines aus
Lassen ihre Mägde schleiffen:
So die Gäste, wie du siehst,
Abends, wenn es finster ist,
Offte vor die Frau vergreiffen.

Wie die Frösch im Lentzen quarrn,
Also seh ich jenen Narrn,
Der sich hie so groß wil machen:
Wie sich ihrer zwey zuzerrn,
Wenn sie sehn den dritten Herrn,
Also muß er seiner lachen.

---

9. Mercurio / **(210)** 23. den /

Dieser, wie ein Kalb den Stich,
Frißt den Schelmen tieff in sich,
Kan noch mehr als das verdaüen:
Ja er, weil er sehr bekañt,
Fraget, ob man ihn genannt,
Wil nicht seinen Nahmen scheuen.

Andre seh ich Tag und Nacht,
Aber nicht Gewerb und Pracht,
In Gewicht und Stunden theilen:
Ihre Seiger stehn in Pflicht,
Aber die Gemüther nicht,
So nach alter Freyheit eilen.

Dorte fängt ein guter Mann (181)
Einen Tantz in Federn an,
Hört nicht, wo die Maüse tappen.
Weil er Speck im Fallen hat,
Haben Hörner bey ihm statt,
Schwarten geben gutte Kappen.

Alles räth und schöpfft voll Weh,
Wenn ich auf dem Marckte steh,
Jeder Mensch hat seine Plagen.
Nun ich wil sie lassen ziehn
In den Rath nach Thoren hin,
Meinen Kummer mit mir tragen.

Aber, ob ich voller Ruh
Auf das Rath Haus kehre zu,
Find ich da auch Weh und Schreyen:
Überschreitest du die Thür,
Kommen Leute, welche dir
Mund und Händ und Zungen leihen.

Dieser steht dem Diebe bey,
Jener macht den Todtschlag frey,
Nihmt das Blut auf sein Gewissen.

---

(211) 11. Gemächer / 12. aller / 16. in / 25. Aber ob ... bis ...

Andre, wenn man nichts mehr kan,
Stifften Ehren Händel an,
Drüber sie Verträge schlüssen.

Ja, es trifft gar offte zu,
Kom̄t ein Bidermann zur Ruh,
Daß sie sich zu Erben reden:
Denn sie legen neben ihn
Seinen guten Leumuth hin,
Nehren sich von seinen Schäden.

(182) Deiner Sachen Recht und Schein
Mag so gut, als böse seyn,
Fehlt dir Geld, so must du bleiben:
Ach ein Quintlein Richters Gunst
Überwägt viel Centner Kunst,
Die sie aus dem Berlich schreiben.

Wer den Einkauff recht versteht,
Auf den Marckt mit Gaben geht,
Ihre Frauen kan bestechen:
Wer das Zünglein weiß zu schmern,
Und die Schaalen zu beschwern,
Kan ihm selbst sein Urtheil sprechen.

Sprech ich einem Nachbar zu,
Wie ich auf dem Dorffe thu,
Fragt er, was die Uhr geschlagen:
Bey ihm sol ich denn verziehn,
Doch er saget es vorhin,
Nichts wiß er mir aufzutragen.

Drauff so fängt der gute Mann,
Seine Noth zu klagen an,
Wie ihn seine Frau betrogen,
Wie der Schreiber unverspührt
Seine Tochter ihm entführt,
Ihr ein Kind in Leib gelogen.

Doch ich weiß nicht, wie es tagt,
Denn er übergeht die Magd,
Und kömt auf der Söhne Speesen:
Diese sind in Franckreich reich,
Und er einem Codrus gleich,
Der sie nicht vermag zu lösen.

Ob er voller Schulden steckt, (183)
Dennoch wird der Tisch gedeckt,
Bacchus muß ihm nim̄er schaden:
Wann ich sol, so muß ich flehn,
Die Hoffärtig Armuth sehn,
Die er wil im Glase baden.

Klopff ich drauf an meine Thür,
Sagt man auf der Schwellen mir,
Was indessen vorgegangen:
Daß man Steuern angesagt,
Daß mich der und der betagt,
Daß ich diese Brieff empfangen.

Dieser saget mir den Kauff,
Wie ein Jude, nüchtern auf,
Wolt er mir gleich gestern borgen:
Jener wil nicht Bürge seyn,
Fordert Brieff und Siegel ein,
Macht mir meinen Kopff voll Sorgen.

In der Stube find ich dann
Den verlaußten Schüller Mann,
Der empfängt den Wirth mit Fluchen:
Der läst seine Dienste nicht,
Fodert Holtz und Saltz und Licht,
Und wil, was ihm mangelt, kochen.

Morgen, dieses ist mein Rath,
Muß ich gehen durch die Stadt,
Einen Zungen Drescher kauffen:

Bringt man keine Mittel her,
Muß ich wegen der Beschwer
Mit dem Bürger Recht entlauffen.

(184) Eil ich auf das Bette zu,
Umb zu suchen meine Ruh:
Darff ich nichts nicht offen lassen:
Offte, wann wir ausser Pein
In dem besten Schlaffe seyn,
Hört man Lermen auf der Gassen.

Da komt voller Rebensafft
Eine gantze Brüderschafft,
Fodern Stein und blancke Degen:
Da schreyt einer: Evoe!
Und ein ander dort: O Weh!
Drauf so gehts zu Blut und Schlägen.

Wann der Schwarm denn Urlaub nimt,
Schickt sichs, daß ein Knechtlein kömt,
Dem sein Liebchen sol erscheinen:
Unterm Fenster bleibt er stehn,
Wenn sie nicht wil zu ihm gehn,
Fängt er freundl. an zu greinen.

Ach er pfeuchzet für der Thür
Voll betrübter Liebs Begier,
Draüt wol gar sich umbzubringen:
Wenn er denn nicht weiter kan,
Spricht er seine Cyther an,
Fängt Schöns Liebchin an zu singen.

So macht man es in der Stadt,
Wann der Sonnen goldnes Rad
Tag und Jahre wil beschlüssen:
In der Stadt macht man es so,
Wann es wieder frey und froh
Tag und Jahre pflegt zu grüssen.

... 3. Recht entlauffen ... fehlt. / **(212)**

Dieses ist der Bürger Lust, (185)
Und ich hab es aus der Brust,
Aus den Fingern nicht gesogen:
Alex hat es mir gesagt,
Wie die Städter ihn geplagt,
Der in unser Dorff gezogen.

Braüet Bier, und schencket Wein,
Kauffet, was euch mangelt, ein,
Lasset Cräntz und Kegel stecken:
Messet nach der Ellen aus,
Eyd und Seele, Waar und Haus,
Ich wil mich nicht so beflecken.

Bürger, ihr kön̄t euch wol frey
Mit Betrug und Schinderey
Hintern euern Mauern machen:
Wenn es Noth im Lande hat,
Schlagt ihr alles in der Stadt
Auf den Handkauff eurer Sachen.

Auch die Sünde zu beflehn,
Auch ein Wasser zu besehn,
Auch ein Urtheil zu erlangen:
Auch der Aemter freye Wahl,
Auch zuletzt ein Hencker Mahl,
Alles wird umb Geld empfangen.

Nein, ich kan durch Wucher nicht,
Noch mit frembder Weiber Pflicht,
Noch mit Neid und falschem Sagen:
Noch durch meines Mündleins Brod,
Noch durch unerweißten Spott
Meinen Nechsten niederschlagen.

Weh dem Bauer, wan̄ er köm̄t, (186)
Und die Flucht zun Städten nihmt,
Ach! was muß er Lehrgeld geben:

---

(213) 14. Vor Betrug / **(214)** 32. Städtern /

Weib und Kinder gehn ihm vor,
Wie die Schwalben hoch empor,
Muß er untern Dächern kleben.

Jeder sieht ihn übel an,
Was geschicht, hat er gethan,
Jeden Topff hat er zubrochen.
Buben, die kaum trocken seyn,
Hört man auf die Bauern schreyn,
Hört man auf die Bauern fluchen.

Auf die Schantze muß er gehn,
Auf der Wache muß er stehn,
Muß er Schafft und Lunten zeigen:
Muß er schreyn die gantze Nacht,
Biß das Ja Wort heimgebracht,
Das ein ieder muß verschweigen.

Schreyt er, wenn er was gesehn
Nicht wer da? so ists geschehn.
Da beblaüt man ihm den Rücken.
Da beputzt man ihm den Grind,
Daß die Suppe runter rin̄t,
Da muß er den Esel drücken.

Hundert Grieff auf hundert Art
Werden keinen Blick gespart,
Ihn zu quälen, ihn zu plagen:
Er muß, wenn er sich verzehrt,
Wenn der Kasten ausgeleert,
Drauf am Hunger Tuche nagen.

(187) Laßt der Städter Unflat seyn,
Morgends, wen̄ der Sonnen Schein
Auf die Thürne kom̄t geflossen:
Wenn der Tag sich früh gebiert,
Hat sich noch kein Hund gerührt,
Sind sie allesam̄t verschlossen.

---

(215)

Wenn wir hinterm Pfluge gehn,
Sol sich noch ihr Haubt erhöhn,
Welches gestern voll gewesen:
Weil die Frau in Spiegel schaut,
Kaufft die Köchin Kohl und Kraut,
Das wir aus den Gärten lesen.

Hie bey unser Kraüter Safft
Holet er ihm Stärck und Krafft,
Wenn er muß zu Bette liegen:
Hie bey unser frischen Lufft,
Drauf er Tag und Nacht gehofft,
Wil er die Gesundheit kriegen.

Der gestim̄ten Vogel Schaar
Spielt uns durch das gantze Jahr,
So die Bürger selten hören:
Ach! Er schleust umb Geld und Kost
Ins Gebauer seine Lust,
Die der Pusch uns wil verehren.

Seht die Bilder überall
Umb des reichsten Bürgers Saal:
Stehn sie wol vor unsern Auen?
Unsre Lämmer in dem Klee,
In der Saate grünem See,
Sind ja schöner an zu schauen.

Wenn der goldne Phosphor köm̄t, (188)
Und der Thau auf Feldern glim̄t,
Wenn das Dorf aufs Feld gegangen:
Wenn die Abend Röthe blickt,
Und der Welt den Schlaff Trunck schickt,
Liegt er in der Stadt gefangen.

Abends schleußt man Thür und Thor,
Geht er auf den Marckt hervor,
So muß er sich nicht verweilen:

---

(216) (217)

Wer sich nicht verreden mag,
Da auf Glock und Zapffen Schlag
Muß ins Stockhaus ziehn und eilen.

Nein, dis dürffen Hirten nicht,
Niemand, weñ der Tag anbricht,
Heißt sie von dem Schlaff erwachen:
Niemand heißt sie Lermen schreyn,
Wenn sie über Tische seyn,
Wenn sie sich zu Bette machen.

Hirten lieben Vieh und Feld,
Mehr als alles Gut und Geld,
Das die in den Städten borgen:
Es geschehe, was da wil,
Lassen sie ohn Maaß und Ziel
Gott den Allerhöchsten sorgen.

Hie bekümmern sie sich nicht,
Umb derselben Leute Pflicht,
Die ihr Hertz im Munde tragen,
Die, indem sie voller Wein
Grosse Freunde wollen seyn,
Nüchtern doch nichts nach uns fragen.

(189) Schwager, deine Hülff ist schlecht,
Mache dir nach Willen recht,
Was die neidschen Augen sehen:
Lebe, wie du pflegest, wol,
Der die Güter erben sol,
Wird mit Lachen dich beflehen.

Mein Gemüth ist nicht gesinnt,
Zu verkauffen Rauch und Wind,
Süsses Lob und kluge Lügen:
Keinem geh ich ins Gemach,
In die Taffel Stube nach,
Eine Suppe weg zu kriegen.

---

(218)

Meine Musen sind ohn Pflicht,
Noth und Armuth druckt sie nicht,
Die sonst hohe Seelen plagen:
Frey gebohrne sind sie noch,
Niemand sucht sie in das Joch
Schnöder Heucheley zu schlagen.

Gott! ach laß es nicht geschehn,
Daß ich sol für diesem flehn,
Der an mir die Treu gebrochen:
Der mich heisset, wenn bey mir
Unglück schläget an die Thür,
Hülff und Rath bey andern suchen.

Langsam solt ich, wie vorhin,
Mich umb einen Dienst bemühn,
Dem und dem zu Fusse liegen:
Thorheit, Glücke, List u. Gunst,
Nicht Geschicklichkeit und Kunst
Kriegt in Höfen ihr Begnügen.

Ach fürwahr, es kan nicht seyn, (190)
Bilde dir nicht zu viel ein,
Noch viel Sachen solt du hören:
Denckest du, o leere Lufft,
Daß du der bist, den man rufft,
Den man Morgen noch sol ehren.

Bist du grau und klug dazu,
Dencke solt ich seyn, wie du,
Längst wär ich ein solcher worden:
Aber meine Redlichkeit
Machet einen Unterscheid,
Zwischen dir und deinem Orden.

Schlecht weg, bist du Staub und Koth,
Etwas ist, das heist der Tod,
Diesem solt du Antwort geben:

---

(219)

Ordne jenes, wie du wilt,
Wenn man dir die Hände füllt,
Ewig wirst du drumb nicht leben.

Brod von Steinen würget sehr,
Frembder Gutthat noch viel mehr:
Noch vielmehr als Glut und Keten,
Halber Hunger sättigt baß,
Als des Frembden Heerd und Faß,
Theuer ist, was man erbeten.

Du bist dis und nicht so viel,
Das dem Claudius entfiel,
Als er krieß, und wolte scheiden:
Was nu sol dein Trotzen seyn,
Ja was bringt es mir vor Pein,
Wilt du dich zu Tode neiden?

(191) Hintern Schaaffen für und für,
Redt ich dis und das mit mir,
Lern ich wol und weise leben,
Mein Gedächtnüs schreib ich an,
Welches, wann wir hingethan,
Dir sol Spott, mir Ehre geben.

Ziegen Molcken, Käsebrodt
Stillet eher meine Noth,
Als viel Trachten bey den Fürsten:
Seht nur, wann sie truncken seyn,
Wie sie auf den Spanschen Wein
Erst nach Blute pflegt zu dürsten.

Sauff nur immer, wie du wilt,
So wird nicht der Hund gestillt,
Der im Hertzen pflegt zu bellen:
Denn kein Becher früh und spat,
Ob er tausend Knöpffe hat,
Kan ihm seinen Mund verquellen.

---

(220) (221)

Bey der Taffel, die ich fand,
Ließ ich vor das Vaterland
Mehr als hundert Gläser stürtzen:
Dann der so beweinte Wein,
Wo viel tausend Thränen seyn,
Muß der Deutschen Leid verkürtzen.

Weit von Leuten, welche nicht
Nüchtern eines Tages Licht
Sehen auf und unter gehen:
Weit von solcher Gleißnerey,
Wolt ich in dem Felde frey
Hinter meinen Schaaffen stehen.

Geht zu Hofe, die ihr wolt, (192)
Kaufft für Laster euern Sold, V. Aula.
Gebt die Nahmen, falsch zu werden:
Werffet wie ein altes Kleid
Von euch Treu und Redlichkeit,
Hasset Ruh und liebt Beschwerden.

Schließt verbrieffter Worte Schein
In der Miß Treu Laden ein,
Laßt die Meinung unten liegen:
Eßt und trinckt mit keinem nicht,
Biß ihr krieget Unterricht,
Ihn umb etwas zu betrügen.

Fraget, ob der kluge Mann,
Der die Tage setzen kan,
Gestern ist zu Hause blieben?
Fraget vor der Schreiberey,
Biß der Abend komt herbey,
Ob der Zettul unterschrieben?

Eure Sachen sind verlegt,
Wenn die Hand kein Silber trägt,
Jedermann ist ausgegangen:

---

(222)

Aber bald, wenn man vernim̄t,
Daß von Haus ein Wechsel köm̄t,
Könnet ihr Verhör erlangen.

Ehrt des Hütters Wehr und Spieß,
Der euch gestern vor sich ließ,
Wartet für der Taffel Stuben:
Lobt die Narren ingemein,
Welche bey dem Fürsten seyn,
Bader, Kutschen, Küchelbuben.

(193) Weder Tugend, weder Kunst
Wirbet großer Herren Gunst,
Haß und Lieb ist hier versehen:
Diesem, wie das Glücke thut,
Ist man gram, und jenem gut,
Warumb? Es pflegt zu geschehen.

Mercket, wie es sich gebührt,
Was ein Fürst im Schilde führt:
Hier könnt Ihr den Zutritt haben.
Hier liegt, wenn er diese Bahn
Unterm Hüttlein tretet an,
Euer Glück und Schatz begraben.

Rückt den Hut, wann ein Silen
Bey Euch sol vorüber gehn,
Kitzelt seines Pferdes Ohren:
Tretet für den Bacchus hin,
Seinen Willen zu vollziehn,
Welchen Hammon selbst erkohren.

Trachtet, wann ihr hochbegabt,
Einen Stein im Brete habt,
Immer Staffel an zu steigen:
Saget nicht, was euch gefällt,
Und verschwert, nach dem ihr stellt,
Und euch dencket zu zuneigen.

---

(223) 33. zu zueigen /

Gebt einander heimlich an,
Ehret euch auf offner Bahn,
Fördert euern Ernst im Schertzen:
Schencket goldne Becher ein,
Reichet mit den Händen Wein,
Gifft und Galle mit dem Hertzen.

Kom̄t ein Nebel ohngefehr (194)
Denn von solchen Aessern her,
Drauff die magern Geyer hoffen:
Drauff die neidschen Gegner zieln,
Alsdann habt ihr Zeit zu spieln,
Zeit die Vortheil anzuruffen.

Keinen Raub (es ist euch noth)
Last euch ewig weder Gott,
Weder Menschen nicht verschlüssen:
Nehmet, was ihr wollt und kön̄t,
Streuet hundert Eyd in Wind,
Macht euch drüber kein Gewissen.

Achtet keines Freundes nicht,
Ob er voller Zuversicht
Vor Euch steht, als seinem Herren:
Ob er, wann ein Knecht und Brieff
Euch zu seiner Suppe rieff,
Niemahls durfft am Mantel zerren.

Wann ihr dann in sichrer Hand
Eures Fürsten Hertz erkan̄t,
Und den Zügel seiner Sachen:
Wann er euch sein Land vertraut,
Sehet, daß ihr Stühle baut,
Welche Furcht und Gunst bewachen.

Bietet Recht und Gnade feil,
Gebet nichts, da euer Theil
Nicht das Zünglein überwogen:

---

(224) (225)

Stosset, wen ihr wollt, in Grund,
Brechet heute Pflicht und Bund,
Die ihr gestern kaum vollzogen.

Schlagt den Aembtern Kauffgeld an,
Urlaubt, welche nichts gethan,
Und erhebet euersgleichen:
Draüet Galgen, Spieß und Schwerd,
Wenn ein armer Mann begehrt
Von dem Urtheil abzuweichen.

Schreibet eurer Geldbegier
Bloß des Hertzogs Nahmen für,
So ist Sach und Recht verlohren:
Keiner darf dawieder gehn,
Wo die langen Titul stehn,
Ist er noch so hoch gebohren.

Ordnet alles, wo ihr seyd,
Sterbet nur zu rechter Zeit,
Länger kön̄t ihr denn nicht leben:
Nemesis die rufft euch zu:
Künfftig habt ihr keine Ruh,
Biß ihr Rechenschafft gegeben.

Denckt, mit was für saurer Müh
Tag und Nächte, spat und früh
Ihr die finstre Höll erworben:
Ceres Schwager steht schon dar,
Nihmt des schwartzen Zettuls wahr,
Eh ihr auf der Welt gestorben.

Nein! Zu Hoffe kom̄ ich nicht,
Es ist wieder meine Pflicht,
Keinen wüst ich zu betrügen:
Keinem wüst ich, solte man
Mich umb Schulden halten an,
Einen Pfennig abzulügen.

---

(226)

Was da gestern ist geschehn, (196)
Könt ich heute nicht beflehn,
Nicht die Sünd in Stunden theilen:
Nicht auf heilge Sachen schwern,
Nicht des andern Gut begehrn,
Nicht nach neuer Zeitung eilen.

Was der Rhein vor Ketten trägt,
Was ihr in die Eisen schlägt,
Was vor Wind an Codan streichen:
Was da, wo die Weser schwim̄t,
Vor ein neues Feuer glim̄t,
Würd ich morgen nicht erreichen.

Meine Sorge, meine Müh
Wäre vielmehr spat und früh
Die Begier in mir zu scheiden:
Die Gefahr der Welt zu fliehn,
Die Gedancken einzuziehn,
Die Betrügerey zu meiden.

Haüser pflegen ja zu seyn
Prächtig als ein Porphyr Stein,
Zimmer umb u. umb behangen.
Elend aber ists dafür,
Wenn ein bleicher Kramer dir
Überall kom̄t nachgegangen.

Eure Kleider, wo ihr steht,
Riechen ja vol nach Zibeth,
Seel und Leib nach Wust und Sünden.
In den Betten liegt ihr wol,
Drinnen man ohn Urlaub sol
Offte frembde Gäste finden.

Sind die Polster weiß wie Schnee, (197)
Dennoch komt ein solches Weh,
Und besudelt eure Küssen:

---

(227) 8. Wer ihn / (228).

Andre Flecke nenn ich nicht,
Die offt in geheimer Pflicht
Artzt und Artzney-Macher wissen.

Ein Gebund Stroh oder zwey,
Und ein reines Tuch dabey
Können meinen Schlaff bewirthen:
Federn, die auf Schwanen stehn,
Züchen, die aus Taffet gehn,
Sieht man nicht bey unsern Hirten.

Brieffe, die Urias trägt,
Grüsse, welche Joas hegt,
Trachten, so da von Thyesten:
Suppen, welche Nero kocht,
Die da Claudius versucht,
Sieht man nicht bey unsern Gästen.

Weit von solcher Schaar und Tracht,
Solchem Übel, solcher Pracht,
Wollt ich von der Tugend schreiben:
Tugend, die wir auf der Bahn
Eh als Menschen treffen an,
Wann wir unsre Schaaffe treiben.

Sonsten, der du giebest für,
Als verbirg ich mich vor dir,
Wiss, ich wil dich wol nicht fliehen,
Glaub es nicht, ich bin nicht todt,
Keine Tat die färbt mich roth,
Keine heisst mich weiter ziehen.

(198) Andre hören gern allein,
Da wo Müllers Laden seyn,
Viel nach ihren Schrifften fragen:
Sollen auch, daß ich die Hand
Auf nichts anders angewand,
Bey Gelehrten sich beklagen.

---

7. aus Schwanen gehn / 8. Taffet stehn / 17. Ubel / 18. Wollt' /
(229)

Zwar, ich nehm es an für gut,
Als ein armer Hirte thut,
Eher hätt ichs sollen wissen:
Itzund ist der Rath umbsonst,
Hie bedenck ich keine Kunst,
Welche du nicht wirst beschlüssen.

Meinst du, daß ich hier in Ruh
Nichts als Verse schneide zu,
Nein, kein Tichter gilt beym Fürsten:
Über Hunger schreyn sie sehr,
Und es sol sie, wie ich hör,
Auch an vielen Orten dürsten.

Gute Reime trägst du ein,
Die dir sollen ähnlich seyn,
Wie der Mutter Mägde sagen:
Wenn die Adern wie man spührt,
Der gelehrte Kützel rührt,
Muß sie dir die Wollust schlagen.

Verse hast du sonder Noth
Eh im Haus als Saltz und Brod,
Hörest doch nicht auf zu messen:
Und ich glaube Weib und Kind
Müssen voller Rauch und Wind
Verse für den Hunger essen.

Und was ists, ob deine Hand (199)
Zu Madrit und Rom bekañt,
Sol dich drumb der Tod nicht morden?
Suche Freunde da und hier,
Wann du, trägt es nichts nicht für,
Nicht ein Freund dir selber worden.

Diesen, der sein Freund selbst ist,
Haben all als Freund erkießt:
Weiß er sie nur recht zu nennen,

---

(230) (231)

Denn, was bringt es vor Gewinn,
Wie hoch du dich wilt bemühn,
Viel bekan̄t seyn, sich nicht kennen?

Rühmet mich ein solcher Mann,
Der berühmt ist, ists gethan:
Wo ich ihm auch recht gefalle,
Alles sagt ein Weiser mir,
Denn was von der Weißheit Zier
Einer sagt, das sagen alle.

Aber Zeuge noch so sehr,
Keiner gilt bey dir nicht mehr,
Als dein Hertz und dein Gewissen:
Wer die, wie es sich gebührt,
Recht in seiner Sache führt,
Darff kein eigne Schande büssen.

Mein Amynta hat bedacht,
Was mir Phoebus zugebracht,
Und sich drauf mit mir verbunden:
Ewig lassen wir nu nicht
Von der Tugend süssen Pflicht,
Weil wir ihre Bahn gefunden.

Offte haben wir am Rhein,
Wo die grösten Hirten seyn,
Unser liebes Heer getrieben:
Offte, wo die Breusche fleußt,
Und gelehrte Wellen geußt,
Hirtenlieder aufgeschrieben.

Künfftig wil ich zeigen an,
Daß noch mehr als treiben kan
Unser Hirt, und mehr als singen:
Ach! er kan mit seinem Stab,
Über Tod und über Grab,
Ja selbst über Himmel springen.

---

16. Amyntos / (232)

Ist es schlecht, daß ich forthin
Ihr der Tugend Lehrer bin
Daß ich kan ihr Reich besiegen:
Daß viel Seelen hier und dar
Umb mich stehn in weiser Schaar,
Die vor ihrem Throne liegen.

Von der Kunst, die nichts nicht weiß,
Unsrer Wahrheit Ruhm und Preiß,
Fang ich an was aufzusetzen:
Niemand, als der sich erkan̄t,
Und die Welt in ihm verban̄t,
Kan und weiß es recht zu schätzen.

Hier siehst ohne Leichnam du
Dich und deiner Seelen Ruh,
Hier die Sterne sonder brennen:
Hier die Schöpffrin, die Natur,
Ohne Kunst und ohne Spur,
Hier die Gottheit ohn Erkennen.

Aber, wilt du es verstehn, (201)
Must du aus den Sinnen gehn,
Nichts, auch selber dich nicht wissen:
Wilt du lesen ingemein,
Dadurch du kanst seelig seyn,
Must du gantz dein Augen schlüssen.

Leichter ist es anzusehn,
Als die Hand hie umbzudrehn,
Was ich weiß, und wil beweisen,
Aber, wann mir Amurath,
Setzte, was er wünscht und hat,
Ließ ich ihn vorüber reisen.

Stellte Fernabuco mir
Seegel volle Busen für,
Mit den Gold- und Silber-Fluthen,

---

13. Hier siehst ohne... bis...

Reichte China Witz und Geld,
Dennoch sucht es See und Welt
Mir umbsonste zuzumuthen.

Unsre Weißheit und ihr Ziel
Sucht ich nur. Ein wenig Viel.
Nichts und alles ist ihr eigen.
Nichts, wenn ihrer sie vergisst,
Alles, wenn sie sich vermisst,
Und wil in ihr Wesen steigen.

Andre Sachen meld ich nicht,
Derer Lehr und Unterricht
Treue Schüler sollen lesen:
Schüler, die im Vorbeygehn
Werden, umb mein Grabmahl stehn,
Sagen: Ach! der ists gewesen.

(202) Edle Geister dringen fort,
Wissen niemals End und Port,
Sie bestärken ihre Kräfften,
Wie sich stets der Himmel rührt,
Wie Gott stets die Welt gebiert,
So sind sie stets in Geschäfften.

Und aus diesem magst du ziehn,
Was ich vor ein Schäffer bin,
Meine Lust sind Püsch und Auen:
Ist die Erd, auf der ich steh,
Und in die ich wieder geh,
Und aus der wir alles bauen.

Ich verhüllt' ohn argen Schein
Mich in meine Sinnen ein,
Ruht' am Hügel kühlen Schatten:
Liesse den, der Gütter kaufft,
Und dañ aus dem Lande laufft,
Wann es übel wil gerathen.

---

21 ... stets in Geschäfften ... fehlt / 28. Ich verhüllt' ... bis ...

Hier da wolt' ich zu Athen
Bey viel hundert Bürgern stehn,
Hier zu Rom bey hundert Helden:
Weißheit würden jene mir,
Diese Schlachten für und für
Voller Heimlichkeiten melden.

Sitzen wolt' ich, und doch weit
Gehen in verflossne Zeit
Durch den Craiß der gantzen Erden:
Mit den Völckern hie und dar
Nehm' ich ihrer Gräber war,
Wollte stets bekañter werden.

Hier, da schaut' ich ohne Scheu (203)
Wer des andern Meister sey,
Unruh hülff' ich dapffer machen:
Aber sichrer, als der itzt
Ungerufft zu Rathe sitzt,
Und sich selbst nicht kan bewachen.

Besser wär' ich stets begnügt,
Als der Gold und Silber kriegt,
Roth und bleich von Blut und Zähren:
Als der voller Hoffarth steckt,
Und die Hand nach Hoffe reckt,
Land und Leute zu beschweren.

Hie da schaut' ich sonder Neid,
Was verdient bey aller Zeit,
Die das Vaterland verrathen:
Draus man, wenn sie was erdacht,
Wohlgebohrne Herren macht,
Heiß von Sinn und kalt von Thaten.

Mittel sind mehr, als zu viel,
Wenn man was verterben wil.
So ließ Nero Rom verbrennen:

---

24. ... zu beschweren ... fehlt / **(233)** / 25. Hier /

Aber weñ man auf Vertraun
Sol der Völcker Wolfarth baun,
Wil sich kein Trajanus nennen.

Schatzung, ist der Schutz gleich schlecht,
Gäb' ich als ein armer Knecht,
Esel müssen seyn beladen:
Aber dieses dingt' ich aus,
Daß es durch mein gantzes Haus
Keinem Briefe müste schaden.

(204) Denen, die nach Gelde schreyn,
Muß nicht möglich möglich seyn:
Zuvoraus wann Krieger kommen,
Wo bleibt, was der Weise spricht,
Hab ich rechten Unterricht?
Von nichts würde nichts genommen.

Lieber Meister von Stagyr,
Bauern wiedersprechen dir,
Deine Lehre wil nicht gelten:
Bist du gleich ein grosser Mann,
Hörn wir doch auf deinen Wahn
Alle Männer Schüler schelten.

Nein, man wil es nicht verstehn,
Wo die Krieges Egeln gehn:
Ohren mangeln Steuer Kisten,
Schatzung muß geschlagen seyn,
Auf der Armen Marck und Bein;
Wenn man wil ein Land verwüsten.

Menschen, leihet mir Verhör,
Wer da todt ist, lebt nicht mehr,
Wie sol er sein Haupt vergeben?
Haüser, welche weggebrañt,
Können mit des Nachbarn Wand
Ja nicht gleiche Bürden heben.

---

12. Kriege / **(234)**

Aber, was ein Esel kan,
Das versteht nicht iedermann:
Ia Ia kan er sprechen,
Lieben Esel zaget nicht,
Ob die Pferd ihr Futter sticht,
Es kan ihnen auch gebrechen.

Wer die leisen Vortheil kennt,
Die man Künst im Herrschen nennt,
Der versteht das Ziel der Sachen:
Der erfährt, durch was vor Schein
Einer, dem es nicht köm̄t ein,
Zu dem Aechter sey zu machen.

Ich wil als ein Schlechtes Blut
Alles, was man sucht und thut,
Fleissig Tag und Nacht vergessen:
Ich wil nicht verstehn und sehn,
Was bey Herren sol geschehn,
Weil die Diener so vermessen.

Wär ich nur nicht Coridon,
Des gebrüsten Glückes Thron
Hätte mich zu sich geruffen:
Hätt' auch frey in seiner Pracht
Eine Staffel mir gemacht,
Drauff itzt goldne Wämster hoffen.

Nein, ich hab es nicht erkiest,
Coridon ist, der er ist,
Er wil Coridon verbleiben:
Coridon ist wol daran,
Wenn er ungehindert kan
Seine Schaaff im Felde treiben.

Dencket erst, durch was für Stück
Ich mich, hütt ich gleich das Glück,
In ihr Handwerck müste lügen?

---

1. Aber, was ein Esel ... bis ... 12. zu machen ... fehlt / **(235)** 32. hätt /

Ihre Dienste sind so schwer,
Kaum sechs Rosse ziehn sie her,
Damit sie die Welt betrügen.

(206) Allen schreyen sie es ein,
Daß sie ander Leute seyn,
Als die wir für Augen sehen:
Gleich, als gäb' ein Brieff voll Gunst
Ihnen ungeheure Kunst,
Die von weitem anzuflehen.

Solt' ich meine Freyheit hin
Heissen vor die Füsse knien,
So die andre nieder treten?
Solt ich Eisen mit mir führn,
Recht u. Tugend anzuschnürn,
Umb ein' Elle goldner Keten?

Viele beissen Graß und Stroh,
Die das oberst an dem Moh
Eifrig suchten abzukürtzen:
Die, eh als Aeacus Stuhl
Sie gestürtzt in seinen Pfuhl,
Alles wünschten umbzustürtzen.

Briefe legen sie uns für,
Aber nicht ihr Bey Papier,
Welches sie pflegt anzugehen:
Hochdeutsch reden sie uns an,
Aber, wer Hebræisch kan,
Dieser wird sie bloß verstehen.

Landsleut, es ist ihr Gebrauch,
Ihre Waar ist Wind u. Rauch:
Dadurch sie die Welt betrügen,
Laßt den Rauch, und haltet Hutt,
Denckt, es sollen Rauch und Glut
Offt in einem Bette liegen.

---

5. andre / 7. Kunst / 8. Gunst / **(236)** 15. ein Elle / **(237)**

Ach! Die wilde Feuers Brunst (207)
Ist auch nach des Rauches Dunst
Über die Sudeten kommen:
Sehet, wie Europa brennt,
Und noch keine Rettung kennt,
Wie die rothen Funcken summen.

Keiner Worte süsser Prauß
Redt die tauben Flammen aus,
So die Mißgunst aufgeblasen:
Leschet, leschet, wo ihr könnt,
Der Versichrung Rauch und Wind
Heisst die Glut nur stärcker rasen.

Wenn ein Herr aus Macht und Krafft, VI. Dominatus.
Die ihm Gottes Rath verschafft,
Seinen Leuten was versprochen:
Wenn ein Landsaß etwa hin
Wil für seinen Herren knien,
Muß man es bey Ihnen suchen.

Wir verstehn die Briefe nicht,
Sie bloß geben Unterricht,
Wie der Herren Gunst zu deuten:
Blättern aus der Schreiberey
Setzt man kein Verbindnüß bey,
Wie hie unter schlechten Leuten.

Wenn wir ie bey Hofe flehn,
Lassen sie uns Recht geschehn,
Und bescheiden unsre Sachen:
Aber Federn fliegen aus,
Heissen die umb unser Haus
Drüber, was sie wollen, machen.

Sie gestehen kein Gebot, (208)
Kein Gesetze, welches Gott
Beyden Taffeln eingegraben,

---

11. raucher Wind / 16. etwan / **(238)**

Zu Vollziehung ihrer Macht,
Wird ihr Gottesdienst erdacht,
Den die Leut erfunden haben.

Was ein Eyd vermag und kan,
Ist vor den gemeinen Mann,
Er bloß macht ihm kein Gewissen:
Räthe wissen nichts davon,
Nichts ist über ihren Thron,
Andre wollen oder müssen.

Über Himmel, über Welt
Macht die Schaar, was ihr gefällt:
Gott und Menschen sind betrogen,
Gott, der sie verlaügnen wil,
Menschen, welchen dieses Spiel
Treu und Glauben abgelogen.

Worte, die man uns verspricht,
Lencken sie nach ihrer Pflicht,
Brauchen sie wie Stegereiffen:
Jeder kan sie kurtz und lang
An des Nutzes Sattelbanck
Gleich den Bügelriemen schleiffen.

Laster öffnen ihre Thür,
Denn kein ander komt nicht für,
Als der sagt, was nie geschehen:
Der von Rache glüht und brennt,
Und sich dessen Gönner nennt,
Den er hoffet tod zu sehen.

(209) Der ist würdig, daß man Ihn
Allen suche vorzuziehn:
Geld ist ihm nicht zu versagen,
Wenn er im geheimen Rath
Eine Steuer Stimme hat,
Wird es doppelt eingetragen.

Jahrmarcktsbauden, wo sie gehn,
Siehet man vor Ihnen stehn,
Drinnen alles zu verkauffen:
Lacht dich jene Herrschafft an,
Spare nichts, es ist gethan,
Andre heißt man weiter lauffen.

Gantze Länder müssen flehn,
Wann sie ihre Zeit ersehn,
Und was suchen auszumachen:
Wenn es ihnen auch gefällt,
Dürffen für ihr Gut und Geld
Gantze Länder wieder lachen.

Was wird denn der Zuwachs seyn,
Wo man Miß Treu eget ein,
Und die Hertzen sucht zu pflügen?
Wo der Haaß die Saat erschreckt,
Und der Freyheit Wurtzel neckt,
Welcher alle nachgestiegen.

Städte, drinnen Eulen schreyn,
Dörffer, die verwüstet seyn,
Felder, welche Disteln tragen:
Menschen, so die Armuth quält,
Die man unter Todte zehlt,
Können es am besten sagen.

Und wo etwas übrig ist,
Das ihr durstig Hertz erkiest,
Bald wird drüber Rath gehalten:
Jagt der Habicht gleich ein Huhn,
Er wird nicht so hitzig thun,
Als bemüht sie drüber walten.

Da wird diese Schaar gehört,
Wenn sie Land und Leut empört,
Und an ihre Herren hetzen:

---

(240) 16. Haß / (241)

Denn gibt einen frommen Mann
Offt ein böser Nachbar an,
Der muß Haar und Haut versetzen.

Bänder voller Edel Stein,
Äcker, die gebauet seyn,
Zim̄er angefüllt mit Kasten,
Gärte, drinnen Thiere gehn,
Heissen, wilt du es verstehn,
Dich alsdenn nicht länger rasten.

Denn, alsbald du schwartz gemacht,
Kommen sie bey finstrer Nacht,
Und versiegeln deine Sachen:
Drunter sie, wann sie nichts sehn,
Falsche Zettul können drehn,
Welche dich zum Aechter machen.

Schreib umb Gnade, wie du wilt,
Briefe werden ja verhüllt,
Aber selten abgelesen:
Nähme dich selbst nackt und bloß
Jupiter in seine Schos,
Köntest du doch nicht genesen.

(211) Wie ein Fuß vom Regen saußt,
Und durch Stein und Klippen praußt,
So kom̄t dieses Volck gesprungen:
Jäger sinds, sie sich bemühn
Alles in ihr Garn zu ziehn,
Was sie einmal angedrungen.

Der Verräther gantze Schaar
Nim̄t der stillen Plündrung wahr,
Gehn wie Kuppel Hund an Stricken:
Leute, die kein Brod erkan̄t,
Wenn sie nicht des Henckers Hand
Auch ein Theil zur Beute schicken.

---

(242) 22. Fels [bei Klose: Fluss. Fuss jedenfalls Irrtum] / 27. abgedrungen /

Zu viel Hertze, zu viel Muth,
Grosses Ansehn, hohes Blut,
Ehr in Aemtern, Glück im Schlagen,
Eigner Nutz, gemeine Gunst,
Offnes Geld, verschwiegne Kunst
Können dich in Tod vertragen.

Wer die Tugend bergen kan,
Daß man fragt, Wo ist der Mann,
Wird er gleich selbst angetroffen:
Wer nicht weiß, was er versteht,
Unterm Esel steckt und geht,
Hat Befreyung bloß zu hoffen.

Doch, wenn sie dich ausersehn,
Stracks ist es mit dir geschehn,
Ihre List ist nicht zu wenden;
Argus hülff in seiner Pflicht
Dir mit hundert Augen nicht,
Gyas nicht mit hundert Händen.

Wer mit dir zu Tische sitzt, (212)
Briefe schreibet, Artzney nützt,
Geht und fährt, und pflegt zu reiten:
Wer mit dir (dis heist bekriegt)
Unter einer Decke liegt,
Kan dir deinen Fall bereiten.

Sie bekleiden einen Thron,
Lands Knecht, umb dein Brod und Lohn
Sieht man dir an Seiten stehen:
Umb die Schreiber voller Graus
Sieht es wüst und finster aus,
Wann du solt zum Urtheil gehen.

Glaubet, König Rhadamant,
Wann er in die Höll verbant,
Ist so grausam nicht zu sehen:

---

1. Mut / **(243) (244)**

Donnert kein Gespenst so an,
Als ein solcher Richter kan
Seiner Augen Pech verdrehen.

Wenn du in dem Netze bist,
Hörn sie, was der Kläger list,
Welches sie ihm vorgeschrieben:
Leute, derer Zeugnüß man
Auf dem Marckte kauffen kan,
Die beschweren dein Verüben.

Keinen Redner lassen dir
Deiner Güter Erben für,
Sie bedraüen dich mit Fragen:
Galgen, Feuer, Rad und Schwerd,
Wann sie sich zu dir gekehrt,
Wird dir allzeit angetragen.

(213) Mit dem Hencker schleußt man zu,
Denn kein Tod gleicht dieser Ruh,
Wenn man dir wil Gnad erweisen:
Wenn man deine Güter nim̄t,
Und, eh als der Abend köm̄t,
Dir befiehlet weg zu reisen.

Ach und Weh! Der grimmen Noth!
Wann du frembder Leute Brod
Sollst mit Weib und Kindern essen:
Wann du, was dein eigen ist,
Hinterm Rücken rauchen siehst,
Da du voller Ruh gesessen.

Dieses ist ihr End und Ziel,
Also werden, wie man wil,
Herrn und Fürsten hintergangen:
Goldne Berge dar und hier
Bauen solche Räthe für,
Draus man nichts als Blut empfangen.

---

(245)

Wann ein Herr deñ überschlägt,
Was es seinen Renthen trägt,
Sieht er, wie sie abgenommen:
Wie, als eine taube Bach
Seine Schätze diesem nach
Durch des Richters Hals geschwommen.

Ihr Verdienst ist Haß und Neid,
Welcher sie in kurtzer Zeit
Heisset ohne Kranckheit sterben:
Denn ,die allzeit Blut begehrn,
Können, wenn sie es verzehrn,
Auch nicht ohne Blut verterben.

Aber dieses meld ich nicht, (214)
Daß man solte wieder Pflicht
Herren sich entgegen setzen:
Ihrer, Ihrer ist das Schwerd,
Nichts nicht ist so hoch und werth,
Das dich hiesse Deines wetzen.

Gott setzt König ab und ein,
Gott befestigt Sie allein,
Gott der unterwirfft dich ihnen,
Leib und Leben, Ehr und Gut
Sind wir schuldig ihrer Hut,
Sie befehlen, und wir dienen.

Schneid und brenne, wañ du siehst,
Daß der Auffruhr auserkiest,
Dem du Ehr und Macht gegeben:
Eisen, Feuer must du führn,
Wilt du nicht dein Reich verliern,
Offt erhält ein Schnitt dein Leben.

Doch es ende sich zugleich
Straff und Schuld auf einen Streich,
Andre laß Genad erlangen:

---

1. Wann ein Herr ... bis 6. Hals geschwommen ... fehlt / **(246)**
26. Auffruhr erkiest /

Offt entsincken Schach und Spiel,
Wenn man Völckern zeigen wil,
Wie viel böses sie begangen.

Nu das Hand Werck lern ich nicht,
Andre mögen voller Pflicht
Hoch mit dem Sejanus steigen,
Klettert es sich dann so wol,
Wenn dir erst der Hencker sol
Deines Standes Rückbahn zeigen?

(215) Solt ich, wie ein Geyer thut,
Auf des andern Haab und Gut,
Welchen ich erwürget, hoffen?
Solt ich auch nach Blute schreyn,
Daß ich müste wieder speyn,
Wenn ich Rebensafft gesoffen?

Die das Glücke voll gemacht,
Steuert man nicht ihrer Pracht,
Dürffen selbst an Fürsten setzen:
Dürffen, wann die Sünd u. Schuld
Seinem Nahmen eingerollt,
Selbst die Majestät verletzen.

Nein, die Stapffen draün den Tod,
Sichrer wolt' ich solche Noth
Bey den alten Schreibern lesen.
Ich wolt in die Höfe gehn,
Wo der Römer Bücher stehn,
Da dis Volck daheim gewesen.

Niemand, weil ich dessen frey,
Kan mich einer Heucheley,
Einer schlimmen That besprechen:
Über andre wil ich nicht
Aus verdeckter Zuversicht
Den unschuldgen Stab zubrechen.

---

(247)

Reiche müssen, die da stehn,
Wie die Menschen untergehn,
Kronen sind auch von der Erden.
Alles würd ich, was geschehn,
In den Welt Geschichten sehn,
Von Frolocken, von Beschwerden.

Nichts ist, das da sagen kan, (216)
Über Morgen schaut mich an.
Heute kan dein Morgen kommen.
Mensch, was bildest du dir ein,
Weil die Länder sterblich seyn,
Bist du ja nicht ausgenommen.

Wenn ein Reich zubricht und fällt,
Findet sich ein andre Welt,
Die es hilfft zu Grabe tragen.
Kläger, die in Haüser gehn,
Deuten, daß da Todte stehn,
Auch die sieht man Fackeln schlagen.

VII. Exempla Reipublicae Graæcae et Romanae: usque ad Austriacam domum.

Unsre Welt ist wie ein Spiel,
Drinnen weder Ort noch Ziel,
Als wann andre Leute kommen.
Hie vertret ich, wie ich kan,
Auf dem Platze meinen Mann,
Der die Decke weggenommen.

Ist es schlecht, wenn Coridon
Durch Philippus seinen Sohn
Hilfft der Perser Macht besiegen:
Wenn er durch den Hannibal
Klagt Carthago ihren Fall,
Über welches Rom gestiegen.

Hier sah ich, wie iede Stadt
Umb die Welt gebuhlet hat,
Jede wolte Hochzeit halten,

---

(248) (249)

Jede brañte voller Wahn
Lauter Eyfer Fackeln an,
Endl. must es Rom verwalten.

(217) Schaut ich an der Tyber hin
Diese Krafft der Erden blühn,
Wo würd ich mein Augen lassen?
Remus zeigte mir die Stadt,
Wo die Welt gewohnet hat,
Führte mich durch seine Gassen.

Hier säh ich die Fabios,
Quinctios, Fabritios
Umb die sieben Hügel pflügen:
Hier sah ich die freye Hand,
So die Pflug Schaar umgewand,
Unter vielen Völckern siegen.

Umb den Numa müst ich seyn,
Setzte mit ihm Götter ein,
Gieng auf Cuma zu Sibyllen:
Wenn man Bürge Meister wehlt,
Und die weisen Steine zehlt,
Stünd ich hinter den Camillen.

Mutius zeigt auf der Bahn
Seiner Hand Begräbnüs an:
Curtius stürtzt zu der Höllen,
Cocles wehret seinen Mann,
Stützt die Brück, als lang er kan,
Nichts mehr kan den Cato fällen.

Da, als unterm Schilff und Stroh
Roscius und Scipio
Ohne Geld und Ehrgeitz lagen:
Da nach Kreß und Knoblauch noch
Ihre Hand und Tugend roch,
Konten sie die Feinde schlagen.

---

(250)

Da war noch kein Caesar nicht, (218)
Der Gesetz und Freyheit bricht,
Kein Pompejus dürffte fliehen:
Bürger dürffte man nicht sehn
Auf Pharsalus Wallstadt flehn,
Alles stund im schönsten Blühen.

Cinna ward bald abgeschafft,
Sulla ward bald hingerafft,
Catilina muste weichen:
Brutus stund der Freyheit bey,
Tullius der redte frey,
Crassus konte Heller reichen.

Endlich seh ich, wie die Macht
Ihre Kinder umbgebracht,
Die der Welt Gesetze gaben,
Rom, das vor auf Bergen stund,
Sanck und fiel zu Sturm und Grund,
Lieget vor der Stadt im Graben.

Als der Rath den Caesar ließ,
Der Sie drauf vom Stuhle stieß,
So viel Recht und Aemter kauffen,
Als sie zu viel übersehn,
Was da sonst von Ihm geschehn,
Da fiel alles übern Hauffen.

Da er hin nach Rhodus kam,
Völcker in Bestallung nahm,
Nicht wolt aus dem Lager ziehen,
Da er durch den Rubicon
Brachte seiner Waffen Thon,
Fieng ihr Unglück an zu blühen.

Zwar, es wolte Cato ihn (219)
Vor den Rath zur Antwort ziehn:
Aber nein, er ließ es bleiben

---

6. stünd / **(251)**

Dann der Caesar brach herein,
Konte seiner Sache Schein
Mit viel tausend Zeugen treiben.

Hie nu wo man Drommeln rührt,
Wo man schwere Wagen führt,
Grosser Herren Zorn zu kauffen:
Wo man Bürger Blut vergeußt,
Und die Welt in Ketten schleußt,
Wolt' ich mit ins Läger lauffen.

Sohn und Schwäher treten für,
Da Pompejus, Caesar hier,
Jeder wil für Schande schlagen.
Schaut, der EhrGeitz führet Krieg,
Caesar der erlangt den Sieg,
Wil den Schwäher gantz verjagen.

Drauf so gieng ich hin nach Rom,
Schaute, wie der Tyber Strom
Würd' in dienstbarn Ufern bleiben:
Wie die Göttin aller Welt
Diesen, der den Platz behält,
Würd an ihre Taffel schreiben.

Liebster, wo ihr Achtung gebt,
Sprach sie, ich hab ausgelebt,
Nehmt die Welt, ihr solt sie erben.
Gute Nacht, gehabt euch wol,
Hie da wil ich, weil ich sol,
Mit der Freyheit gehn und sterben.

Nu die Leiche stund alldar,
Biß sie auf die Todtenbahr
Ihr Tiberius gehaben:
Nero zundte Fackeln an,
Der sie völlig abgethan,
Und dann in sein Haus begraben.

---

2. Sachen / **(252) (253)**

Wann nu dis und das geschehn,
Würd ich nach den Faüsten sehn,
Die in Africa gestritten:
So die Donau und der Rhein,
Wo der Deutschen Gräntzen seyn,
Offte must um Gnade bitten.

Wo die Spiel Gebaüde stehn,
Wo die Wunderbogen gehn,
Wo die Gärt in Lüfften prangen,
Wo aus Tischen Balsam schwitzt,
Wo man stets in Bädern sitzt,
Da ist ihre Krafft vergangen.

Als der Werckzeug weit und breit
Ihrer weichen Dienstbarkeit
Die Gemüther angezogen:
Als sie ernst im Spielen warn,
Kam ein Julius gefahrn,
Der sie umb ihr Reich betrogen.

Also würd ich mich bemühn,
Bey den Ländern anzuziehn,
Was sie schwach und starck kan machen,
Ich würd, als der nichts gewust,
Von dergleichen Ruh und Lust
Grosser Herren hertzlich lachen.

Denn im Fall ich unversehrt, (221)
So viel Völcker angehört,
Wolt' ich alles wol erwegen:
Fleissig wolt ich müssig gehn,
Schäffern, die ein Ding verstehn,
Sonder bücher lassen prägen.

Welt und was die Welt beschleußt,
Sucht den Umbgang, drein es fleußt,
Was geschieht, das ist geschehen,

---

(254)

Unsre Zeit, ihr End und Spiel
Kan ein ieder, der da wil,
Allhie wie im Spiegel sehen.

Deutsche, doch was sol es seyn,
Wollt ihr eure Seuch und Pein
Ersten vom Hetrusker hören?
Die Gewalt der Ding, und Zeit
Wird euch mehr auf diesen Streit
Als ein Campanella lehren.

Nehmet ein Verhängnüß an,
Welches mehr als Waffen kan,
Mehr, als euer Untergehen:
Schaut, wie unsers Kaysers Pflicht
Schöner, als die Sonn entbricht,
Wann sie oben pflegt zu stehen.

Ehret unser Oesterreich,
Ihm ist ja kein Zepter gleich,
Als das seines ihm gegeben:
Als, das keines ob ihm hat,
Nemlich, das des Himmels Rath
Bloß vor diesem wil erheben.

(222) So viel voller Furcht und Flucht
Deutschland Helffer hat gesucht,
So viel Herren muß es scheuen,
Nichts als Miß Treu ihrer Macht
Hat die in den Harnsch gebracht,
Die sich unsers Unfalls freuen.

Viele werden angelockt,
Wenn ein ander Rosen pflockt,
Aber Dörner sind die Aehren,
Viel, die nach der Freyheit ziehn,
Dienen härter, als vorhin:
Weil sie ihrer viel beschweren.

---

6. Erstens / **(255)** 17. Scepter / **(256)**

Laßt die heilgen Nahmen stehn,
Drauff wir freudig untergehn,
Seht auch drunter Waffen blincken:
Bibeln reichen sie ja dar,
Aber nehmt der Freyheit wahr,
Drauff sie grosse Gläser trincken.

Doch ihr habt ein Haus erkiest,
Das der Tugend Heimath ist,
Wo die Mässigkeit zu finden:
Draus kein Kayser sterben kan.
Das sol, wie es vor gethan,
Eure Krafft zusam̄en binden.

Seines Schattens süsse Ruh,
Die sein Adler wehet zu,
Wird mich nun und immer decken:
Wird mir geben, daß ich mag
Mich in Frieden Nacht und Tag
Unter meiner Linden strecken.

Dieses ist mein Wunsch und Ziel, (223)
Meiner Flöten letztes Spiel:
Das gekrönte Feld zu bauen,
Alles, was der Mensch begehrt,
Was ihn schützet und ernährt,
Ist allhier vollauff zu schauen.

Daß die fruchtbarn Regen ziehn,
Daß gesunde Kraüter blühn,
Daß wir Menschen sind und leben:
Daß der Dinge Wechsel steht,
Daß die Welt nicht untergeht,
Dieses weiß das Feld zu geben.

Ey so laufft dem Felde zu,
Hier ist Wonne, Trost und Ruh,
Hier ist Gütte, Heil und Seegen,

---

1. Laßt die heilgen ... bis ... 6. Gläser trincken fehlt. / 8. Himmel ist / 18. Linde / **(257)**

Dieses trieb die erste Welt,
Ihre Nahrung war das Feld,
Darauf wolte sie sich legen.

Schäffer, wer es recht erkañt,
Führen ja den älsten Stand,
Städt und Völcker sind von Ihnen:
Ihnen schreiben wir es zu,
Daß nach ihrer Art und Ruh
Andre herrschen, andre dienen.

Laßt die alten Hirten gehn,
Die bey ihren Keulen stehn,
Und doch goldne Haüpter weisen:
Die den Nilus eingeweiht,
Und die reiche Heimlichkeit,
Laßt die, so die Griechen preisen.

(224) Habt ihr nicht von Rom gehört,
Wie es alle Welt verehrt,
Als der Hirten Bücher sagen,
Jedoch, wer hat Rom gebaut,
Niemand, als die Kohl und Kraut
In die Stadt zu Marckte tragen?

Remus, wañ man sich besinnt,
Ist ja einer Schäffrin Kind,
Bruder Romulus desgleichen:
Einer Wölfin Flasch und Heerd
Hat sie beyd' im Wald ernährt,
Die an Hoheit keinem weichen.

VII. (VIII.) Collatio Coridonis cum dictorum omnium Procerum vita.

Geh ich selbst zu Göttern hin,
Seh ich sie bey Schaaffen ziehn,
Jeder wil dis Handwerck treiben,
Vater Phoebus selber schiert,
Thut, was ihm kaum halb gebührt,
Wil hinfort nicht Bücher schreiben.

---

5. ältsten / **(258)** / 28. [Die Zählung der Abschnitte in der Hs. setzt versehentlich zwei Male VII.]

Phoebus, Ach es ist mir leid!
Schlecht ist es bey unser Zeit,
Deine Schüler sind entlauffen,
Niemand wil vorüber gehn,
Wo dein Rheinstock pflegt zu stehn,
Niemand wil Gedichte kauffen.

Da, wo Castal erstlich ran,
Wil itzt der gemeine Mann
Esel in die Träncke jagen:
Und dahero wird es seyn,
Daß die meisten Reime speyn,
Die kein Mensch nicht kan vertragen.

Dennoch eilen dieser Ruh (225)
Alle hohe Geister zu,
Hier hat Plato wollen lesen:
Hier ist des Laertis Sohn
Socrates und Demophon,
(Und wer sonsten nicht) gewesen.

Ja das Volck, das unverwandt
Einen wahren Gott erkañt,
Wolte nur vom Felde hören:
Alle Väter in der Schrifft
Hatten Gütter, Vieh und Trifft,
Wie uns unsre Priester lehren.

Sang nicht der berühmte Held,
Der den Goliath gefällt,
Seine Lieder hintern Schaaffen?
Der gekrönte Salomon,
Spielt er ie den höhern Thon
Wolte bloß im Felde schlaffen.

Manche Seel und mancher Geist,
Welche man vor göttlich preist,
Wären nicht so hoch gestiegen:

---

2. unsrer / **(259)** 26. Den der [fehlerhaft] /

Wenn sie nicht so offt und viel,
Hätten mit dem Saiten Spiel
In dem grünen können liegen.

O du golden Einsamkeit,
Nährerin der Friedens Zeit,
Treuste Mutter unsrer Sachen!
Wirthin, so die Armuth speißt,
Du der Weißheit Kind und Geist!
Ich wil mit dir Freundschafft machen.

(226) Wo gesunde Winde gehn,
Wo gezierte Blumen stehn,
Wo beliebte Brunnen schüssen:
Wo gestim̄te Vögel schreyn,
Wo begrünte Püsche seyn,
Können Reim am besten flüssen.

Sey gegrüßt du Erd und Feld,
Wo die Tugend Schule hält,
Dich dich wil ich nur begehren:
Dis dis ist mein halber Gott,
Das mich inner Glück und Noth
Güttlich wil und kan ernähren.

Seelig, Seelig ist der Mann,
Der sein Landgut bauen kan,
Der sich nährt von seinen Schaaffen:
Der sich seiner Arbeit freut,
Der sein Haus mit Stroh bestreut,
Der geruhig weiß zu schlaffen!

Ob vor der geflochtnen Thür
Keine Diener blicken für,
Muß ihn doch sein Hund bewachen:
Ob ihm der, so ihn betrübt,
Keinen Guten Morgen giebt,
Seegnet Gott doch seine Sachen.

---

3. Können in dem grünen liegen / **(260)** 21. Güttlich kan und wil / **(261)**

Kein gefärbter Marmelstein,
Keiner Tücher goldner Schein,
Kein gemahlter Krug zum Trincken,
Kein gezognes Tischgewand,
Keines Kramers Ring und Band
Sieht man umb die Schäffer blincken.

Tage voller Buß und Reu, (227)
Nächte voller Lieb und Treu,
Wercke voller Trost und Seegen:
Reden ohne Schwur und Eyd,
Trachten ohne Haß und Neid
Können seiner Wolfarth pflegen.

Aus und ein pflegt er zu gehn,
Wo berauchte Stuben stehn,
Hier auf Bergen, dort an Quällen:
Wo der feiste Bröm̄er brüllt,
Daß es durch das Thal erschüllt,
Pflegt er seinen Fuß zu stellen.

Seelig, wer es weiß und kan,
Ist der from̄e Wirthschaffts Man̄,
Der sein Güttlein kan versorgen,
Der den Höchsten Vater preißt,
Der ihn schützet, der ihn speißt,
Auf den Abend, Auf den Morgen.

Er ist voller Zuversicht,
Kennet Dint und Bücher nicht,
Sein Gebetbuch ist sein Glauben,
Sein Gewissen ist sein Schild,
Welcher Tod und Teuffel stillt,
So die Seele wollen rauben.

Wann er from̄ und erbar lebt,
Reine Händ in Himmel hebt,
Wenn er Gott weiß zu vertrauen:

---

(262) (263)

Wenn er seinen Nechsten liebt,
Seiner Feinde Zorn vergiebt,
Dencket, vor was solt ihm grauen?

(228) Er geht hinterm Pflug und singt,
Daß es durch die Wolcken dringt,
Holt ihm Sonne, Wind und Regen:
Gärte, Saate, Vieh und Haus
Locken seine Seufftzer aus,
Welche Gott mit ihm bewegen.

Wann die hellen Lerchen schreyn,
Stimt er sein Gebete drein,
Heil und Seegen kom̄t von oben,
Alle Sachen, die er schaut,
Vieh und Vogel, Graß und Kraut
Helffen ihm den Höchsten loben.

Seelig, Seelig ist der Mann,
Der die Ding erforschen kan,
Und den Geitz wil untertreten,
Der dis, was ihm unverwand
Das Verhängnüß zugesand,
Nihmt, als hätt' er es erbeten!

Keine Furcht im Beyvorgehn,
Darff ihm unter Augen stehn:
Dieser mag die Drom̄el schlagen,
Mag dem Tod entgegen ziehn,
Und vor grosse Herren fliehn,
Er kan sich mit ihm vertragen.

Dieses schützt ihn mehr als Glut,
Mehr als Stahl, als Bley und Blut,
Daß er sich nicht darff verschlüssen:
Daß er selbst auf offner Bahn
Vor dem Raüber singen kan,
Und nichts birget im Gewissen.

---

(264)

Wunden dienen nicht vor Ihn, (229)
Die der Codan hagelt hin,
Aus den Faüsten seiner Finnen:
Wer dort umb Cassale liegt,
Und die Lombardey besiegt,
Kräncket niemals seine Sinnen.

Er nim̄t voller Wonn und Lust
Aus den Gärten Speiß und Kost,
Kan sein Haubt mit Rosen krönen:
Kan mit Weib und Kind allein
Allhie guter Dinge seyn,
Sich auf seinen Gatter lehnen.

Seelig ist auf seiner Bahn,
Der im Dorffe leben kan,
Und darff seinen Pflug bestellen:
Dem der Schweiß der Arbeit Kind
Über sein Gesichte rinnt,
Und kein Urtheil pflegt zu fällen.

Er trit für den Richter nicht
Wie der, welchem Brod gebricht
Und verredt der Leute Sünden:
Keinem giebt er etwas ein,
Der zu früh wil sterblich seyn,
Und den Kirchhoff nüchtern finden.

Er besiegelt keinen Brieff,
Kennet weder List noch Grieff,
Fraget nicht nach frischen Waaren:
Niemals köm̄t zur Ungebühr
Ihm der Büttel vor die Thür,
Niemals der Gerichte Schaaren.

Er bewohnet stille Ruh, (230)
Siehet nicht den Thränen zu,
Die der Mündlein Schaar vergossen,

(265)

Hier hat er Gemüth und Haus
Vor dem, der sie presset aus,
Und dem Pöfel zugeschlossen.

Sein Gewerb, sein Heerd und Krug,
Sind die erden, ist der Pflug,
Damit kan er sich ernähren:
Keinen Heller zeucht er ein,
Den er nicht, wo Städter seyn,
Redlich mag und darff verzehren.

Seelig, Seelig ist der Mann,
Der sich nim̄t des Feldes an,
Und wil frey und freudig leben,
Er darf nicht nach Hofe gehn,
Vor des Fürsten Taffel stehn,
Und geschminckte Worte geben.

Er ist ruhig früh und spat,
Wenn er wil, und was er hat,
Darff nicht wie ein Scythe sauffen:
Liegt nicht täglich wie ein Schwein,
Und wie junge Kinder seyn,
Die noch nicht im Bande lauffen.

Er geht nicht zum Fürsten hin,
Den und jenen durchzuziehen,
Wil die Leute nicht belügen:
Keinen, der hie Zuflucht nim̄t
Und mit seiner Sache köm̄t,
Wil er umb sein Brod betrügen.

(231) Ob er was ein Kutsche kan
Viel verschmitzter giebet an,
Doch wil er beym Acker bleiben:
Er wil keinen Nachbar nicht
Mit der Peitsche von der Pflicht
Von des Vatern Gutte treiben.

---

5. Sind die Egen, sind der Pflug / **(266)** 24. betrügen / 27. belügen / **(267)**

Wenn sein Knecht die Garben bringt,
Geht er neben bey und singt,
Führt mit ihm den jungen Erben,
Sein Weib Armen aufgestreifft
Sitzt im Garten, spinnt und weifft,
Hülffet ihm sein Brod erwerben.

Seelig, wie man schlüssen kan,
Ist der ernste Bauers Mann,
Wenn er seinen Schurtz umbhangen,
Wenn er, wo der Kretscham steht,
Abends auf den Son̄tag geht,
Und die Mutter hat umbfangen.

Jene lässt er gehn und fahrn,
Die so reichl. Geld ersparn,
Das sie von den Ländern nehmen,
Die so nützlich, wenn sie schwern,
Ihre Lügen angewehrn,
Derer sich die Bauern schämen.

Er wil weder Hand noch Eyd,
Weder Rath bey dieser Zeit
Wieder sein Gewissen geben:
Trägt im Munde, was er denckt,
Hat im Hertzen nichts versenckt,
Über andrer Seel und Leben.

Er wil, wenn ihm Volck gebricht, (232)
Mit den Henckers Buben nicht
Recht und Freyheit unterdrücken:
Nicht die Köpffe runter haun,
Die ihm in die Karte schaun,
Und Bericht nach Hofe schicken.

Keinen Menschen nim̄t er für,
Fisch im Wasser für der Thür,
Füchs' im Pusche wil er fangen:

---

21. gegeben [Schreibfehler] / **(268)**

Sieht, daß offt an Galgen hin,
Die sechs Rosse müssen ziehn,
Ohne Diener sind gegangen.

Seelig, Seelig umb und an
Ist, der also leben kan,
Der da weit von Lust und Zierde:
Weit von bleicher Müh und Pracht,
Seinen Aeckern Gräntzen macht,
Und ingleichen der Begierde.

Seelig, Seelig ist das Feld,
Daß ihn speiset und erhält:
Das die Scheuern füllt mit Garben:
Das dem Vieh sein Futter giebt,
Das ihn nimmermehr betrübt,
Nimmermehr läst gehn und darben.

Seelig, Seelig würd ich seyn,
Solt ich auch nach langer Pein
Dieser Seeligkeit genüssen:
Solt ich meine letzte Zeit
Allhie voller Göttlichkeit,
Unter solchen Leuten schlüssen.

(233) Phyllis, mein Gelübd und Ruhm,
Dieses ist mein Eigenthum,
Ich bin Erd und von der Erden:
Erd ist meine Speiß und Lust,
Erde trag ich in der Brust,
Erde werd ich wieder werden.

Endlich wüchsen auch herbey
Aus der vollen Schäfferey,
Kühe, Ställe, Tenn und Scheuren:
Endlich, weil wir Gott vertraun,
Könten wir auch Güter baun,
Und der Alten Stand verneuren.

---

(269) (270)

Daß mich doch ein guter Geist
Nicht alsbald zurücke weist',
Nicht alsbald läst hie verbleiben,
Ach, daß mein Verhängnüs nicht
Dieser Reise Vorsatz bricht,
Den ich müssen unterschreiben.

Ach! mit was vor Lieb und Gunst,
Sonder Farbe, Schminck und Kunst
Wolt' ich meine Phyllis ehren:
Alle Wohlfarth, alle Ruh,
Eilte diesem Nahmen zu,
Den ich im̄er liesse hören.

Dieses, was ich wünsche mir,
Phyllis ist ja nichts, als Ihr,
Ihr seyd meine Freud und Wonne:
Ihr solt hie mein Gutt allein,
Und mein goldnes Läm̄lein seyn,
Meine Saate, meine Sonne.

Seh ich Euch, so bin ich reich, (234)
Und dem Türckschen Kayser gleich;
So muß Milch und Honig flüssen:
Euer Aüglein süsse Krafft
Giebet Graß und Baümen Safft,
Glücke wächst euch untern Füssen.

Aus den Stapffen ohn Bemühn
Sieht man schöne Rosen ziehn,
Wo ihr steht, ist Heil und Seegen:
Glaubt mir, wen̄ sie von euch hörn,
Daß sich Vieh und Vogel nährn,
Und den Zehnden doppelt legen.

Süsser Trost, gedencket dran,
Was ein treues Hertze kan,
Wann es ihm was vorgenommen:

---

(271)

Enden; Ach der seelgen Zeit,
Muß sich unser langes Leid,
Wenn ich werde wiederkommen.

Ziehet Hertz und Ohren ein,
Hört ihr ie die Mißgunst schreyn,
Die vor Giffte wil zuspringen:
Die sich ängstet Tag und Nacht,
Biß sie einen Fund erdacht,
So die Weiber vor Euch bringen.

Zwar sie suchen umb und an,
Mich bey euch zu geben an:
Grob zu heissen, schwartz zu machen,
Suchen, was sie nie gesehn,
Untern Kleidern umbzudrehn,
Doch wir wollen ihrer lachen.

(235) Helden, die nicht weiter stehln,
Und euch ihre Wunden zehln,
Bürger, die nach Hefen stincken,
Gleißner, die nach Hofe gehn,
Herren, die in Schulden stehn,
Solten die euch besser düncken?

Keiner ist, ihr liebstes Kind,
Der euch so viel gutes gönnt,
Phyllis, der euch so wird lieben:
An getreuer Liebes Pflicht,
Weich ich selbst den Göttern nicht,
Ob sie drauff ihr Recht verschrieben.

Ist es nicht ein gleiches Band,
Euer Stand und mein Verstand,
Beyde sind ja nicht zu scheuen:
Gleiche sind wir, ich und Ihr,
Habt ihr Zier, ich Liebs Begier:
Könnt ihr draüen, ich erfreuen.

---

(272)

Ich wil, wolt ihr mich erhörn;
Euch als meine Göttin ehrn,
Euch als meinen Schatz erheben.
Ihr solt bleiben, hab ich Recht,
Meine Frau, ich euer Knecht,
Ihr mein Hertz, ich euer Leben.

Ich wil (dis wird mir gebührn)
Euch in Ort und Stelle führn,
Da man uns wird seelig preisen:
Da ohn eitler Ehre Schein
Unsre Nachbarn werden seyn,
Römsche Helden, Griechsche Weisen.

Cato macht sich für die Thür, **(236)**
Legt uns seine Taffel für,
Und spricht: Lernet von mir leben,
Sehet weit von Cannas hin
Unsern Africaner ziehn,
Er wil unser Gut erheben.

Kayser Diocletian,
Der berühmte Vorwercks Mann
Wil uns selbst Salate lesen,
Und Lucullus lässt die See
Dorten umb Parthenope,
An der Oder zu genesen.

Auch Pericles voll Verstand
Kom̃t, und reicht euch seine Hand,
Wil für Schätze Rüben graben:
Der vor seines Fasses Thür
Nicht ließ Alexandern für,
Wil uns hie zu Gaste haben.

Ja, da wo ihr werdet stehn,
Wil die Sulamithin gehn,
Voller Rosen und Violen,

---

(273) 24. In der Oder / **(274)**

Weib, die von Sarepta seyn,
Und was bessers noch als Wein
Euch aus ihrem Brunnen holen.

Reha die von Schnittern köm̄t,
Und gefüllte Lagen nim̄t,
Wünschet euch Gelück und Seegen,
Euch beruffet Salome
In den Garten voller Weh,
Da ihr Heyland hat gelegen.

(237) Auch Rebecca kömt und schenckt,
So die bunten Lämmer tränckt,
Schaut, sie wil euch unterweisen:
Schaut, wie sich die Mutter stellt,
Und das Creutz umbfängt und hält,
So die Völcker seelig preisen.

Dieser Geister hohe Pflicht,
Dieser Seelen Zuversicht
Werden euch mit Lust bewirthen:
Phyllis, wollt ihr unverwand
Mit den Engeln seyn bekan̄t,
Liebt das Dorff und seinen Hirten.

VIII. (IX.) Conclusio Libri II.

Also sang er voll Begier
Da vor Phyllis ihrer Thür:
Also sucht er sie zu grüssen:
Also wollt er, weil die Zeit
Nach ihm siehet, auf ihn schreyt,
Seines Feldes Lob beschlüssen.

Weil die süsse Liebesbrunst
Ihrer Ohren zarte Gunst
Ungeduldig dürffte machen:
Weil auf ungemeßner Bahn
Er den strengen Lauff gethan,
Übergab er seine Sachen.

Und, daß wegen seiner Pein
Phyllis könte sicher seyn,
Rieff er: Ach Gott! gib ein Zeichen!
Meyn' ich es nicht hertzlich gut,
Schaff umb meiner reinen Glut,
Daß ich muß vor Ihr erbleichen.

Erde rafft er drüber auff, (238)
Thränen suchten ihren Lauff,
Blut das must ein Ader geben:
Erde deutet seinen Tod,
Thränen seiner Seelen Noth,
Blut die Treu im Tod und Leben.

Erde warff er wieder hin,
Sprach, so lang ich sterblich bin,
Ehr und lieb ich euren Willen.
In die Nahmen, die er Ihr
Schrieb an ihre taube Thür,
Wollt' er Blut und Thränen füllen.

Dieses Bindnüß, diesen Schluß,
Eh er rührte seinen Fuß,
Wolt' er in ihr Hertze schneiden,
Schickte drauf so abzuziehn,
Noch sein Augen einmal hin,
Und fieng an von Ihr zu scheiden.

Drittes Buch. (239)

Innhalt: (240)

Das dritte Buch ist eine Bestellung einer vollkommnen Wirthschafft. Dahero der Erfinder, nachdem er die Kayserliche Haupt Schlacht vor Nordlingen zum Eingange etwas entworffen, unsern Coridon zu guter letzte vor die Behausung seiner eintzig geliebten Phyllis begleitet; dieser stellet Ihr nach viel gethanen Verheissungen seiner Zurück Kunfft

---

23. Noch einmal die Augen hin / **(276** [leer]**)** **(277)** = (239) **(278)**

noch einmal den beständigen Vorsatz seines Lebens vor Augen, welcher
auf nichts, als bloß auf der seelig gepreißten Wirthschafft beruhet, zu
welcher er gleichsam von dem Himmel versehen. Vornemlich aber
setzet er Ihre und seine Obacht und Pflicht in besondere Gräntzen, und
eignet einem jedweden unter Ihnen die bestim̄ten Verrichtungen und
Nutzbarkeiten zu. Anfangs bauet er in Achtnehmung des Bodens und
der Lufft einen vollkomnen Meyer Hoff auff, welcher vielleicht itziger
Zeit Gelegenheit nach länger auf diesem Papier stehen dürffte, als
andere, welche heute von Kalck und Ziegel aufgeführet, und morgen
durch unglückseeligen Krieg in Asch und Staub verkehret werden.
Und nachdem er solche Hofe Reyte wie an Scheunen mit Getraide, an
Ställen mit allerhand Viehe, an Schoppen mit Acker Zeug und Wagen-
fahrten gefüllet, also auch die Böden mit Tauben, den Hoff mit Hünern,
die Pfützen mit Gänsen und Enten gleichsam lebendig gemacht, legt
er der wirthlichen Phyllis unterschiedne und besondere Obst-Tätz-Lust-
Bienen und Bleich-Gärten an, welche das in Grund gelegte Vorwerck
(241) umb und umb /241/ gleichsam bewachen, oder vielmehr zu bekrönen
scheinen. Darauff befiehlet er, indem er solche Gärte theils mit
Baümen, theils mit allerhand Gewächsen und Küchen-Kraütern, theils
mit Blumen, theils mit süssen Honigblüten, theils mit Schleyern und
Leinwand aufs beste geschmückt und angestrichen, wie diese, also
auch die oben erzehlte Viehnutzungen seiner liebseeligen Schäfferin, und
fängt an die Weitlaüfftigkeit seines Am̄tes aufzuwickeln. Unter andern
erzehlet er, wie hochnöthig einem fleissigen Wirthschaffts Manne sey,
daß er des Himmels Lauff erkundige, die Grösse der Sternen erkenne
und ausrechne, die Herrscher einer iedweden Jahres Zeit in acht nehme,
daß er die Reiche der Natur wisse und verstehe, der Dinge einge-
pflantzte Eigenschafften erlerne, die Ursachen aller und jeder Be-
wegungen ergründe und auslege, daß er endlich den Boden urtheile,
Zeit und Licht erwege, den Saamen durchsuche und entscheide. Und
nachdem er die Verrichtung eines gantzen Jahres in der Kürtze zusammen gezogen, und im Frühling die Gärte und Wiesen gesaubert, die
Weiden behauen, die Som̄er Saat Zeit verrichtet, mit seiner Phyllis
spatzieren gegangen, im Sommer die Brachen umbgerissen, das Heu
ins Trockene gebracht, die fröliche Erndte vollzogen, im Herbste über
Winter gesäet, die Teiche der Fische, die Gärte des Obstes, die Felder
und Püsche des Geflügels entsetzet: Im Winter Holtz zugeführet, sich
mit dem Jagen erfreuet, und Rechnungen geschlossen, die Böden ge-
(242) füllet, und alles, was die Zeit und Wirthschafft erfordert, in den /242/
vorgesetzten Jahres Theilen zu Ende gebracht, wiederholet er die
Betheurung seiner Liebe. Letzlichen geseegnet sich der betrübte
Coridon mit seiner mitleidenden Phyllis, welche er dem Daphnis auf

2. gepreiseten Wirthschafft / 7. vollkommen Meyer Hoff/ **(279)**
21. wie diesen / 24. höchstnöthig / **(280)**

das schönste befiehlet. Zu welchem Abschiede der Erfinder seinen Nahmen, nebst der Zeit dem Orte, und der Gelegenheit dieser Bücher setzet, und dem Auffrichtigen Leser Göttlicher Obsicht ergeben wollen und sollen.

Was für eine Himmels Glut (243)
Überwallt mir Geist und Blut?
Flammen seh ich umb mich fliegen.
Weiß ich doch von keiner Zeit,
Wie ein Mensch, dem allbereit
Ist ein Rausch in Kopff gestiegen.

Pegasus der steht und braust,
Daß es mir in Ohren saust,
Ich sol biegelfester sitzen:
Ich sol mit Ihm, wie ich kan,
Suchen eine höhre Bahn,
Umb Olympus seine Spitzen.

Offte hat ein freyer Geist,
Den man noch in Schrifften preist,
Mein Gemüthe mir entbunden,
Offte hab ich Reim erdacht,
Die mir Ehr und Ruhm gebracht,
Die kein schlimmer Kopff erfunden.

Aber, dieser Trieb und Lauff
Schwellt mir Geist und Adern auf,
Unter Sternen steh ich oben:
Meine Seel ist so verzuckt
Wie ein Mensch, der halb verruckt,
Und nicht kan vernünfftig toben.

Ich empfind ein andre Krafft,
Was der Sinn erdenckt und schafft,
Wil zu lauter Schlachten werden:
Fama reist mir unverwand,
Nasse Blätter aus der Hand,
Führt mich mit erhitzten Pferden.

---

(281) 13. bügelfester / 14. wie nur kan / **(282)**

(244) Ach! es hüpfft mir Hertz und Brust,
Itzund solt ich voller Lust
Billich Alexandrisiren:
Billich, die ihr nirgend seht,
Staffeln voller Majestät,
Solt ich in der Feder führen.

Ferdinand der kühne Held
Hat erhalten Sieg und Feld,
Regenspurg darff sich nicht regen:
Unsers Königs Hand und Schwerd
Hat den Feind umb Donawerth
Heissen Sach und Waffen legen.

Nordlingen das laufft herzu,
Kaufft ihm nach der Feld Schlacht Ruh,
Und noch hundert Städt und Flecken:
Von der Donau Ursprung an
Sehn wir durch der Länder Bahn
Unsre freye Flacken stecken.

Oesterreich verzeih es mir,
Deines Adlers Haupt Panier
Wil ich in die Wolcken setzen:
Kein gemeiner Stahl und Stein
Sol zu dieser Taffel seyn,
Drein ich wil die Wallstat etzen.

Einen Wagen wil ich baun,
Wie ein goldner Thron zu schaun,
Dran acht Römsche Pferde gehen:
Drauff sol voll Triumph und Pracht
Als ein Sieger dieser Schlacht
Ferdinand der Dritte stehen.

(245) Hie wird der von Weimar hin
Über todte Cörper fliehn,
Die auf ihren Waffen liegen:

---

(283) 22. Stahl noch Stein /

Horn der schlaue Feld Herr muß
Vor dem Sieger seinen Fuß
Unter den Gefangnen bügen.

Fahne, die erobert sind,
Werden ohne Schwung und Wind
Doppelt ihre Gassen schlüssen:
Hintern Wagen paar und paar
Wird der Feinde helle Schaar
Ohne Waffen wandern müssen.

Unsre Helden sollen hin
Wie in einer Krone ziehn,
Und im blancken Degen reiten:
Jeder wird hie seinen Ruhm,
Seiner Thaten Eigenthum
Um des Königs Thron erstreiten.

Was die Donau rauscht und braußt,
Was der Finn in Ketten saust,
Was die Reichs Städt' unterbauen:
Was das Läger nach der Schlacht
Schlägt und drom̄elt, pauckt und kracht,
Sol man im Triumphe schauen.

Phoebus, ob sich gleich bemüht
Coridon sein Wirthschafft Lied
Unterdessen auszusingen.
Doch wird voller Ruhm und Lust
Castalis durch meine Brust
In berühmten Strömen springen.

Es wird mein Gemüth und Geist (246)
Von der Ewigkeit gespeist:
Diesen Vorsatz nicht begeben:
Fama wird durch meine Hand
Unsern dritten Ferdinand
Über Sonn und Monden heben.

---

(284) (285)

Darum, wann die Reime nicht
Fallen nach gewünschter Pflicht,
Werther Daphnis, seyd zufrieden:
Eine Gottheit voller Glut
Wil mein Hertze, Sinn und Blut
In weit edlern Flammen sieden.

Und ihr Venus unsrer Zeit,
Wo ihr nicht Minerva seyd,
Solt es mir zum besten wenden.
Alle Musen lauffen zu,
Sprechen, Coridon, wie nu?
Wer wird deinen Abscheid enden.

Echo selber, wie sie kan,
Schreyt mich mit den Nymfen an,
Und wil Ort und Ende wissen:
Nun ich wil es ja vollziehn,
Weil ich so weit kommen bin,
Und mein Werck durchaus beschlüssen.

Grosser Herren Kunst und Macht,
Ihrer Diener Geitz und Pracht,
Weiter Städte Schand und Sünden,
Unser Lands Knecht Eyd und Sold,
Andrer Leute Wust und Schuld
Wird der Leser oben finden.

(247) Jetzund heist es Nun davon,
Drum wil unser Coridon
Noch einmal zur Phyllis gehen:
Noch einmal gantz ohn Betrug
Seine Keule, seinen Pflug
Vor der Welt und Ihr erhöhen.

Was er vor ein Wirth wil seyn,
Gibt er bey den Musen ein,
Wie er wil sein' Aecker bauen:

---

8. Wann ihr / **(286)** 25. Itzund /

Dieses Buch das zeiget an,
Wie geschickt er brauchen kan
Feld und Saate, Vieh und Auen.

Nun es wolte Nacht und Tag,
Wie er auf den Herbst vermag,
Phoebus in die Wage legen:
In die Wiege legten Ihn
Auch den Tag die Eltern hin,
Welches wol war zu erwegen.

Weil es sein Geburts Tag war,
Macht er seine Wüntsche klar,
Sach und Ort und Zeit zu brauchen:
Er gieng zu der Phyllis hin,
Sah im Felde Hirten ziehn,
Und ihr Feuer umb sie rauchen.

Eh er übern Hügel kam,
Und ihr Haus in Obacht nahm,
Sah er tausend Strahlen schüssen,
Es kam ihm nicht anders für,
Als ob Phyllis ihre Zier
Ihm da wollt entgegen giessen.

Alle Fenster voller Schein (248)
Druckten seinem Hertzen ein
Ihr Gesicht aus allen Scheiben:
Als er weiter sah empor,
Sind sie ledig, wie zuvor,
Niemand wolte liegen bleiben.

Aber was? Das schönste Kind
War ja da. Wär es begin̄t.
Ob es seinen Glantz entzogen:
Coridon hat es gesehn,
Wie es stand bey seinem Flehn
Hinterm runden Fenster Bogen.

---

(287) 29. begön̄t /

Phyllis, sang er, meine Zier,
Euer Coridon steht hier,
Euch wil er noch einst geseegnen:
Seht die schmertzen, schönstes Licht,
Welch aus süsser Huld und Pflicht,
Meiner Augen Wolcken regnen.

Doch es wird ohn alle Pein
Noch ein Tag vorhanden seyn,
Da die Thränen trocknen werden:
Man wird sagen voller Muth,
Coridon ist from̄, und gut,
Ist der treuste Mensch auf Erden.

Wann ich meiner Schaaffe Zunfft
Nach der süssen Wiederkunfft
Werd auf wüste Läden treiben:
Wil ich, gönnt der liebe Gott
Mir mein ehrlich Stücklein Brod,
Ewig nicht ein Hirte bleiben.

(249) Ich wil, wo das flache Land
Ohne Steine, Leim und Sand
Sich wird vom Gebürge sencken:
Wo der Hügel Wurtzeln stehn,
Und hin gegen Mittag gehn,
Wil ich auf ein Gütlein dencken.

Wo sich Thal und Hügel tren̄t,
Wo der Pusch den Heerd erken̄t:
Wo die Quelln in Tröge gehen:
Wo die spät- und früh-Lufft streicht,
Wo man bald die Bach erreicht,
Sollen Ställ und Scheunen stehen.

Gegen über wolt ich mir
Bey der Einfarth, bey der Thür
Einen Stock zur Wohnung bauen:

---

(288) (289)

Daß ich in die Scheunen hin,
Würd ich bloß ein Fenster ziehn,
In die Ställe könte schauen.

Auff den Söllern treffen fein
Die gegossnen Estrich ein,
Schoppen suchten nachzugehen.
Aus den Winckeln umb und an
Nach dem Richtscheid eingethan,
Würd ein Meyer Hoff entstehen.

Seine Zierath würd allein
Mist und Stroh und Unflat seyn,
Ein Geheimnüs hoher Sachen:
Eh als in des Weisen Hand
Finden wir hie Farb und Sand,
Draus wir Gold und Silber machen.

Dorte Freyheit, Tugend hier **(250)**
Müsten stehn für unsrer Thür,
Angst und Sorgen zu vertreiben.
Drinnen würde Sicherheit
Sonder Argwohn, sonder Neid
Unsre treue Schäffrin bleiben.

Unser Wall und Distel Zaun
Wär ein gutes Zuvertraun,
Unsre Burg des Höchsten Seegen.
Ob das Glücke viel verspricht,
Dörfft es doch sein Rädlein nicht
Über unsern Gatter legen.

Haüser, wo da voller Muth
Armer Leute Schweiß und Blut
Wird verfressen, wird versoffen:
Wo die Sünden sonder Ruh
Leere Schüsseln decken zu,
Stehen grossen Herren offen.

---

4. träffen / 5. gegoßne / **(290)** 26. Dürfft /

Hier da wolt ich Tag vor Tag
Besser, als ich es vermag,
Eines Wirthes Am̄t verwalten:
Ordnung, die Gesind und Feld
Wie die Kett an Gliedern hält,
Hülffe Haus und Wirthschafft halten.

Künstlich (ieder wird es spührn)
Muß man einen Bauer führn,
Ihre List betreugt man selten.
Nun ein Wirth muß übersehn,
Alles nicht zu Poltzen drehn:
Diese loben, jene schelten.

(251) Wie ein gantzes Uhrwerck steht,
Wenn ein Stifft herunter geht,
Also stecken unsre Sachen:
Also kan auch keine Hand
Ohn der andern Dienst und Band
Nichts in unsrer Nahrung machen.

In dem Vorwerck umb und an
Stünde, was man haben kan,
Alles Vieh in seinen Ställen:
Auf die Weide würd es hin
In gefärbter Ordnung ziehn,
Zu den Püschen, zu den Quellen.

Ochsen, weil dis Thier allein
Sol zur Wirthschafft nützlich seyn,
Spannt' ich in den Pflug und Wagen:
Ja sie säm̄tlich müsten mir
In der Ordnung treten für,
Gleiche Farb' und Jöcher tragen.

Alle Bauern würden schwern,
Daß es ihre Brüder wehrn,
Solten sie zusammen farben:

---

(291)

Ochsen sind zum Acker gut,
Sie kan weder Hut noch Glut
Weder Feld noch Küche darben.

Ochsen rufft Egypten an,
Wie Osiris zeigen kan,
Den der Priester must ermorden:
Und es darff kein Wunder seyn,
Jupiter vor Liebes Pein
Ist ja selbst zum Ochsen worden.

Der von Troja machte Rom (252)
Hintern Ochsen, umb den Strom
Seiner Tyber ihre Graben:
Ochsen warn das Heurath Gut,
Das die Deutschen voller Muth
Den erwachsnen Töchtern gaben.

Und im Fall ich keiner bin,
Alles wil itzt Ochsen ziehn:
Ochsen sind zu allen Sachen,
Dann, wo solche Thiere gehn,
Können, die den Hoff verstehn,
Alles, was sie wollen, machen.

In die Wirthschafft schickt ich ein,
Gleichwie die aus Pohlen seyn,
Schwartz an Hörnern, breit an Lenden:
Daß sie mit der starcken Brust,
Tieffer Aecker, Bet' und Wust,
Könten pflügen, ruhren, wenden.

Ja ich zieh ohn Müh und Kauff
Selbst geschnittne Ochsen auf,
Die man braucht nach dreyen Jahren,
Mit den Alten würde man,
Die am längsten gut gethan,
Übern Heerd in Rauchfang fahren.

---

(292) (293)

Phyllis, wo es mir die Zeit
Und der liebe Gott verleiht,
Wolt ich euch auch Stutten weisen:
Stutten wenig an der Zahl,
Aber schön an Haar und Mahl,
Die ihr höchl. würdet preisen.

(253) Die gedruckt und untersetzt,
Lang gehälßt und frey geschätzt,
Und zum Dritten nicht verschoben:
Die gewölbt an Baüchern seyn,
Pflegt man bey uns ingemein
Nach der Schlacht und Zucht zu loben.

Meine Feld in par und par
Wolt ich dann von Jahr auf Jahr,
Wenn man Haber sät, belegen.
Ja ich machte Wand umb Wand
Jeder Mutter ihren Stand,
Ihrer recht und wol zu pflegen.

Den Beschäller sucht ich mir
Unter hundert Pferden für,
Solt ich meinen Bock verschällen,
Dieses Thier müst als ein Bild
Eines Mahlers seyn erfüllt,
Dem kein Mangel auszustellen.

Wol gelöst und wolgebaut,
Wie man Hengst aus Naples schaut,
Lang am Halse, kurtz an Ohren:
Dürr am Haupt, an Augen groß,
Voller Feuer wann er bloß
Und vor ihm die Stutt erkohren.

Darnach wolt ich Füllen ziehn,
Die mir, würd ich mich bemühn,
Lust und Heller solten bringen:

---

(294) 26. Naple /

Macht ich ie den Gatter auf,
Würden sie in Sprung und Lauff
Edler als die Hirsche springen.

Diese dienten in den Zug, (254)
Jen in Wettlauff, jen in Pflug,
Und darnach sie sonst gefallen.
Welche gehn durch Stein und Glut,
Voller Hertz und voller Muth
Sucht ich selber aufzustallen.

Wann die Laden zaunrecht stehn,
Und die Schultern sich erhöhn:
Wann sich Brüst und Mähnen breiten,
Wann sie Mann und Sattel fühln,
Und am Mundstück eifrig spieln,
Wolt ich sie zur Schulen reiten.

Pferde voll behertzter Pein
Wollen wie die Deutschen seyn,
Halb befreyt, und halb bezwungen:
Wer auf ihre Sitten geht,
Und die Zaümung recht versteht,
Dem ist mancher Riet gelungen.

Fleissig wolt ich ieden Ritt
In dem Drab und in dem Schritt
Auf die Fehler Achtung geben:
Denn es muß auf seiner Bahn
Miteinander Roß und Mann
Sich behalten, sich erheben.

Mir gefällt ein Reuter nicht,
Der nicht gleichsam angepicht
Kertzen grade weiß zu sitzen:
Dem der Hengst nicht zwischen Sporn
Alles macht, was er erkohrn,
Sonder Keichen, sonder schwitzen.

---

(295) (296)

(255) Glaübt ein Pferd, das hört und merckt,
Wenn man Faüst und Schenckel stärckt,
Wenn man Rutt und Mund läst schallen.
Welcher Hüff und Zügel weiß,
Diesem wird es durch den Kreiß
Gleich in Würff und Springe fallen.

An dem Hause fortzugehn,
Würden Küh an Ketten stehn,
Wie uns Holland pflegt zu schicken:
Auf die nicht in ihrer Art
Umb ein iede Kann und Farth
Solt ein böses Auge blicken.

Phyllis froh und reich zu seyn,
Würde nach des Monden Schein
Gantze Töpp voll Butter legen:
Würde nicht zu heiß noch kalt
Matten laben dergestalt,
Und der Käß und Quärge pflegen.

An der Seite sonder Müh
Hielten wir das gelde Vieh
Untern abgewöhnten Kalben:
Und wo bleibet Nutz und Zucht,
Wenn ein Wirth nichts anders sucht?
Güttern mangelt allenthalben.

Geht es doch nach langer Ruh
Auch so untern Menschen zu:
Einer muß dem andern raümen.
Darumb, wil er Schaden fliehn,
Sol der Wirth im Aufferziehn
Weder Tag noch Jahr versaümen.

(256) Wo ein Land noch volckreich ist,
Hat ein Pilgrim bald erkiest,
Daß da Ruh und Eintracht walten:

---

(297) 29. Muß /

Also, wo von Zucht auf Zucht
Jedes Vieh die Mehrung sucht,
Ist ein Wirth auch hochzuhalten.

Wann die Leyer stieg empor,
Trieben wir die Heerde vor,
Oder zwischen Frauen Tagen:
Also fällt in Mayen Schein
Ihre beste Nutzung ein,
Wenn sie sich nicht früher jagen.

Einen Bremmer les ich aus
Umb den Kopff voll Grim und Graus,
Dem die Gurgel hängt an Knien:
Stirn und Ohren, Schwantz und Schos
Dick gehärt und alles groß,
Der voll Eyfer pflegt zu glüen.

Liebste Phyllis, mercket drauff,
Itzt mach ich den Schaffstall auf:
Gegen Morgen müst er stehen:
Dieses Vieh, im Fall es gut,
Ist der Wirthschafft Hertz und Blut,
Daraus Seel und Leben gehen.

Alles sagt hie Heller an:
Käs? Es kaufft sie iedermann,
Wolle? Zweymal könt ihr scheeren.
Saügling? Jeder ist sie gern,
Schepse? Diese zahln den Kern,
Zahln den Stam̃ euch nach Begehren.

Und wo bleibt der goldne Fuß, (257)
Drauf ja nichts als Weitzen muß
In gedüngtem Felde stehen?
Wo die Kälber und die Schaar,
Welche heißt von Jahr auf Jahr
Auf den Marckt die Alten gehen?

---

(298) 22. hier /

Triebe man ie Stamm Vieh zu,
Phyllis, hätt ich keine Ruh,
Bis ich etwas aufgehaben:
Welche lang an Seiten seyn,
Zart am Haar, am Leibe rein,
Solche müsten mit mir draben.

Durch die Hitz und durch den Frost,
Dieses wäre meine Lust,
Wolt ich sie vollauff bewirthen.
Steinsaltz, ihre Feld Artzney
Legt ich ihren Rauffen bey,
Als ein Ausbund untern Hirten.

Wo die magern Hügel stehn,
Wolt ich hinter ihnen gehn,
Und bekleete Rasen suchen.
Fette Weid ist Todt und Gifft,
Böse Lebern gibt die Trifft,
Wo der Hahn Fuß vorgebrochen.

Früh, indem der Thau vorbey,
Mein ich, daß es rathsam sey
Allzeit Sonnen ab zu traiben.
Wann der Mittag abwerts zielt,
Biß es tämmert, bis es kühlt,
Wolt' ich auf dem Felde bleiben.

(258) Wolle nähm' ich ihnen zwar,
Aber, daß sie auf ein Jahr
Solche könten zwier gewähren:
Wer die Scheere täglich wetzt,
Jeden Monath sie besetzt,
Dürffte Land und Stand verscheeren.

In die Hurten schlüg ich ein
Mehr nicht, als zu wintern seyn,
Also müsten sie gedeyen.

---

(299) 11. ihrem / 23. dem̄ert / **(300)**

Für dem Wolfe stünd ich hie,
Wäre selbst kein Wolff, der sie
Wollt' aus Furcht und List zustreuen.

Wenn Arcturus niederfält,
Der da untern Bauern hält,
Ließ ich sie zum Dreschen draben.
Keines bliebe geld und leer,
Wann die Viertel ihre Steer,
Ihre Widder würden haben.

Diese müsten starck und rein
Voller Woll und Lenden seyn,
Hoch an Hälsen, breit an Ohren:
Fleck an Zungen duld ich nicht,
Denn so farbet, wie man spricht,
Was nach Ihnen wird gebohren.

Würden dann die Tage hin
Hundert und noch Funfftzig ziehn,
Da fieng alles an zu lammen:
Lämmer um die Weid und Bach,
Trüg ich ihren Müttern nach,
Fleissig hielt' ich sie zusammen.

Also wüchs in kurtzen mir (259)
Eine neue Heerde für,
Lustig würden sie sich schwingen,
Lustig, trieb ich Abends ein,
Würden sie, darnach sie schreyn,
Gegen ihren Müttern springen.

Ramler hätt' ich auserkiest,
Andre, wenn das Leuchten ist,
Müsten Säck und Beutel lassen:
Wann sie weisser noch als Schnee,
Leuchten durch den grünen Klee,
Was ist schöners abzufassen?

/ **(301)**

Was ist freyer anzusehn,
Suchten wir uns umbzudrehn,
Als die Art der leichten Ziegen?
Wann hie, wo ihr Ort und Stall
Umb die Mutter wie ein Ball
Junge Ziegel würden fliegen.

Die am Halse Glocken rührn,
Eyter wie die Flaschen führn,
Wolt' ich zu der Zucht erwehlen.
Ihre Huttung muß umb Stein
Und um Straüch und Hecken seyn,
Welche sie zu Tode scheelen.

Laub und Gras vertirbt und fällt,
Da, wo unser Lands Knecht hält,
So auch, wo die Ziegen schreiten:
Herren, welche Krieg erkohrn,
Haben offt ihr Land verlohrn,
Wirth ihr Gutt, die sie nicht leiten.

Wilder als ein Krieges Mann
Würd ihr Wirth auf offner Bahn
Aus verwirrten Loden sehen:
Krümmer würd er als ein Seil
Seinen Schwantz, das Hintertheil
Mitten untern Weibern drehen.

Solt ein andrer vor ihm stehn,
Einen Ehbruch zu begehn,
Würden sie einander putzen.
Würden sie die Hörner rührn,
Ihre Sachen auszuführn,
Und auf Leib und Leben stutzen.

Nu die Schwein umb ihren Plan
Gruntzten neue Koben an,
Von der Erden was erhaben:

---

4. Art / 6. Ziegle / 10. Hüttung / (302)

Ihre Hoffstadt müste rein
Durch und durch gepflastert seyn,
Weil sie wühlen, weil sie graben.

Solt' ich Fleisch, und Speck und Schmeer
Untern Bäncken holen her?
Nein? Der Rauchfang möchte stincken:
Fauler, sprich dein Landgut an,
Besser, als kein Metzger kan,
Gibt es Schultern, Würst und Schincken.

Denckt, im Opffer geht dis Thier
Isis ihren Ochsen für.
So ward Ceres angesprochen:
So ward zwischen Band und Pflicht
Vor der Götter Angesicht
Ein geschnittner Burg erstochen.

Als die Braüte musten hin (261)
Neben ihren Braütgam knien,
Schwein auf ihr Verlöbnüs schlachten:
Dann der Ort, der hieß ein Schwein,
Wo die Weiber Weiber seyn,
Welcher Brauch nicht schlecht zu achten.

Wer hat nicht zu Rom gehört,
Wie die Rantze ward verehrt,
Die Aeneas auffgezogen:
Ihre Priester zeigten sie
Mit den dreissig Fackeln nie,
Biß sie Schuld und Am̃t bewogen.

Weiter lob ich sie nu nicht,
Biß sie werden voller Pflicht
Bey mir in der Pfütze liegen:
Biß ich eine grosse Wurst
In der Schüssel voller Durst
Werd als meinen Feind bekriegen.

---

(303) (304)

Eber hielt ich zu der Schlacht,
Denen Seiten voller Macht
Klaffterlang an Schultern hängen:
Wie das Schwartz Wild auf der Bahn,
Derer feste Borsten man
Muß mit glünden Eisen sengen.

Dorte schertzte par und par
Junger Fercklein gleiche Schaar,
Die noch nicht in Stoppel dürffen:
Andre umb die Lagerstatt
Fressen sich an Muttern satt,
Die nicht unter neunen würffen.

(262) In der Mastung sackt ich ein,
Wo erhabne Koben seyn,
Die in dritten Winter kommen:
Andre lieffen spät und früh,
Biß die Buch und Eiche sie
In den Frey Tisch angenommen.

Endlich hieng ich sie in Rauch,
Wenn sie, wie der Welt Gebrauch,
Nichts als Rauch von sich geblasen.
So vergehn, die sich verwühlt,
Und mit Eyd und Pflicht gespielt,
Wie die Buben mit den Glasen.

Hunde, da wo Thüren gehn,
Würden auf der Wache stehn,
Dieb und Schälcke weg zu bellen:
Wilde, derer starcke Schlacht
Sich an grimme Wölfe macht,
Wollt ich zu den Schaaffen stellen.

Besser doch versorgt ich sie,
Als, die vor verdingte Müh
Viel versprechen, wenig zehlen,

---

11. Frässen / 18. aufgenommen / **(305)**

Derer Diener wieder Pflicht
Nahrung, wann das Lohn gebricht,
Ihren Unterthanen stellen.

Winde, die gefänglich wehrn,
Phyllis, wolt ich auch begehrn,
Manchen Hasen weg zu hetzen:
Brächt ein Paar ich überschrenckt
Übern Klepper hin gehenckt,
Würd' es mich und euch ergötzen.

Phyllis, meine Sorg und Müh, (263)
Dieses wäre Hoff und Vieh,
Welches ich euch zugesungen:
Phyllis, höret unverwand
Des Geflügels seinen Stand,
Das die Hoff Reit überschwungen.

Mitten wolt auf Schnecken Art
Ich der Tauben Haus und Farth
Voller Körb und Nester bauen.
Drüber das erschrockne Heer
Wie die Wellen durch ihr Meer
Vor dem Falcken kom̄t gehauen.

Alle Dächer fliegen hin,
So die Tauben überziehn,
Man erkennte keine Schoben:
Venus, wenn sie sich gestreckt,
Und die Firsten überdeckt,
Würd ihr Vieh zum ersten loben.

Umb die Fenster hier und dar
Sässe bald ein Liebes Paar,
Die so lieblich schnäbeln können:
Bald entstünde dort ein Streit,
Wann sie sich ohn Gall und Neid,
An der Mittags Sonnen sönnen.

---

3. stehlen / (306)

Hier da wachten umb und an
Stund umb Stunde Weib und Mann,
Wann sie übern Eyern sässen:
Dorte würden Tag umb Tag,
Wie es ihre Treu vermag,
Ander ihre Kinder essen.

(264) Heimlich sieht es durch das Haus
Und in allen Winckeln aus,
Wenn sie durcheinander kirren.
Wenn bald hie, bald dort ein Tutzt,
So einander an rockutzt,
In vermischter Ordnung irren.

Aus den Körben nehmen wir
Täglich junge Dißlein für,
Ob die Eltern sehnlich klagen:
Nu das Klagen ist umbsonst,
Weil sie voller Liebesbrunst
Stracks darauf zu Neste tragen.

Aar und Eulen, die sind Feind,
Wie ein Krieger Bürger meint,
Die er sol in Armuth spannen,
Wie er sie bepflocken kan,
Also gehn die Raüber an,
Darum wolt' ich sie verbannen.

Käme dann der stoltze Pfau
In die Gärt' und auf die Au,
Überspiegelt her geflogen:
Würd er nach der Sonnenschein
Schöner angefärbet seyn,
Als ein bunter Regenbogen.

In dem Rade würd er stehn,
Da, wo seine Pfauen gehn,
Sich in vollem Sauß erschüttern:

---

(307) 21. ins / **(308)**

Welche vor den König hin
Ehrerbietig niederknien,
Unter seinen Füssen zittern.

Wann er voller Hitz und Brunst (265)
Ihnen zeiget seine Gunst,
Und viel Ringel ausgegangen:
Wenn er seinen Nachschall hört,
Tritt und schreyt er gantz bethört,
Und bestillet ihr Verlangen.

Drauff so schleicht er ihnen nach
Über Bet' und über Dach,
Wann sie in den Winckeln brütten:
Eyer, kom̄t er ihnen bey,
Bricht und knicket er entzwey,
Darumb müssen sie sich hütten.

Alles Ungeziefer weicht,
So weit ihre Stimme reicht,
Sie vergraben ihre Sachen:
Aus dem Kopffe früh und spat,
Wie sie sonst die Stern Kunst hat,
Können sie Calender machen.

Doch, wenn sie die Sterne drehn,
Und das Pech an Kröhlen sehn,
Lassen sie die Räder sincken:
Folgten ihnen, die voll Schein
Über Menschen wollen seyn,
Würd' es nicht so umb sie stincken.

Hüner scharrten überall,
Durch die Hoffreit um den Stall
Bey den Scheunen, vor den Tennen.
Haüffig, wenn man sie gelockt
Und ein stücke Brod gebrockt,
Kämen Hähne mit den Hennen.

---

(309) 23. Krailen /

(266) Die da glochtzten, müste man
Nach der Ordnung umb und an
In die Stub und Nester setzen.
Jede Tage wolt ich zehln,
Volles Licht dazu erwehln,
Welches wir für glückhafft schätzen.

Phyllis stellte voll Bemühn
Eyer selbst zum Lichte hin,
Biß sie etwas würd erblicken.
Stellte vor die Ohren mir
Ihrer Schaalen harte Thür,
Dran ich hörte Küchlein picken.

Vor dem Gatter umb das Haus
Träte sic die Gluckhenn aus,
Umb die ihre Kinder giengen.
Dorte lieff ein andre zu,
Suchte bey den Schoppen Ruh,
Würde sich ein Falcke schwingen.

Jene perschte, wo ihr Lauff,
Haut und Hals und Federn auf,
Würde mit der Achsel streiten;
Diese würd ihr Haubt erhöhn,
Untern Fenstern stille stehn,
Und sich wehrn auf allen Seiten.

Anderswo, wo Sonnenschein,
Solt' ein andre Mutter seyn,
Hühnlein mit den Flügeln decken.
Die da untern Federn für
Umb die Seiten dar und hier
Die bekielten Köpffe recken.

(267) Würd auf ieden Schwung und Streich,
Da, wo sonst ihr Königreich
Umb den Mist ein Haus Hahn krähen.

---

(310) (311)

Dürfften andre brechen ein,
Alsdann wäre sonder Pein
Eine Fecht Schul anzusehen.

Schlechte Schüler sind es nicht,
Itzund sieht man voller Pflicht
Sie in sichren Lägern liegen:
Itzund stossen sie gestrackt,
Daß es um die Köpffe knackt,
Drüber Haut und Federn fliegen.

Ihre Schnäbel setzen sie
An die Kämm aus gantzer Müh,
Die sie unterm Kampffe schärffen;
Alles zittert, wann aus Macht
Sie einander in der Schlacht
Listig mit dem Leibe werffen.

Ja sie dürffen sich verkehrn,
Sprung und Stoß und Wurff verwehrn,
Mit den Krälen, mit den Füssen:
Keiner giebt dem andern Raum,
Biß er auf den rothen Schaum
Gantz zu Boden wird gerissen.

Endlich schreyt durch Hoff und Haus
Den Triumph der Siegs Herr aus,
Läst den Feind am Platze liegen:
Dieser klagt die Tyranney,
Jenem steht der Heer Zug bey,
Der als König konte siegen.

Wer sich setzt und reibt an Ihn, (268)
Muß gewiß den kürtzern ziehn,
Er wil vor die Freyheit wachen.
Als ihn Petrus selbst gesehn,
Muß er bittre Thränen flehn,
Was wol solt' ein ander machen?

---

18. Krailen / **(312)**

Seitwerts schauen diesen Plan
Die gekappten Hüner an,
Schöner, als wie die Fasanen.
Die vor Schrecken her und hin
Goldgemengte Hälse ziehn,
Durch die Schlacht nicht auffzumahnen.

Hüner voller Krafft und Blut
Aus der Insul Calecuth
Wolt' ich in die Stoppel jagen:
Umb die, der sie übergeht,
Ein gebrüster Vater steht,
In den roth gefärbten Kragen.

Nichts ist weicher als dis Vieh,
Nicht zu spät und nicht zu früh
Müssen sie die Jungen bringen.
Ihre blauen Köpffe stehn,
Wie gedrungne Schlangen gehn,
Wann sie überm Baltzen schlingen.

Phyllis, da vor unser Thür,
Wo der Mayer leuchtet für,
Würden weisse Gänse schiffen.
Biß sie von der nassen Höh
Als die Seegel auf der See
Wieder in die Hafen lieffen.

(269) Doppelt könnet ihr dahin
Auff die Feder Erndte ziehn,
Einen Bettsack aufzuschwellen:
Welches man im Winter macht,
Und die Nachbarn auf die Nacht
Pflegt zum schleissen zu bestellen.

Wann es regnet, wann es blitzt,
Muß die Gans die untern sitzt,
Alle von dem Anger jagen.

---

(313) 20. Meyer / **(314)**

Denn die Jungen sind so zart,
Welcher Fleiß und Aufsicht spart,
Wird sie nicht zu Marckte tragen.

Die da Schreibe Federn führn,
Die da sanffte Bette rührn,
Mögen unter ihnen bleiben.
Mögen lesen diesen Gruß,
Den des Gänsers breiter Fuß
In die Pfütze pflegt zu schreiben.

Ob wir Deutschen Gänse seyn,
Dennoch wil itzt keine schreyn,
Unser Rom glim̄t voller Waffen.
Ob die Feind uns greiffen an,
Dennoch wil itzt iedermann,
Sich zu tod am Leben schlaffen.

Enten müsten nach und nach
Umb den Wall und auf der Bach
Plätschern, rudern, quäckern, schnadern:
Müsten in die Wette hin
Stürtzen, tauchen, portzeln, ziehn,
Untern Schwimmern, untern Badern.

Jede schweigt und ist bemüht,
Daß sie eine Kreß ersieht,
Keine wil die andre freyen.
Aber, wann sie sich bedrehn,
Den erhitzten Entrich sehn,
Klingt es, gehet es an ein Schreyen.

Alles heißt: Quack, quack, tack, tack,
Jede kriegt, so viel sie mag,
Drauf begeusst er seinen Rücken.
Und der Schatten in der Bach
Macht ihm unten alles nach,
Der ihm wil entgegen blicken.

---

19. Wellen / 27. geht / **(315)**

Durch den Schilff und um das Rohr
Schüssen volle Nester vor,
Die noch halb in Schalen schwimmen:
Untern Linsen hier und dar
Nähme niemand ihrer wahr,
Hörte man nicht ihre Stimmen.

Alte Weiber sind wie die,
Ihre Maüler wollen sie
Auch in allen Lachen haben:
Ihnen folgt ein Saumañ nach,
Der in Bacchus seiner Bach
Sich auch täglich läst begraben.

Einen Uhu spinnt ich ein
Vor der Thür, wo Linden seyn,
Einen Haus Gott dieser Sachen:
Uhu wachen vor das Haus,
Uhu schreyen Feuer aus,
Uhu können Wetter machen.

(271) Und was zu besondrer Lust
Uns mehr würde seyn bewust,
Umb das Erlicht an Phasanen:
Umb das Haus an bunter Zier
Türckscher Enten dar und hier,
Umb den Wall an Märckschen Schwänen.

Phyllis, dieses würd allein
Eures Reiches Herrschafft seyn,
Über Cronen zu erheben:
Phyllis, daß und mich darzu
Würd ich eurer Müh und Ruh
Meine Köngen, übergeben.

Bisher hab ich Hoff und Haus
Als ein Wirth gebauet aus,
Als ein Wirth besetzt in Ställen:

---

(316) 21. Fasanen / 24. Schwanen. /

Alles krübelt dar und hier,
Nichts nicht mangelt mehr, als Ihr,
Ihr solt Haus und Hoff bestellen.

Phyllis, sonder euren Schein
Wird mein Arbeit finster seyn:
Ihr gebt allen Licht und Leben.
Nun wir wollen voller Ruh
Unser Vorwerck machen zu,
Und uns vor das Thor begeben.

Liebstes Maüschin kom̄et her,
Lasst uns inner Liebs Beschwer
Etwas vor die Hoffstadt gehen,
Wohin ihr euch werdet kehrn,
Allda sollen nach Begehrn
Umb und umb die Gärte stehen.

Einen Garten, wie ich kan, (272)
Wollt' ich selber legen an,
Seine Felder Bleyrecht messen:
Wo da, wolt ich Gänge ziehn,
Pflaumen untern Kirschen blühn,
Keines Winckels nicht vergessen.

Phyllis, dorte würdet ihr
Aber in noch schöner Zier
Mitten untern Blumen gehen:
Welche Morgends voller Thau,
Roth und gelbe, weiß und blau
Auf den grünen Stielgen stehen.

Schöner als der Venus Schos,
Läge sie gleich nackt und bloß,
Seht' die Purpur Ros entsprissen,
Seht den Kelch als Nabel stehn,
Seht als Haar die Blätter gehn,
Seht den Thau wie Tropffen flüssen.

---

(317)

Hier ist, wie verliebte seyn,
Der Viole bleicher Schein,
Scheint vor Liebe sich zu sehnen.
Hier, da steht ein Moh Haupt auf,
Fängt zugleich (es ist ihr Lauff)
Schläffrich wieder an zu gehnen.

Dorte blickt in voller Zier
Eine Kayser Crone für,
Streut den Scharlach durch den Garten:
Dorte stünd auf seiner Bahn
Die gemahlte Tulipan,
In noch mehr als funfftzig Arten.

(273) Umb das goldne Tausendschön
Würden meine Gärtnern stehn,
Tausend schöner sich erzeigen:
Und Narcissus seine Zier,
Als ersaüfft' er sich vor Ihr,
Würde sich zur Erde neigen.

Majoran und Salben Kraut
Hoher Liljen weisse Haut,
Agley unter den Melissen:
Raute, Fenchel, Wegewarth,
Andre Kraüter frembder Art,
Müsten iede Bethe schliessen.

Phyllis, ja es ist wol wahr,
Aller dieser Blumen Schaar
Ist ja hoch und werth zu schätzen:
Ist ja wie ein Paradeiß,
Ihres Frühlings höchster Preiß
In das schönste Feld zu setzen.

Aber Kind, verzeih es mir,
Es wird Eures Nahmens Zier
Über alle Blumen gehen.

---

(318) 10. ihrer Bahn / 14. Würde / 20. Lilgen / **(319)**

Untern Reimen voller Blühn,
Die ich setzte neben hin,
Müste meine Phyllis stehen.

Mitten legt' ich auf der Bahn
Einen Sonnen Zeiger an,
Nach dem Schatten abgenommen.
Gäng und Felder solten hier
Bey dem Weiser, bey der Thür
Unvermerckt zusammen kommen.

Was ein jede Blume sagt, (274)
Würd' ich auch, wenn ihr mich fragt,
Phyllis, Aus der Farbe zeigen,
Und nach Kirschen voller Blut
Wolt' ich euch zu Lieb und Gut
Auf geflochtne Baüme steigen.

Phyllis, mein Gelück und Heil,
Unsers Gartens andre Theil,
Wolt' ich mit dem Wasser zieren.
Die vergläßte Feuchtigkeit
Wollt' ich durch mein Angelscheid
Wie durch einen Irrgang führen.

Hülffe die Natur dazu,
Wolt' ich meine Sorg und Ruh,
Eine kühle Grotte machen.
Schneckte sich ein holer Stein
Etwa dort im Winckel ein,
Schickt' es sich zu diesen Sachen.

Venus würde niederknien,
Stiegt ihr in die Muschel hin
Euch zu waschen, euch zu baden.
Phoebus selber brächte nicht
Weder Schein, noch Strahl, noch Licht
Durch der Straüche Fensterladen.

---

(320) 22. Natur zu / 26. in Winckel /

Niemand schaut in Lust und Ruh
Euch, als nackte Bilder zu,
Welch' aus allen Winckeln spritzen:
Welch euch, doch nach euer Hand,
Alle Strömle zugewand,
Da wo ihr nur würdet sitzen.

Kein Actæon dürffte nicht
Sein vorwitziges Gesicht
Auf euch durch ein Ritzgen wagen:
Solt' er nur ein Fleckgen sehn,
Würd' er müssen gehn und flehn,
Würd' er müssen Hörner tragen.

Aussen stünden vor der Thür,
Lehnten sich an Seiten für
Unsre Traubenvolle Reben.
Und die andern würden stehn,
Wo wir um den Garten gehn,
Auf der Ulmen Achseln kleben.

Wann der Bast ihr' Armen zwickt,
Lieblich an die Aeste drückt,
Wollen sie für Freude weinen.
Tropffen, die wie Silber blühn,
Sehen wir im Süssen ziehn,
Aus den trucknen Augen scheinen.

Ihre Rähmen greiffen an,
Hälsen ihren lieben Mann,
Zeigen erstlich rothe Beeren.
Endlich pausen sie sich auf,
Daß sie täglich auf den Kauff,
Auf die Schaalen zu gewähren.

Einen Steinwurff kaum davon
Würd euch euer Coridon
Einen Morgen fertig machen.

---

(321) (322)

Drein zustreuen, wie man sol,
Zwiebeln, Knoblauch, Kraut und Kohl,
Unsers Weichbilds andre Sachen.

Gurcken, Spargel und Sallat, (276)
Alles, was die Küche hat,
Melden, Mähren, Schoten, Bonen.
Und vor allen schnitt' ich ein,
Wo die geilsten Bete seyn,
Eine Seite zu Melonen.

Artischocken ließ ich nicht,
Wann Gefröst und Wetter bricht,
Im Gewölb und Keller stehen:
Feigen trüg' ich auch herfür,
Zeigte sie der Sonnen Zier,
Wann sie höher würde gehen.

Umb die Gänge setzt ich fein
Die gemahlte Krüge ein,
Die holdseelig Anemonen:
Der geflochtnen Pforten Thür
Spielte herrl. dar und hier
Mit Pomrantzen und Citronen.

Ja ich wolte weiter schaun
Einen Obestgarten baun,
Welchen Baüme solten zieren.
Nach der Schnuren Armen an
Unter der gewölbten Bahn
Wolt ich meine Phyllis führen.

Wann der Schnee von Bergen rinnt,
Käme dann ein weicher Wind
Feld und Auen aufzuschlüssen:
Mit der Schauffel würd ich hin
Rüstig als ein Gärtner ziehn:
Baüm umgraben, Stām, umgiessen.

---

8. geilste **(323)**

(277) Daß die Düngung umb und an
Auf die Wurtzel siefern kan,
Wolt' ich sie vom Gras entkleiden:
Raupen, spinnten sie sich ein,
Wann sie todt in Nestern seyn,
Wolt' ich von den Gipffeln schneiden.

Stieffte sucht' ich hier und dar
Und gebrochner Reiser Schaar,
Wolt ich in die Stämme pflecken.
Schnaten peltzen sich denn gut,
Wann wir sehn des Monden Glut
Unter unser Erden stecken.

Birnen, die so gut als Wein,
Aepffel, die von Borschdorff seyn,
Mispeln, Pfirschken und Morellen:
Pergamuten nach der Farth,
Paradieser schöner Art
Wolt' ich euch vor Augen stellen.

Und im Fall ein neuer Baum
Unter sich umb seinen Raum
Einzuzapffen wil beginnen:
Wenn er nicht verwurtzeln kan,
Legt' ich Ziegel unten an,
Bessern Umgang zu gewinnen.

Heilen wolt' ich ieden Stifft,
Streuten ie ihr kaltes Gifft
Krebs und Nattern, Frösch und Gallen:
Jede Kranckheit müste ziehn,
Wenn ich auf die Wunden hin
Mein Gekötte liesse fallen.

(278) Einen Platz hätt' ich erkiest,
Wo es warm und windstill ist,
Welchem Hybla müste weichen:

Einen Garten baut' ich an,
Wo die Imme wohnen kan,
In getheilten Königreichen.

Würd' iemand vorüber gehn,
Säh' er volle Gassen stehn,
Mitten in erbauten Städten:
Da die Kunst und die Vernunfft
Diese Bürger, diese Zunfft
Heisset Pflicht und Am̄t vertreten.

Umb die Gegend müst es rein,
Müst es warm und heiter seyn,
Neben bey ein Bächlein rinnen:
Ja ich legte mit der Hand
Stein und Schirben an den Rand,
Weil sie besser trincken können.

Linden wolt' ich aufferziehn,
Die so süß als Honig blühn,
Und ihr eignes Kraut, Melissen,
Rosensträüch als ihren Zaun
Wolt ich um die Stöcke baun,
Wo sie rauschen, wo sie flüssen.

Keine Spinne dürfft' ihr Rad,
Die viel Fleck am Rücken hat,
An die Stöck und Riegel stricken,
Schwalben, die das Blut besprüht,
Daß man alle Finger sieht,
Wolt' ich in dem Neste nicken.

Bienen voller Glantz und Schein, (279)
Die wie Gold entzündet seyn,
Gleiche Tropffen hinten weisen:
Die nicht voller Staub und Thau,
Nicht am Leibe rauch und grau,
Diese sind voraus zu preisen.

---

(325) (326)

Auf den Frühling, wie es Brauch,
Gieng ich mit dem Topff voll Rauch
Ihre Kammern durchzugraben:
Sehen würd' ich, ob sie Ruh,
Käme mir der Weiser zu,
Oder Zwietracht würden haben.

Offte, wann sie volckreich seyn,
Wann sie andern brechen ein,
Wann sie sich auf Wiesen breiten:
Wann sie frembde Schwärme spührn,
Wann sie sie sich nicht lassen führn,
Werden sie zu Felde streiten.

Ja sie dürffen ingesam̄t
Wieder Schuld und Pflicht und Am̄t,
Einen neuen König suchen:
Alle Völcker ziehen auf,
Wo ihr Samel Platz und Lauff,
Wann der Feldherr aufgebrochen.

Hertz und Waffen sieht man glühn,
Wann sie voller Ordnung ziehn,
Und der Angrieff ausgeblasen:
Lermen wird dann in der Lufft,
Alles sum̄et, stürmt und pufft,
Keine wil zur letzte rasen.

(280) Wie da, wo die Völcker stehn,
Helle Kessel Paucken gehn,
So wil sich dis Heer erwecken:
So wil voller Zorn und Pein
Jeder umb den König seyn,
Ihren Hals vor seinen recken.

Wie der Hagel rauscht und kracht,
Also liegt es nach der Schlacht,
Auff der Wallstat voller Leichen:

---

2. Topp / (327) 24. zuletzte /

Solcher Muth ist hie zu sehn,
Aber solt' es mir geschehn,
Wolt' ich sie alsbald vergleichen.

Asche brächte sie zur Ruh,
Die ich wolte Himmel zu
Als ihr Unterhändler werffen:
Würffe sie doch iemand hin,
Daß der Friede könte blühn,
Wo die Deutschen Waffen schärffen!

Denn der Rauch hüllt alles ein,
Unterm Rauche voller Schein
Wolt' Aeneas offte gehen.
Rauch ist aller Menschen Wahn,
Welcher Rauch gebrauchen kan,
Wird bey uns am längsten stehen.

Nun den Frieden zu vollziehn,
Stieß ich diesen König hin,
Der den Auffruhr angehaben.
Und dem andern voller Ruh
Schwärmten beyde Läger zu,
Wann der Wütterich begraben.

Führten sie voll Pracht und Schein (281)
Ihren Alten König ein,
Würd' er auf dem Throne sitzen:
Ja zu Hofe stellte man
Alle Dienst und Wachen an,
Ihn zu ehren, ihn zu schützen.

Dieser leschte Haß und List,
Welcher neue Reiche frist,
Gütt' und Gnade ließ er walten.
Würde Kriegen zu entgehn,
Lieber sonder Stachel stehn,
Als die quäln, die ihn erhalten.

---

7. niemand / (328) (329)

Welche Thrön auf Thrönen baun,
Mehr nach Blut als Langmuth schaun,
Wieder Recht die Stöcke füllen:
Welche Haüser überziehn,
Durch die ihre Kronen blühn,
Muß zuletzt ein Auffruhr stillen.

Und fürwahr es ist nicht schlecht,
Wenn ich wil ihr Bürgerrecht,
Ihr Gesetz und Werck bedencken:
Schaut, wie sie in Ruh und Streit
Sich zu ihrer Obrigkeit
Als zu ihrer Sonne lencken.

Wenn der König etwas schafft,
Rüsten sie sich voller Krafft,
Schützen ihn als ihren Herren:
Lebt er? So ist alles gut.
Stirbt er? Dann entfält der Muth.
Jede sucht sich einzusperren.

(282) Doch ihr Weiser stirbet nicht,
Weil sie ihn voll treuer Pflicht
Aus der Asche bald erwecken:
Daß es wahr und auch geschehn,
Ließ mich jener Bien Mann sehn,
Mitten unter seinen Stöcken.

Jede Beutte bringt und trägt,
Was der König angelegt,
Jede wil Genad erwerben:
Alle liefern sonder Pein
Ihre Schuld und Steuer ein,
Sollen sie vor Hunger sterben.

Welcher wil es nicht gestehn,
Daß sie untern Musen gehn,
Daß sie wie die Götter leben:

---

(330)

Aller Götter Kost ist ja
Nectar und Ambrosia,
Welches sie uns würden geben.

Abends, wer es warm und klar,
Würden Bienen hier und dar
Um den Stock als Trauben reiffen:
Morgends, blieb es klar und warm,
Würd ich einen jungen Schwarm
Von den nechsten Aestlein streiffen.

Wann sie aus dem Läger hin
Wie in einer Wolcke ziehn,
Wollen sie in Ringeln steigen:
Aber, wann mein Becken schwirrt,
Hätten sie sich gleich verirrt,
Müsten sie sich runter neigen.

Phyllis, daß ihr dieser Schaar (283)
Besser könnet nehmen wahr,
Wolt' ich einen Bienstock bauen.
Scheiben wolt' ich setzen ein,
Daß ihr durch derselben Schein
Ihre Werckstadt köntet schauen.

Sie erhalten mit Verstand
Ihr geliebtes Vaterland,
Sind gehorsam Unterthanen:
Ihr Gesetze, Recht und Pflicht
Übertrit' euch keine nicht,
Keine läst sich anermahnen.

Dieses Thier fleucht ohne Ruh
/: Die Gemeine gibt es zu :/
Untern Blumen sich zu speisen.
Dieses Thier, das zimmern kan,
Richtet ihre Haüser an,
Nach dem Bley und Winckel Eisen.

---

4. wär / (331)

Wann sie, sieht es künstlich aus,
Ihre Keller und ihr Haus
Also in sechs Angel schlüssen:
Wann sie ihre Giebel ziern,
Und von Wachse Mauern führn,
Das die Bauleut' eintzig wissen.

Andre, was ihr Am̄t vermag,
Tragen Brütt den gantzen Tag,
Draus sie ihre Kinder bauen:
Andre legen Honig ein,
Braün der Götter süssen Wein,
Den die vollen Höslein thauen.

(284) Ihrer viele müssen hin
Auf die Wach und Kundschafft ziehn,
Oder andern helffen tragen,
Oder nach dem Wetter hörn,
Oder, wann sie sie verstörn,
Hummeln von dem Stocke schlagen.

Wenn sie auf die Abend Ruh
Stock und Kam̄ern schliessen zu,
Brum̄t und sum̄t es auf den Wegen:
Aber, wann die Losung köm̄t,
Die der König gibt und nim̄t,
Müssen sie sich schlaffen legen.

Alle diese Kunst und Pflicht
Werdet ihr als wie ein Licht,
Phyllis, durch die Fenster schauen:
Wolten doch, die Treu erwehln,
So gehorchen, so befehln,
Und nicht alles Waffen trauen.

Weil wir in den Gärten seyn,
Phyllis, fält mir weiter ein,
Was ihr werdet wollen haben.

---

(332)

Auf der Bleiche, wo man geußt,
Wo die Bach vorüber fleust,
Solt' ich Tümpel lassen graben.

Hie, wird keine Müh gespart,
Dieses ist des Landes Art:
Nehn und Säen ist unser Leben,
Leinwand, so weit umb und an
Holland sehn und seegeln kan,
Müssen unser Achsen geben.

Weil es eure Wirthschafft ist, (285)
Phyllis, hab ich auserkiest,
Hie den Handel zu bemahlen:
Hie zu singen, was es sey,
Etlich Ellen legen bey,
Ehe sie die Leute zahlen.

Pallas, so die Kunst erdacht,
Und zu eigen uns vermacht,
Wird mich, hoff ich, hie vertreten;
Wird die Sünde, daß ich sie
Also offt und viel bemüh,
Umb das liebe Kind verbeten.

Aber ich wil ohn Bemühn
Kurtz und gleichsam obenhin
Diese Saat und Erndt erzehlen:
Ich wil, meine zu besehn,
Wie und wann sie sol geschehn,
Ihre Wirthschafft Gott befehlen.

Wann der Herbst die Tage kürtzt,
Und der Bauer Aecker stürtzt,
Wolt' ich auch das Leinland wenden:
Tieffer, als man sonsten pflegt,
Wo es Erd und Boden trägt,
Must ich Schaar und Säge lenden.

---

(333) 6. Sän / 9. Axen / **(334)** 33. Müst /

Eh es flam̄et, bäckt und eißt,
Und des Winters Harnisch gleißt,
Wolt ich seine Wiege düngen:
Bett auf Betten vor den Lein
Müssen aufgeschüttelt seyn,
Müssen ihn zum Schieben bringen.

(286) Wenn die Erde Lufft beköm̄t,
Und die Pflugschaar an sich nim̄t,
Solt' ich mit den Hocken fahren:
Wenn die Faülung und der Mist
Sich durch mürbe Schollen frist,
Ist noch Müh, noch Zeit zu sparen.

Wär es, wie man fleissig pflegt,
Tennengleichen überegt,
Wolt' ich es der Ruh befehlen.
Daß es glatt und eben sey.
Ließ ich es viel Striche frey
Durch der Zincken Kämme strählen.

Wann der Acker wird gebaut,
Und auf Pflug und Furche graut,
Ist er voller Krafft und Leben.
Wann es still und heimlich ist,
Und ein Strich noch wird erkiest,
Ist die Saat Zeit anzuheben.

Phyllis, Euch zu Lieb und Lust,
Wolt ich ihn von meiner Brust
Selber in die Erde streuen.
Wolt' ich (es muß früh geschehn)
Frühen und auch späten sän,
Drüber ihr euch würdet freuen.

Seid und Heidrich ist sein Gifft,
Wer auf solchen Samen trifft,
Hat Gewinn und Müh verlohren.

---

12. nicht Müh / (335) 17. Straüche / 29. säan /

Ob der Boden, zieht es bey,
Niedrig oder bergicht sey,
Haben Wirthin auserkohren.

Wann ich Ihn zur Ruh gelegt, (287)
Eingewieget, eingeegt,
Auf den Angel gleichen Bethen:
Wann ich Furchen, die man fährt,
Ausgeschorren, ausgekehrt,
Müsset ihr ihn offte jäten.

Würd er denn im Vorbeygehn
Grüner als die Raute stehn,
Und in unser Augen lachen:
Würd er gutes Wetter spührn,
Köntet ihr die Hoffnung führn,
Köntet ihr die Rechnung machen.

Dorte, wenn Augustus geußt,
Und die Sonnen Erndte schleußt,
Liessen wir ihn trucken rauffen:
Liessen wir ihn Furchen hin
In die erste Röstung ziehn,
Da die Knotten nicht ersauffen.

Wär' er dann durch eure Hand,
Offt und vielmahl umgewand,
Fienge man ihn an zu binden:
Zwackte man ihm Haar und Haupt,
Wo die Rüffeln sind geschraubt,
Die den Saamen wieder finden.

Was die andre Röstung sey,
Fällt nicht einem ieden bey,
Die Erfahrung muß es machen.
Sie wil Regen oder Bach,
Daß der Bast nicht gebe nach,
Da ist manche Nacht zu wachen.

---

2. Niedrich / **(336)** 10. Würd er im Vorübergehn / 18. trocken / **(337)**

(288) Wann er Lufft und Sonn erkiest,
Und darauff gebüßlet ist,
Müst ihr ihn in Ofen heben.
Aber daß es umb und an,
Fest und wol sey zugethan,
Sonsten dürfft es Feuer geben.

Endlich, wenn im Bey vorgehn,
Weiber bey den Brechen stehn,
Pflegen sie die Frucht zu loben:
Wann er gut und härdricht bleibt,
Und sich weich vom Baste schreibt,
Binden sie die besten Kloben.

Mütter nach der Ordnung hin,
Die ihn durch die Hechel ziehn,
Würden ihren Kopff verbinden:
Werck das schütteln ander aus,
Andre machen Wicklein draus,
Andre sieht man Kauten winden.

Phyllis, käme sie es an,
Solte, wie sie freundlich kan,
Mir die Rocken faul ertheilen.
Solte, wo die Spillen schwirrn,
Wie ein Turtel Taüblein kirrn,
Und zum Feyer Abend eilen.

Schöner als Minerva kan,
Dinner als Arachne span,
Weicher als die Seres drehen,
Freyer, als es Tag und Nacht
Unsers Lebens Spinrin macht,
Würd' ich ihre Faden sehen.

(289) Wenn die Schaar beym Ofen sitzt,
Spinnet, weiffet, strähnt und fietzt,
Können sie viel Mährlein sagen:

---

(338) 32. fitzt /

Fabeln sind ihr Thun und Ziel,
Rätzel sind ihr Schimpff und Spiel,
Kurtz Weil ist ihr Wolbehagen.

Drauf so must ihr, wie ich weiß,
Einmahl kalt und einmal heiß,
Garn in ihre Baüche stecken:
Völcker, dieses wird gethan,
Eh' als es der Weber kan,
Drauf in sein Geziehe strecken.

Wer bedenckt die schwere Müh,
Wie vielmal es muß allhie
Durch des Meisters Hände gehen:
Wann er in den Stuben sieht,
Wie es voller Arbeit glüht,
Da wo die Gesellen stehen.

Dieses Theil sucht Schlichte vor,
Dieses pfeifft es in das Rohr,
Andre scheelen, andre spulen:
Jenes Theil das baumt es an,
Dieses dreht, so gut es kan,
Alles in gewissen Schulen.

Wann sie es dann überziehn,
Tantzt ihr Schifflein her und hin,
Drauf sie wircken: Drauf sie schlagen:
Drauf sie, wo die Ende seyn,
Ihre Sperr Ruth impffen ein,
Biß die Leinwand abgetragen.

Hätt ich so viel Federn hier, **(290)**
Als der Faden dringen für,
Die des Landes Mägdlein spinnen:
Stünde mir selbst Pallas bey,
Würd ich, was die Arbeit sey,
Dennoch nicht beschreiben können.

---

(339) 20. Jenes dreht / 26. Speer / **(340)**

Also muß man sich bemühn,
Umb ein Hemmet anzuziehn:
Umb ein Stücklein anzusetzen,
Aber, eh auch dis geschehn,
Ist es mehrmal umbzudrehn,
Abzutrucken, einzunetzen.

An der Sand gewaschnen Bach
Müsten Tümpel nach und nach
Die gewürckten Gassen schlüssen:
Mägde müsten spät und früh
Auffgeschürtzt bis an die Knie
Mit den langen Kellen güssen.

Und damit auch Sorgen frey,
Phyllis, dieser Handel sey,
Ließ ich eure Bleich umblancken:
Dorte legt' ich Anger an,
Eine Leinwand volle Bahn
Zwischen den begrünten Schrancken.

Wann es Sonn und Wasser drauf
Ausgekläret auf den Kauff,
Geht es fort auf Mast und Achsen:
Fürst und Kayser legt es an,
Was sie so bekleiden kan,
Sehn wir auf dem Felde wachsen.

(291) Jeder Herr, wie hoch er ist,
Hat zum Kittel es erkiest,
So viel kan er mit sich nehmen:
Alle seine Herrlichkeit
Wird gehüllet in ein Kleid,
Das die Würme drauf verbrämen.

Und wenn der gemeine Mann
Es zu Hadern abgethan:
Wird ein Pulver draus entglommen,

---

2. Hembde / 6. Abzutrocken / 21. Axen / **(341)**

Feuer schlägt die Köchin hier,
Bläst und hält die Hand dafür,
Bis das Licht hervor gekom̄en.

Wann es allen Nutz verlohrn,
Wird der Mist ihm auserkohrn:
Dann muß es den Acker düngen:
Da befeistet es das Feld,
Biß es wieder wird bestellt,
Wieder edlen Flachs muß bringen.

Aber was? wann es so hin,
Fängt sein Ruhm erst an zu blühn,
Wenn es keinen Stich kan halten.
Kom̄t es in des Kaysers Hand,
Wird durch alle Welt bekan̄t,
Must die höchste Stadt verwalten.

Denn da schreyt so sehr er kan,
Häderle, der Lumpen Mann:
Pfeifft die Kinder so zu Hauffen:
Jedes trägt ein Lumple bey,
Die er kan (seht Kramerey)
Vor ein Heller Pfeiffle kauffen.

Dieser machet seine Waar (292)
Der Papier Mühl offenbar,
Da zerhammert man die Flecke:
Stampf umb Stampf und Puff umb Puff,
Eh es so kom̄t in Beruff,
So kom̄t bis zur Sternen Decke.

Wenn es zart zufäsert ist,
Hat der Meister es erkiest,
Der es formt bey seiner Tonne.
Er steht Armen aufgestreifft,
Wenn der Bogen abgeschweifft,
Muß es dann auf Tuch und Sonne.

---

(342) 17. Haderle /

Alle Söller hängen voll,
Da wo man sie trucknen sol,
Sie sind wie mit Schnee befallen:
Denn so geht der Handel an,
Da verkaufft man, wie man kan,
Bogen, Bücher, Risse, Ballen.

Ohne dis besteht kein Rath,
Weder Reich, noch Land u. Stadt,
Seiner kan sich nichts entbrechen:
Jedes Haus wird bepapiert,
Also wird die Welt regiert,
Wie die Dinten Klecker sprechen.

Gehn wir in die Cantzeley,
Sehn wir eine gantze Rey
Schreiber übern Taffeln sitzen:
Händ und Federn ohn Beschwer
Lauffen auf den Bogen her,
Die mit Schwärtze sie besprützen.

(293) Denn so werden Briefe draus
Über Menschen, Gut und Haus,
Menschen, was da Straff u. Gnaden;
Gut: Was Fahrnüß ingemein;
Haus: Was Lehn und Gründe seyn,
Werden dadurch vorgeladen.

Diese werden angesetzt,
Wie der Cantzler sie geschätzt:
Sie sind kaum nicht auszuwägen:
Den die Cantzeley Gebühr
Gehet allen Rechten für,
So die grossen Siegel hegen.

Vorbescheid, Verhör, Gebot,
Nach Gesetzen, welche Gott,
Die Natur und Völcker haben:

---

2. **trocknen** / **(343)** 8. noch Stadt / **(344)**

Kauff u. Lehnbrieff u. Vertrag,
Was da Zunfft und Land vermag,
Werden auf Papier gegraben.

Goldne Bullen hängt man dran,
Ja man schafft draus, wie man kan,
Fürsten, Herren, Edelleute:
Alles, wann es angebracht,
Wird durch Schreiben ausgemacht.
Gibt und trägt die beste Beute.

Ja, wann Herren Kriege führn,
Und das Ziel noch nicht berührn,
Kraut und Loth, und Stück und Spisse:
Denn so giebt ein Tinten Faß,
Feder und Papier das Maas,
Schreibet für die Friedens Schlüsse.

Nehmen wir die Schulen für, (294)
Da gilt nichts als Schreib Papier:
Unser Thun ist lesen, schreiben:
Ist zwey Dutzt Buchstaben hin,
In vermengter Ordnung ziehn,
Ist ein kleckbar Zeitvertreiben.

Nehmt vom ABC in Ruh
Das a e i o und u,
So könt ihr kein Wörtle sprechen,
Ohn die Fünff: O hohes Licht!
Schallen ja die Neunzehn nicht,
Drüber viele Köpffe brechen.

Dennoch werden Bücher draus.
Draus wir in der Erden Haus
Alle Wissenschafften lesen:
Aller Künste gantzes Meer
Komet von IEHOVA her,
Dieses Wort ist voller Wesen.

---

5. schaffet / 22. Nehmt vom ABC...

Lernet, lernet buchstabiern,
Die ihr die Natur wollt ziern,
Sie wolt bauen, sie wolt brechen:
Wolt' der Gnaden Kinder seyn,
Ab Ab B a Ba schreyn,
Drauf von Hertzen Abba sprechen.

Sehn wir unser Fläehslein an,
Das sehr sparsam wachsen kan:
Wunder muß die Welt umbfangen,
Wo so viel Papier her köm̄t,
Daß man so viel Bücher nim̄t,
Seit das Drucken angegangen.

(295) Daß die Schrifft der Seelen Licht,
Artzney unser Leiber Pflicht:
Rechtspruch über unsre Sachen:
Alle Künst in Übung stehn:
Und nicht wie die Zeit vergehn,
Muß ja das Papier bloß machen.

Das Papier ist Ehren Werth,
Jedoch, wird das Blat verkehrt,
Wie hoch es emporgestiegen:
Endlich (so fält aller Pracht)
Wird ein Blat daraus gemacht,
Welches hinten bleibet liegen.

Nun ich kom̄e gar zu weit,
Phyllis, Wunder unser Zeit,
Ich wil dieses Buch beschlüssen:
Ihr seyd mir, o schönste Zier,
Brieff und Siegel und Papier,
Anders wil ich keines wissen.

Phyllis, Euer Am̄t ist hin,
Was nun folgt, sol ich vollziehn:
Ich wil meine Wirthschafft singen,

... bis ... 6. Abba sprechen ... fehlt / **(345) (346)**

Wil mit Kreide schreiben an,
Was ein rechter Wirthschafft Mann
Muß in sein Gehirne bringen.

Unter andern, wann das Gut
Also stünd in ihrer Hut,
Wann die Felder abgemessen:
Wann ein iedes recht bestellt,
Wolt ich, wie es immer fält,
Keines Wechsels nicht vergessen.

Saat und Saamen, Feld und Vieh, (296)
Sehn wir voller Angst und Müh,
Unsers Monden Stand empfinden:
Ja der Mensch, der umb und an
Sonn und Monden meistern kan,
Kan sich nicht davon entbinden.

Daher würd ich nicht allein
Dieser Ding Erforscher seyn,
Die der Erden Eindruck haben:
In den Himmel wolt ich gehn,
Wo die schönen Lichter stehn,
Besser gründ aus ihnen graben.

Diese Kugel, die ihr seht,
Die sich immer wältzt und dreht,
Ist aus einem Stipff entsprossen:
Diese hat des Schöpffers Hand
Durch das zwölffgestirnte Band
Fünffmal Rincken an geschlossen.

Phoebus macht, daß Jahr und Welt
In die gleichen Angel fält,
Durch die drey gevierdte Zeichen:
Nacht und Morgen theilt er ein,
Tag und Abend heisst er seyn,
Wo sich seine Bogen streichen.

(347)

Einer von den Rincken brennt,
Zwey, die man vor Schnee nicht kennt,
Aüsern sich zu beyden Ecken:
Zwischen diesen und der Bahn,
Die ihr Feuer doppeln kan,
Bleiben zwey, wo Menschen stecken.

(297) Diese beyde Winckel nu
Knüpfft der schrieme Thierkreiß zu
Auf der Sonnen Wende Strassen:
Eine schleust des Krebses Thür,
Eine bringt der Steinbock für,
Beyder ist sich anzumassen.

Durch die Kugel geht ein Baum,
Da wo Cembla liegt im Traum
Ist ein Wirbel anzuschauen:
Abwerts, wo der stille Zur
Schleusst die Gräntzen der Natur,
Ist die Achse durchgehauen.

Eine Schraub ohn Untergehn
Sehn wir übern Haüptern stehn,
Eine trifft den Grund der Höllen:
Hie wil jene Schlange hin
Zwischen beyden Bären ziehn,
Die sich scheun vor See und Wellen.

Allda schweigt die lange Nacht,
Oder kom̄t ja voller Pracht
Phoebus nach uns aufgezogen,
Gleichwie, wann der Morgen köm̄t,
Anderswo Diana glim̄t
Unter den gestirnten Bogen.

Dieses ist es, was uns hält,
Was der Weis' erdenckt und stellt,
Was wir unten zu empfinden:

---

(348) 18. Axe /

Daher kan man Saat und Zeit,
Sonn und Arbeit, Wonn und Leid,
Frost und Wind und Thau ergründen.

Also hätt' ich unser Land, (298
Vieh und Leute, Haus und Stand
Stündlich meinem Gott empfohlen:
Also wollt' ich Unterricht
Auf ein iedes Wechsel Licht
Im geneigten Himmel holen.

Allda seh ich über Meer,
Was der klein und grosse Bär
Vor Gewitter könten machen:
Was durch Arctos beyde Bahn
Das Gestirne deutet an,
Vom gewundnen Wasser Drachen.

Wann die Glockhenn in der Lufft
Ihren sieben Keuchlein rufft,
Wil es wie mit Krügen güssen:
Wann der Knecht die Ziege zeigt,
Die ihm auf die Achsel steigt,
Dann ist Aeolus entrissen.

Wo der Bauer Norden hin
Würde mit dem Wagen ziehn,
Wolt' ich iede Nacht erwegen:
Jener Riß auf Süden zu
Zeigte mir in stiller Ruh
Seinen Funckellichten Degen.

Jenes Schwein, das oben glim̄t,
Und umb seinen Steinbock schwim̄t,
Würde mir die Wittrung sagen:
Und der tolle Procyon
Liesse vor des Hagels Thon
Alles Vieh nach Hause schlagen.

---

(349) 11. klein = / 14. deuten kan / 16. Gluckhenn / **(350)** 28. klim̄t /

(299) Hätt' ich auch den Guß erkiest,
Wo die goldne Milch Straß ist,
Würd er mir viel Sachen weisen,
Doch Arcturus blieb allhier
Meiner Wirthschafft Ziel und Thür,
Mein Gezeug, mein Winckel Eisen.

Ob die Stern umb Farb und Schein
Tunckel oder heiter seyn,
Ob die Wolcken ihnen betten:
Ob sie faul und schläffrig gehn,
Daher würd' ich es verstehn,
Was wir vor Gewitter hätten.

Wenn ein Stern vom Himmel fält,
Und die Flamme durch die Welt
Nach ihm wil herunter schissen:
Wann die Sonne striemwerts strahlt,
Und den bunten Bogen mahlt,
Würd' ich bald die Deutung wissen.

Ja, ich wolte mich bemühn,
Und herab in Thier Kreiß ziehn,
Phoebus Zwölffgezelte sehen:
Sieben Fackeln stieg ich nach,
Wo des Himmels zehnte Dach
Sein Beweger würde drehen.

Alle Jahre theilt ich aus,
Schaute, wie des Himmels Haus,
Jeder Viertel würd entwerffen:
Wann der Zeiten erster Schein
Würde durchgerechnet seyn,
Wolt' ich drauf mein Urtheil schärffen.

(300) Unter sieben sucht ich mir
Einen Stern zum Herrscher für,
Würd' er alle Würden haben:

---

(351) 23. zehnde / 27. Jede /

Dieser deutet, wie er kan,
Aller Zeiten Zustand an,
Aus den eingedruckten Gaben.

Phyllis, sprechet ihr mir zu,
Über der bemühten Ruh,
Zeigt ich euch viel Wundersachen:
Durch des schönen Himmels Zelt,
Da wo Sonn und Monden hält,
Wolt' ich euch bekan̄ter machen.

Hier da auf ein schlechtes Blat
Wolt' ich, was der Himmel hat,
Über meinem Tische mahlen:
Aus den Haüsern, wo sie seyn,
Würden voller Glantz und Schein
Grosser Cörper Augen strahlen.

Alles, was sich umb und an,
Durch ein Jahr begeben kan,
Würd' uns eine Stunde sagen:
Wann der Viertheil ihre Ruh
Träffe gleichen Winckeln zu,
Wär ihr Ausschuß abgetragen.

Allhie macht' ich euch bekan̄t,
Was des Kinder Fressers Hand
Durch den Mertzen würd erwürgen:
Was da Jupiter allein
Durch den goldnen Angel Schein
Würd' aus seinem Rachen bürgen.

Ihr erführet es vorhin, (301)
Schauten wir den Martem glühn,
Welches Land er würde plagen:
Was die Wage würd erwehln,
Wie viel (sie sind nicht zu zehln)
Würden Pfand und Schuld vertragen.

---

4. sprächet / **(352)** 26. der / 31. Waage /

Warumb dieser Cörper Schaar
Durcheinander hier und dar
Auff und ab in Circkeln gehen:
Was ihr Lauff, ihr Stand und Licht,
Auf der Erden schafft und bricht,
Würdet ihr mit mir verstehen.

Was der Fackel dieser Welt
Ihren Leib betritt und hält,
Woher ihre Flecke kommen:
Was da die Natur erkiest,
Wann ihr Licht verfinstert ist,
Hätten wir auch wahrgenommen.

Warumb, wann Apollo köm̄t,
Und den Weg in Steinbock nim̄t,
Wir so lange Nächte haben:
Oder warumb Thetys ihn
Länger pfleget aufzuziehn,
Wolt' ich aus der Taffel graben.

Täglich saget er uns wahr,
Ob es dunckel oder klar,
Auf den Morgen dürffte werden:
Was der nasse Sud gedenckt,
Was der Abend gut verhängt,
Zeiget er der Unter Erden.

(302) Morgends, wenn er sich verkreucht,
Durch die Wolcken Wasser zeucht,
Und sich müd und bleich gelegen:
Abends, wann er Brust und Schild
Röthlicht in die Wolcken hüllt,
Setzt es Winde, Schlossen, Regen.

Aber, wenn er als ein Held
Seinen Weg zu lauffen stellt,
Mit dem Köcher, mit dem Bogen:

---

1. Warumb dieser ... bis ... 12. wahrgenommen ... fehlt / **(353)** 29. Röthlich / **(354)**

Wann er gläntzt durch seinen Saal,
Da ist Land, ist Berg und Thal
Mit Ducaten überzogen.

Ja ich träte näher bey,
Schaute, was der Monde sey,
Wo die Hörner her entspringen:
Sein Bezirck ist auch ein Jahr,
Bey ihm blieb ich immerdar
Seine Macht und Krafft zu singen.

Jedes Viertel, Tag und Nacht
Nähm' ich als ein Wirth in acht,
Was, ja wenn u. wie zu bauen:
Alles Wetter dergestalt
Könnt ihr, wenn er jung und alt
Besser als im Spiegel schauen.

Auch des vierdten Tages Licht
Giebet Maß und Unterricht,
Wie die Viertzig wittern werden,
Was die Wandlung wil und kan,
Schaut' ich ihm an Augen an,
Und am Schatten dieser Erden.

Wann er voller Zier und Schein, (303)
Wo die Sternen Täntze seyn,
Übern Latmos würde steigen:
Wann er, wo die Winde gehn,
Würde voller Silber stehn,
Wolt' ich euch viel Wunder zeigen.

Phyllis, ein gelehrtes Glas
Solte droben alles das,
So zur Welt gehöret, weisen:
Berg und Thäler in der Höh,
Sand und Insuln in der See,
Würden Gottes Allmacht preisen.

---

5. Monden / 23. Sterne / **(355)** 30. Was zur Welt /

Dann die Flecke die sind Land,
Lufft und Wasser ist sein Band,
Daher kan sie nichts zutreiben:
Was die feuchte Kugel sey,
Gleich als stünden wir dabey,
Zeigt sich euch durch diese Scheiben.

Ist sie roth, so habt ihr Wind,
Habt ihr, was ein Sturm beginnt:
Ist sie bleich, so habt ihr Regen,
Ist sie weiß und voller Schein,
Ey so wird es heimlich seyn,
Und der Nord sich schlaffen legen.

Jedoch, wann ein kaltes Blut
Schreckte meinen Sinn und Muth,
Daß ich unten müste bleiben:
Wann der Weg vor mich zu weit,
Wollt' ich sonder Eitelkeit
Dieses aus der Erde schreiben.

(304) Dieses grosse Thier die Welt,
Welches alle Ding erhält,
Ist ja voller Geist und Leben:
Es bewegt sich früh und spat,
Wirckt in Abgrund, was es hat,
Was es kan entziehn und geben.

Durch die Tugend seiner Krafft,
Die sich in dem Mittel schafft,
Werden Dämpffe vorgetrieben:
Durch die Lufft erhalten wir
Unser Leben für und für,
Das wir ohne Mittel lieben.

Hagel, Regen, Blitz und Schlos,
Alles kom̄t aus seiner Schos,
Thau und Wind und Donner krachen:

---

(356) 19. der Welt / **(357)**

Welche die Natur verstehn
Und in ihre Schule gehn,
Können draus Calender machen.

Reiffe, da auf Gras und Klee
Sagten, wie viel Frost und Schnee,
Es würd' über Winter geben:
Und ich zehlte voller Ruh
Euch die warmen Stuben zu,
Wie viel Holtz darein zu heben.

Ob die Baüm in ihrer Art
Sich gerammelt, sich gepaart,
Würden jene Nächte lehren:
Wie viel Obst voll Fässer wir
Untern Baümen wältzten für,
Wolt' ich von den Winden hören.

Alles, was die Winde wehn, (305)
Was wir treten, was wir sehn,
Redet nichts als lauter Zeichen:
Die Natur ist (fallt ihr bey)
Voller Lehr und Deuterey,
In den abgetheilten Reichen.

Geht in Garten, Wan̄ zur Zeit
Umb die Straüch' ein Laubfrosch schreyt,
Wann die Amsen Eyer tragen:
Wann die Bien ein Steingen nim̄t,
Und nicht weit vom Stocke köm̄t,
Werden sich die Wolcken jagen.

Seht die Bach an: Wann der Wind
Ihrem Strom entgegen rinnt,
Wann die Krebs am Ufer sitzen:
Wann die Schwalbe sich bewegt,
Und die Nymphen kratzt und schlägt,
Wird es regnen, wird es blitzen.

---

(358)

Steht am Gatter: Wann nach Blut
Mück und Fliege hungrig thut,
Wann die Nattern übel stincken:
Wann die Holtzböck an der Wand
Untern Schäfflein sich verran̄t,
Wil die Erde Wasser trincken.

Fragt die Felder: Wann der Lufft
Die gebückte Krähe rufft,
Wann verblühte Blumen fliegen:
Wann der blinde Maulwurff spielt,
Und sich selber ausgewühlt,
Kom̄t ein Wetter aufgestiegen.

(306) Geht zun Hirten: wenn ein Schwein
Nicht wil bey den Ferckeln seyn,
Wann die Böck und Wieder ringen:
Wann der Ochse sich beleckt,
Und nach Lufft und Himmel schmeckt,
Wird der Abend Regen bringen.

Laufft in Pusch: wann her und hin
Krähen untern Fuggen ziehn,
Wann die Reiger abwerts steigen:
Wann der Wolff zu Holtze geht,
Oder wie ein Bettler steht,
Wird ein Sturm sich rauh erzeigen.

Bleibt zu Hause: Wann das Licht
Über Tische thränt und bricht,
Wann die Kohlen heller glimmen:
Wann die Asch an Töpffen klebt,
Und der Rauch zurücke schlägt,
Werden Feld und Wiese schwimmen.

Alles schreyt das Wetter aus,
Erd und Himmel, Hoff und Haus:
In den Thieren, bey den Sternen:

Wann wir solten brachen drehn,
Stürtzen, ruhren, ackern, säen,
Wolten wir von ihnen lernen.

Thier und Kraüter, Nacht und Schein
Würden mein Calender seyn:
Voller Seele Geist und Wesen,
Fisch und Vogel, Wald und Bach,
Würden seyn mein Allmanach,
Daraus wolt' ich alles lesen.

Alles hat durch Berg und Thal (307)
Sein Gewichte, Maaß und Zahl,
Drunter es sich muß vermählen:
Wer den Saamen, den sie liebt,
Seiner eignen Mutter giebt,
Diesem kan die Zeit nicht fehlen.

Spürt' ich so die rechte Krafft,
Aus was Art und Eigenschafft
Erd und Himmel Hochzeit halten:
Wie der Ding ihr Einigkeit
Sich erhält in Ruh und Streit,
Wolt' ich drauff mein Amt verwalten.

Wüst ich, sag ich, wie ein Kraut
Krieget die gefärbte Haut,
Woher Reiff und Schnee entspringen:
Warumb Schlossen, Blitz und Wind,
Manches Thier vorhin beginnt,
Wolt' ich mich noch höher schwingen.

Närrisch schaut' ich nicht empor,
Wie die Kuh aufs Neue Thor:
Alles würd ich wol bedencken,
Wie dis so, und nicht so sey,
Was ihm wiedrigs käme bey,
Wie es weißlich abzulencken.

---

(360) 28. Närrich /

Jedes findet durch die Welt,
Was es stürtzet, was es hält:
Tod und Grab steht ihm zur Seiten,
Wer der Sachen Grund erwegt,
Und sie in ihr erstes legt,
Darff zu keinem Zaubrer reiten.

(308) Vor des Nachbarn Fluch und Neid
Wolt' ich zu gestirnter Zeit
Etwas in ein Bildnüß schlagen:
Vor des Hagels Grim̄ und Zorn
Würff' ich etwas auf das Korn,
Das die kleinen Kinder tragen.

Durch ein Messer und ein Bret
Mit den Zeichen eingedreht
Wollt' ich iedes Wetter theilen:
An den Winckeln durch das Haus,
Daß nicht käm ein Feuer aus,
Legt ich was zu Donner Keilen.

Daß die Vieh Trifft sicher sey
Vor der Hexen Gauckeley,
Grüb ich was an Thür und Schwellen:
Daurant und Johannes Kraut,
Wann es täm̄ert, wan̄ es thaut,
Solte die Gespenster fällen.

Müst' ich ie durch Heyden gehn,
Wo die Raüber lauschen stehn,
Nehm ich jenes von der Schlangen:
Auch die Wurtzel sucht ich für,
Die ein frembder Schäffer mir
Umb den Rheinstrom auffgehangen.

Molch' und Ottern umb und an,
Wolt ich, träffe man sie an,
In die wüsten Berge singen:

---

(361) 23. demmert **(362)**

Würm' und Ratten in der Trifft
Müsten durch ein süsses Gifft
Ohne Tranck in Stücke springen.

Käme dann der Maulwurff an, (309)
Der vertorbne Bauers Mann,
Wolt' ich Ihn mit List erschleichen:
Mit der Hacken wolt' ich Ihn
Aus der blinden Kammer ziehn,
Wo die Winde vorwerts streichen.

Und die Maüse, wann sie mir
Auf den Aeckern für und für
Wolten ihre Läger schliessen:
Wann sie, weil sie durstig seyn,
Sich an Bälgen nagten ein,
Wolt' ich aus den Betten güssen.

Wie der Sultan über Meer,
Also starck kom̄t dieses Heer,
Frisst die Erndt auf allen Stücken:
Wo die besten Aehren stehn,
Muß ihr Zehnder vor sich gehn,
Ihre Cammern auszuspicken.

Ob das Vieh gleich mässig lebt,
Und am gleichen Futter klebt,
Sehn wir es doch offte krancken:
Offt ist ihre Seuch und Pest,
Die sich nicht bestillen läst,
Über Artzney und Gedancken.

Wann ein fauler Nebel stinckt,
Wann das Feld den Mühl Thau trinckt,
Wann die Sonn ihr Licht verlohren:
Wann die Weid' und Brache schwim̄t,
Wann die Erde bebt und klim̄t,
Wird ihr Tod und Grab gebohren.

---

(363)

(310) Offte fält das beste Vieh
Unterm Melcken auf die Knie,
Umb die ihre Schwestern brüllen:
Offte liegt ein Kalb im Koth,
Und bey seiner Mutter todt,
Welche gäntzlich nicht zu stillen.

Andre lassen, wo sie stehn,
Schleim durch Mund und Nasen gehn:
Lassen starck die Seiten schlagen,
Kölstern dampffig für und für,
Schwellen dort, und brennen hier,
Biß der Schinder sie vertragen:

Krancke, blieben sie mir stehn,
Ließ ich von gesunden gehn,
Ihnen Hauch und Kröthe schneiden:
Träncke güßt' ich andern ein,
Die der Lunge dienlich seyn,
Daß sie wieder lernten weiden.

Wann ein Pferd die Ohren hängt,
Kopff und Hals zur Erden senckt,
Wenn es kalt beginnt zu schwitzen:
Wenn das Fell, das du erkiest,
Dürr und hart in Händen ist,
Müst ich Kern und Feifel ritzen.

Aber wañ es schnaubt und brennt,
Schwere Lufft in Röhren trennt,
Wann die Schliemen sich verschliessen:
Wann das Blut den Hals verschleimt,
Und durch seine Schnüffze keimt,
Hilfft kein Steuern, hilfft kein Giessen.

(311) Unsre Schaaffe Tag und Nacht
Nähm ich als ihr Artzt in acht,
Es ist bald umb sie geschehen:

Keine Wallstadt stellet dir
So viel todte Leichen für,
Als wir in der Heerde sehen.

Böse Blattern und den Grind,
Käm' ein scharffer Frost und Wind,
Wolt' ich durch ein Pulver hemmen:
Wolt' ich zu dem Wasser hin
Mit den ersten Widder ziehn,
Ihn allda zu Tode schwemmen.

Hätt' ich sonst' ein Stück erkiest,
Ließ ich, wo ein Scheid Weg ist,
Einen schwartzen Stär zureissen:
Und die Viertel durch die Welt,
Wie sie in vier Winckel fält,
Wolt' ich rückwerts von mir schmeissen.

Vor das Fieber, das sie plagt,
Das die Glieder zwängt und zwagt,
Ließ ich Blut aus Adern springen:
Andre wollt' ich, welche stehn,
Ohne Tranck und Essen gehn,
Durch ein Kraut zurechte bringen.

Auf dem Felde, wo ich bin,
Seh ich solche Künste blühn:
Lern ich solcher Dinge Wesen,
In die Schule geh ich hier,
Wo von ihrer Weisheit mir
Selber die Natur wil lesen.

Offte treten wir ein Kraut, (312)
Das der Doctor selten schaut,
Und doch in der Stadt muß kauffen:
Brauche, was dein Acker trägt,
Was auch die Natur erwegt,
Wann dich Fieber überlauffen.

---

3. stehen [Schreibfehler] / **(365)** 8. dem / **(366)**

Alles muß aus Welschland seyn,
Was die Mütter tragen ein,
Und dem Apothecker bringen:
Was der Kramer über Meer
Nicht aus China schicket her,
Kan bey uns kein Geld erzwingen.

Reissten wir durch unser Land,
Das uns besser ist verwand,
Würden wir gesünder leben:
Lufft und Wasser, Erd und Heerd
Ist ja dieser Obacht werth,
Die muß unsre Nahrung geben.

Was vermag nicht, wer es schaut,
Wiederthau und Fahren Kraut,
Nicht die Allraun in den Sachen?
Dieses wolte mir ja kund
Jener Schäffer in dem Grund
Um die Riesenberge machen.

Siehstu nicht an Bircken an,
Was die Farb und Rinde kan,
Sie ist dürr und naß zum Düngen:
Sie bezeuget jenes wol
Welchen man aus Quaja sol
Die beruffne Rinde bringen.

(313) Aschenholtz macht eine Wund
Auch durch einen Strich gesund,
Zu gewisser Zeit geschnitten:
Hasel bringt die Schätz an Tag,
Mispel von der Hasel mag
Vieh und Menschen Heil entbitten.

Und die Mispel sonder Weh
Reichte der Proserpinæ
Der aus Troja trug Anchisen:

---

(367) (368)

Drauff das allerklügste Thier
Ihm des Pluto gantze Zier,
Gantze Pracht und Macht gewiesen.

Etwas, das bey früher Nacht
Einen Mann vom Nebel macht,
Wird zurechte vorgegraben:
Beinbruch, ob die Aertzte fliehn,
Heilt und sucht es anzuziehn,
Welches Hirten funden haben.

Mancher Fürsten Schätz und Zier
Graben aus der Oder wir,
Einhorn wird es so beschrieben.
Ja es sol an Krafft und Schein
Jenem gleich und ähnlich seyn,
Weil es Gifft und Schweiß getrieben.

Und hielt jenes Stücke nicht
Fünff an Ellen? Bey der Pflicht,
So ich selbst am Furth gefunden:
Es erschien (so ist ihr Preiß)
Aussen gelb und innen weiß,
Und war spitzig zugewunden.

Kürtzlich. Was da vor ein Geist (314)
Durch der Erden Klumpen reist,
Und erschafft viel tausend Wesen,
Was vor unterschiedne Krafft
Jedes Wesen in sich rafft,
Würd' ich aus der Schöpffung lesen.

Dann ich nähme den Bericht
Aus verlognen Büchern nicht,
Da viel Irrthum ist zu finden.
Eine Schrifft, die doppelt fällt,
Beydes Himmel, beydes Welt
Heißt uns alle Ding ergründen.

---

22. Kürtzlich. Was . . . bis

Hie kan ich vernünfftig sehn,
Nicht nur, daß ein Ding geschehn,
Sondern wie es hat seyn müssen:
Wie in ihm ein iedes Blat
Ewig seinen Saamen hat,
Wie der Leib den Geist kan schlüssen.

Was der Wind im Leibe trägt,
Wer sich zu dem Monden legt,
Wo die Sonn ihr Kind gebohren:
Wie in gleichen Schaalen man
Fluth und Feuer wiegen kan,
Hätt' ich auf ein End erkohren.

Alle Fabeln legt mir aus
Dieses grosse Rund und Haus,
So die Hirten uns verlassen:
Pluto, was bey dir gemacht
Vater Orpheus in der Nacht,
In den Feuer vollen Gassen?

(315) Wie Alcides in der Welt
So viel Wunder hat gefällt,
Was vor Deutung draus zu machen:
Wie erlöset in der See
Perseus die Andromede
Von dem grimmen Wasser Drachen.

Was die leichte Venus regt,
Daß sie sich zum Phoebus legt,
Drüber man viel Geld erkohren.
Jupiter, wie dir das Haupt,
Dein Vulcanus aufgeschraubt,
Da als Pallas ward gebohren.

Wie vor Troja durch sein Spiel
Phoebus, gleichwie Naso wil,
Ihre Mauern auffgesungen.

Warumb ohn Achillen nicht
Umb der Heiligthümer Pflicht
Dieses Zepter ward bezwungen.

Wo mit ihrem Argo hin
Die berühmten Schiffer ziehn,
So der Harffen Klang getrieben:
Was das goldne Läm̄lein sey,
Das Iason legte bey,
Und noch vielen wil belieben.

Wie er da, wo Colchos liegt,
Mit den Feuer Ochsen pflügt,
Und wil Drachen Zähne säen.
Wie sich, als er Saamen trug,
Die geharnschte Saat erschlug,
Und was sonsten mehr geschehen.

Ich verheelte voller Pflicht (316)
Ihr der Götter Ursprung nicht,
Wie der Isis ihre Priester:
Voll Geheimnüß zeigt ich Ihr
In den Gläsern ihre Zier,
Und ihr goldnes Stam̄ Register.

Eine Werckstadt richt' ich an,
Was ich drinnen haben kan,
Wär ein Heerd, ein Topff, ein Feuer:
So viel Zeug bedörfft ich nur,
Umbzukehren die Natur,
Auszuführn ihr Abendtheuer.

Weil im Wasser alles geht,
Ohne Wasser nichts besteht,
Alles ist vom Wasser kommen:
Weil es alles bindt und hält,
Alles löset und zufällt,
Hätt ich es erst vorgenommen.

Einen wunderbaren Geist,
Welcher Feuer ist und heisst,
Macht' ich draus vor andern allen:
Geistlich würd' ein iedes Kraut,
Wann sie liesse, wie es thaut,
Drauff mein feurig Wasser fallen.

Phyllis, daß sie, wie sie ist,
Stete Schönheit hätt erkiest:
Wolt ich unsern Talck umbkehren,
Durch (: Der Handgriff ist vor Ihn :)
Reiben, Wässern, überziehn,
Würd' er uns sein Oel gewähren.

(317) Fleck und Sprencken in der Haut,
Welche man nicht gerne schaut,
Weichen, wann wir sie befeuchten:
Netzte sie ihr Antlitz an,
Würde sie auf freyer Bahn
Schöner als ein Engel leuchten.

Phyllis, bey dem wahren Gott,
Dürffte mir nicht vor ein Loth
Hundert an Ducaten zahlen:
Selber lehrt ich sie die Kunst,
Daß sie ihre süsse Gunst
Liesse heller umb mich strahlen.

Umb zu nehmen ohn Bemühn
Ein und andre Kranckheit hin,
Trüg ich ein die besten Sachen:
Ja ich würd ihr (daß sie mir
Daraus Mittel brächte für)
Gar ein Apotheckle machen.

Eine Hirnschaal oder zwey
Brächt ich von dem Menschen bey,
Saltz und Wasser draus zu brennen:

Plotzer Schlag und schwere Noth
Würden sich davon mit Gott
In geschwächten Haüptern trennen.

Ja der Dunst, der sich erregt,
Und zum Saltz in Erd Klos schlägt,
Müst' ein süsser Geist mir werden:
Und der blaue Kupffer Stein
Schwitzte Camphorirten Wein
Wieder diese Kopff Beschwerden.

Silber Glantz, als wie es fällt, (318)
Müste durch den Geist der Welt
Sein gestirntes Wesen geben:
Wann das Spieß Glas abgeraucht,
Bleibt ein Krancker, der es braucht,
Durch sein feuchtes Feuer leben.

Schleedorn ist zun Zähnen gut:
Bleysüß: zu der Augen Glut:
Springauff: zu den schweren Flüssen:
Agtstein: streicht Gesichte hin,
Erd Kieß: den verruckten Sinn:
Würd ich auf und zu sie schlüssen.

Daß die treffliche Chymei
Wol bestellt im Magen sey,
Sucht ich ihn recht an zu glüen:
Dieser Kolben Eigenschafft
Giebt die Faülung, draus die Krafft
Alle Glieder an sich ziehen.

Saltz Geist durch den Kieß geführt,
Und drauff wol tartarisirt,
Hilfft ihm seine Wirthschafft halten:
Saffran, der aus Ertzen schwitzt,
Raümte, lieblich abgehitzt,
Schleim und Gall aus seinen Falten.

Diese Küch, umb wol zu seyn,
Würd erquickt mit Quitten Wein:
Und mit Saffte von Citronen,
So behielt sie wol die Kost,
Führt auch wol aus ihren Wust,
Der Gesundheit beyzuwohnen.

(319) Das Gebläse, das die Lufft
Von sich stöst und zu sich rufft,
Wo die Schwindsucht pflegt zu nisten:
Wo der Husten umb sich greifft,
Daß es in den Röhren pfeifft,
Würd ich nach und nach befristen.

Unser Zwiedorn würde mir
Seine Seele legen für,
Die verstopfften Gänge trennen:
Ja ich wolte, daß frischauff
Puls und Geister suchten Lauff,
Aus der Lufft ein Wasser brennen.

Balsam, der aus Schwefel fleust,
Wenn der Wein ihn übergeust,
Daß er muß sein Feuer geben:
Auch die Blumen voller Krafft
Haben Weis' und Eigenschafft,
Beyde Balcken baß zu heben.

Nehmen einen Abtritt wir,
Da es offte fehlet Ihr,
In die Werckstadt vom Geblüte:
Da die Geister es erhöhn,
Heissen auf und nieder gehn,
Führten wir es zu Gemüthe.

Wie die Ebb an Ufern spielt,
Also wird das Blut erzielt,
Er der Monden wil es reinen:

Nach dem Monden muß es gehn,
Denn, so bald es bleibet stehn,
Folget nichts als Weh und Weinen.

Hier da sprützt der Lazur Stein
Sein bewährtes Wasser drein,
Dorte braucht' ich die Corallen:
Die vortreffliche Tinctur
Schleust und öffnet die Natur,
Von ihr muß der Scharbock fallen.

Wollen wir dann nechst dahin
In des Lebens Kammer ziehn:
Zu besehn den Creiß vom Hertzen,
Das der Kummer nagt und beist,
Das die Ohnmacht niederreist,
Das offt klappt vor Angst und Schmertzen.

Daß der Phyllis Hertzgen nu
Nicht dergleichen treffe zu,
Wolt ich ihr in Zeiten rathen:
Schwartzer Kirschen Geist macht ich,
Ließ im Wasser schliessen sich,
Ambra, Perlen und Granaten.

Zwar, vor allen geht das Blut,
Das die Steinschlang in der Glut
Kan vom grauen Wolffe geben:
Doch des Goldes Farb und Safft
Überwieget alle Krafft,
Als ein Wasser zu dem Leben.

Daß der Miltz auch ruhig sey,
Bringt die Krafft des Eisens bey:
Phyllis, könte sie genesen.
Glüend Eisen nehme sie,
Taucht es in ein Wasser hie,
Anblicks stünde da sein Wesen.

(321) Ja, das Eysen so gefeilt,
Hat das Miltz Weh offt geheilt,
Offt das saure weggenommen:
Die aus saugnden Aederlein
Hält der Geist des Wesens rein,
Das von ihrem Cörper kommen.

Weisen! Haben, wie ihr wolt,
Eisen, Kupffer und das Gold
Eine Wirckung, Krafft und Wesen?
So muß, wie ihr es begehrt,
Wenn man ihren Grund umbkehrt,
Ihre Gall und Miltz genesen.

Nieren, ich wollt' euren Stein,
So der Blasen auch gemein,
Durch die Kiesel Steine brechen:
Stein in Eberäschenbeern
Würden mir ein Oel gewährn,
Euer Weh zur Ruh zu sprechen.

Galle, wo Begierd entspringt,
Und der Erbfall auf uns dringt,
Aller Reitzung Quell und Bronnen,
Welche Zorn und Mord gebührt,
Wann sie alle Glieder rührt,
Giebet meiner Cur gewonnen.

Diese köm̄t von Alkahest,
Wo sich alles lösen läst,
Was von Ertzen, Kraütern, Thieren:
Wo sich Gelbesucht erregt,
Ihre Farb in Glieder schlägt,
Sucht ich sie stracks auszuführen.

(322) Miltz, davon ihr vor gehört,
Wird durch Löffelkraut verehrt,
Durch gestiemten Geist von Tannen:

Treibt er Baüm in solche Höh,
Ist, des Unterleibes Weh
Er auch mächtig wegzubannen.

Und was diese schlechte Kunst
Meinem Apotheckle sonst
Würd' an Artzney anvertrauen:
Was der Dinge, so umbzirckt,
Feind und Freundschafft hofft und wirckt,
Würde sie voll Wollust schauen.

Solte sie empfangen was
Mir und Ihr nach Zeit und Maaß
Aehnlich an Gestalt und Wesen?
Jagt ich einen Molch mit Mühn,
Über ihren Gürtel hin,
Desto leichter zu genesen.

Von den Aeckern trüg ich ein
Einen und den andern Stein,
Draus ein Goldkieß würde blincken:
Wolte sie zu Schliche ziehn,
Sachen darauff setzen hin,
Welche sich zum Flusse schicken.

In den Ofen müst es gehn,
Der zum Stechen würde stehn,
Biß es rohen Stein gegeben:
Diesen wolt' ich dann verbleyn,
Dann den Blick voll Glantz und Schein
Von dem Treibe Heerde heben.

Darauff setzt' ich unverwand (323)
Ihr mein Kölblein in die Hand,
Gold und Silber rein zu scheiden:
Gold sucht Boden, Silber Höhn,
Jedes blieb auf Kohlen stehn,
Die des Goldschmieds Röhrlein leiden.

So legt' ich ihr ohne Wahn
Ein bewährtes Bergwerck an,
Ertzt ist überall zu finden:
Ertzt hält Kieß, wo Quellen gehn,
Ertzt hält Loth, wo Sümpffe stehn,
Ertzt hält Erd in ihren Gründen.

Ja ich macht ein Wasser ihr,
Daß sie könte für und für
Gold aus Kiesel Steinen pflocken:
Saltzt mit Niter angesprützt,
Angeschärfft und angehitzt,
Weiß das Gold so raus zu locken.

Biß aus Gottes milder Gunst
Ich auch käme zu der Kunst,
Die kein König könte zahlen:
Biß das Fiat voller Glantz
Seel und Arbeit würde gantz
Wie ein heller Blitz durchstrahlen.

Dieses, wo ich es versteh,
Ist der Wirthschafft ABC,
Also lernt man buchstabieren:
Unsre Väter wolten so
Zu der Weißheit frey und froh
Pflug und Buch und Sinnen führen.

(324) Wie ein Rad das andre treibt,
Und in seinen Achsen bleibt,
Wie die Stein in Mühlen klingen:
Also sieht der Wirthschafft Mann,
Hebt er je im Himmel an,
Jeder Zeit das seine bringen.

Darumb, wenn die Sonn ihr Licht
Würde voller Krafft und Pflicht
Auf des Widders Hörner stecken:

---

24. bis... Buch und Sinnen führen . . . fehlt / **(369)**

Wann die Arbeit und die Ruh
Gleichen Stunden träffe zu,
Wolt' ich meinen Fleiß erwecken.

Wann der Hahn sich würde drehn,
Und hin gegen Morgen krähn,
Müste das Gesind auffstehen:
Weil die Zähne laulich seyn,
Schieben sie ihr Frühmahl ein,
In die Arbeit drauff zu gehen.

Jedes hält sein Ziel und Recht,
Hie die Magd, und da der Knecht:
Er bey Pferden, sie bey Kühen:
Diese würden umb das Haus
Gärt und Wiesen raümen aus,
Andre auf den Acker ziehen.

Um die Matten bey der Bach,
An den Graben nach und nach
Ließ ich alte Weiden stutzen:
Da, wo auf dem Anger sitzt
Pales und die Ohren spützt,
Wolt ich ihre Haüpter putzen.

Wann der linde Zephyr kom̄t
Und den Schnee von Bergen nim̄t,
Drinnen sie verschleyret stunden:
Wann die Pflugschaar umb und an
Wieder in die Erde kan,
Hätt' ich mich hinaus gefunden.

Einen Gang auf ein Bemühn
Und nach einer Furchen hin
Wolt ich selbst den Haber säen:
Wolt ich zu der Brödterey
Dem gemengten kommen bey,
Und umb gutes Wetter flehen.

Wann die Frösche wieder schreyn,
Da, wo schwartze Pfützen seyn,
Müst ich zu der Gerste springen,
Müst ich, hätt ich es erkañt,
Auf das wol gedüngte Land
Hocken, Eegen, Pflüge bringen.

Aehren müsten, wie man spricht,
Auf die Hosen Woche nicht
In geschlossnen Bälgen bleiben:
Dann ich liesse, wie man pflegt,
Wann die Klösser ausgeegt,
Alsobald zu Acker treiben.

Ein Gewende schieb ich ein,
Wo die Sommerfelder seyn,
Zu den Erbsen, zu den Wicken:
Und, im Fall man umb und an
Jede Saat Zeit beygethan,
Wolt' ich mich zum andern schicken.

(326) Hier, wo Thäm̃ an Graben gehn,
Müsten junge Weiden stehn,
Dorte ließ ich Blancken bessern:
Anderwerts, wo Quelle seyn,
Führ ich mit der Schaar herein,
Gärt und Wiesen einzuwässern.

Wann die stumme Karpffe streicht,
Und aus ihrem Lager weicht,
Ließ ich jenen Teich besämen:
Und dem andern ließ ich dann,
Welche man vorsetzen kan
Zweyer Sommer Kinder nehmen.

Phyllis meine Freud und Pein
Würde nicht die letzte seyn,
Auf den Abend, auf den Morgen:

---

6. Egen / **(371)** 17. abgethan / 29. versetzen / **(372)**

Ja, ich wolte für und für
Dieser meiner Liebsten Zier
Helffen Küch und Tisch versorgen.

Morgends wolt ich Wasser hin
Mit der Angel Ruthe ziehn,
Aeschen, Tübel, Barmen nicken:
Bey den Wehren wolt ich stehn,
Wo gepünckte Foren gehn,
Sie aus ihren Tieffen rücken.

In dem Walde würd ich hin
Weidlich mit der Büchse ziehn,
Auf den Birck Hahn Achtung geben:
Tauben, die im Walde schreyn,
Um den Hals umringelt seyn,
Würd' ich von den Gipffeln heben.

An den Teichen nach der Bahn (327)
Spürt ich einen Entrich an,
Der sich offt im Schilff verkrochen:
Taücher, die bald untergehn,
Bald in bunten Hälsen stehn,
Würd ich umb die Ständer suchen.

Phyllis würd indessen mir
Voll getreuer Liebsbegier
Einen Krantz von Blumen winden:
Und sie solte, wenn zur Nacht
Sie ihr Völcklein heimgebracht,
Etwas in der Küche finden.

Abends legt ich nach und nach
Körb und Reusen in die Bach,
Schlieffen drauf voll Liebs Verlangen:
Weil wir schlieffen, würden wir
Manches Fischlein dar und hier
Ohne Netz und Hamen fangen.

---

8. gepinckte / **(373)**

Vor die Pferde, vor die Küh,
Vor das Schaaff und Ziegen Vieh
Ließ ich Heu und Grummet hauen:
In den Gründen bauten wir
Grüner Schöber hohe Zier,
Wie ein Lager anzuschauen.

Auf der feuchten Wiesen Schein,
Wo viel Hundert Blümchen seyn,
Würden unsre Mäder stehen:
Würden sie die Sensen hin
In gedingter Ordnung ziehn,
Und in weissen Kitteln gehen.

(328) Früh vor Tage, wenn es thaut,
Legt man nieder Graß und Kraut,
Auch die Nächte muß man nehmen:
Nächtlich mädert es sich gut,
Nächtlich kühlt sich Lufft und Glut,
Nächtlich darff sich niemand schämen.

Unser Dorff ist so befreyt,
Daß man etwas sonder Leid
Auch den Feyertag mag treiben:
Einführn, rechen, Thäm̄ erhöhn,
Auf den Marckt mit Obste gehn,
Rechnung nehmen, Lohn verschreiben.

Käme denn ein Feyertag,
Da der Wirth nicht wircken mag,
Blieben Haus und Scheuern stehen:
Weil der Wald ie selberköm̄t,
Und uns untern Schatten nihmt,
Solten wir spatzieren gehen.

Alsdenn würd' uns hier und dar
Der gemahlten Vogel Schaar
Aus dem Nest entgegen springen:

---

(374) (375)

Lieblich würden spat und früh
Auf belaubten Aestlein sie
Ihre süsse Liebe singen.

Was die Fincke lockt und schlägt,
Was die Amsel pfeifft und trägt,
Was die Ringel Tauben lachen:
Was der Zeißgen heimlich hält,
Was die Meise wäscht und stellt,
Ist ja nichts als Hochzeit machen.

Weil der Specht durch Pusch und Lufft (329)
Wieder seinem Weibe rufft,
Schreyt der Guckguck aus den Hecken:
Machet manche Bauer Magd,
Wann sie umb die Jahre fragt,
Manchen Bauren Knecht zum Jecken.

Männer, doch ich sag euch wahr,
Sein Gesicht ist rein und klar,
Hört zu: Er sol Guckguck ruffen:
Guckguck, schaut hie steht ein Thier,
Welchem Hörner wachsen für,
Guckguck hab ich dich getroffen.

Nun es mag ein Guckguck seyn,
Guckguck mag er immer schreyn,
Mir gefallen Nachtigallen:
Welcher Mensch wird nicht bethört,
Der sie viertzig Nächte hört
Lied umb Lied zusammen schallen.

Giengen umb das Kornfeld wir,
Würden Wachteln dar und hier
Ihren Klang darunter mengen:
Und der blaue Himmels Saal
Eingestim̄t durch Berg und Thal
Würde voller Lerchen hängen.

Legten wir uns Hügel an,
Würden wir auf höher Bahn
Eine Zeidel Kranch erblicken:
Seht Pythagoras sein Sohn,
Da fleugt euer Ypselon,
So sie in der Lufft abdrücken.

(330) Anderswo käm aus der See
Da ein Reiger in die Höh,
Dort ein Falcke vorgestiegen,
Derer Kampff Platz würde stehn,
So weit unsre Augen gehn,
Drinnen wir wie mitte flügen.

Lustig sieht es warlich aus,
Wann sie umb der Sonnen Haus
Ringel über Ringel schreiben,
Wann sie wie ein Strahl und Pfeil
Fahren, und ihr Gegentheil
Himmel über Himmel treiben.

Phyllis sucht indessen mir,
Die wie Scharlach leuchten für,
Einen Kietz voll reiffe Beeren:
Die wir voller Ruh und Lust
Zu Erkühlung unsrer Brust
Würden Hand um Hand verzehren.

Daß ich doch voll Liebsbeschwer
Ein bethautes Gräßlein wär,
In der Hitze sie zu kühlen:
Daß ich doch voll Liebes Pein,
Möcht ihr frisches Blümlein seyn,
Mit mir in der Hand zu spielen.

Wie ein Röslein, welches früh
Von der Morgen Milch allhie
Noch der Tag sol abgewöhnen:

---

12. fliegen / **(377)**

Wie ein Kraütlein Stengel bloß
Läg ich da in ihrer Schoos
Voller Glück und voller Sehnen.

Seelig schätzt' ich diesen Platz, (331)
Wo wir, Allerliebster Schatz,
Unser Läger auffgeschlagen:
Selig schätzt ich dieses Kraut,
Das euch, Allerschönste Braut,
Würd' auf seinen Stengel tragen.

Wie ein Körnlein ohne Safft
Solche Farbe, solche Krafft
Ließ in seine Stengel steigen:
Wie ein iedes Kraütlein blüht,
Welches bloß ein Weiser sieht,
Wolt' ich euch mit Fingern zeigen.

Wunder ist es, wie fort an
Alles einwerts wachsen kan,
In den Punct, draus es gefahren:
Das eröffnete wil hin
Immer ins verborgne ziehn,
Draus sich wieder offenbahren.

Würden wir denn weiter gehn,
Schauten wir im Felde stehn
Unsers Gottes Gütt und Seegen:
Seine Macht und Wunderthat,
Die bey uns kein Ende hat,
Würden wir mit Danck erwegen.

Hier, da ragt in grüner Zier
Mannes langer Haber für,
Dessen volle Rispen prausen:
Dorte würde voller Krafft
Unsrer Gerste Milch und Safft
In den fetten Bälgen pausen.

---

6. Lager / **(378)** 16. Wunder ist ... bis ... 21. offenbahren ... fehlt. /

(332) Hätten wir uns umgewand,
Würd uns unser Vaterland
Aeolus entgegen jagen:
Anders sieht es ja nicht aus,
Als wenn Fluthen voller Praus
Ihre Wellen vor sich schlagen.

Weil die Winde hin und her
Durch das Aehren volle Meer
Mit gefasten Seegeln streiffen:
Weil sich alles hebt und regt,
Kan das Korn, als wie es pflegt,
Schossen, blühen, körnern, reiffen.

Schöner als das Schweitzer Vieh
Stünde dort ein Feld voll Küh,
Auf die ihre Bremmer zielen:
Und die Kälber, welche wir
Abgesatzt, die würden hier
Gegen ihren Müttern spielen.

Hinter ihnen in dem Klee
Säng auch eure Galathe,
Zöge Garn aus ihrem Rocken:
Zeigte, wie ein Sänger kan,
Jeden Schlag an Händen an,
Welch am frischen Wercke pflocken.

Auf den Hügeln hier und dar
Würde sich der Lämmer Schaar
In der Wolle Kleider breiten:
Und die Wieder schauten wir
Vor der Heerde voll Begier
In besondern Schrancken streiten.

(333) Tytir lobt auf jener Höh
Eure braune Galathe,
Spielte Lieder auf der Pfeiffen:

---

(379) 20. Galatee / **(380)** 32. Seine braune Galatee /

Setzte seinen Hirten Stab
Als sein bestes Gut und Haab
An den Rocken, an die Weiffen.

Über uns, wo Felsen gehn
Und die besten Kraüter stehn,
Hieng ein Tutzt von leichten Ziegen:
Unter uns, wo Lachen seyn,
Würd ein Stall voll satter Schwein
In dem Sumpf und Kothe liegen.

Und die Rantze, wie sie kan,
Gruntzte junge Fercklein an,
Die an Brüsten doppelt hängen:
Die sich, gleich wie ihr Gebrauch,
Umb die Flaschen, umb den Bauch
Mit den kleinen Rüsseln drängen.

Wo bezaünte Gärte stehn,
Würden unsre Pferde gehn,
Umb die Stutten ihre Fohlen:
In die Wette springen sie,
Wann sie voll erhitzter Müh
In dem Feld einander holen.

Unterm Grase voller Schein
Hörten wir die Mägdelein,
Ihre Hirten Lieder singen:
Andre schauten wir dahin
Mit gefüllten Bürden ziehn,
Und ihr Feld nach Hause bringen.

Alles, was wir blickten an, (334)
Wäre gut und wol gethan,
Auf den Feldern, in den Püschen:
Alles, wann wir es erkiest,
Daß es Gottes Seegen ist,
Würd uns Hertz und Sinn erfrischen.

Unterdessen spürten wir
Von den Bergen dar und hier
Den zustreuten Schatten trieffen:
Auf den Seiten an der Bach
Trieben uns die Hirten nach,
Die vor ihren Heerden pfieffen.

Phyllis müste zuvorhin
Wasser auf nach Hause ziehn,
Müste was zun Kohlen setzen:
Ach! Die ärmste trüge mir
Unter hundert Schlössern für
Was mich hertzlich würd' ergetzen.

Ich, darauff sie nicht gedacht,
Biß ich sie auch eingebracht,
Suchte Krebse groß von Scheeren:
Suchte Maüser an der Bach
Ihren holen Ufern nach,
Die wie ich ohn Kleider wären.

Meine nicht gekauffte Kost
Wollt ich ihr dann voller Lust
Zu dem Abendbißlein bringen:
Meine Phyllis würde mir
Voll Verlangen vor der Thür
Wie ein Hirsch entgegen springen.

(335) Drauff, wo unsre Lauben stehn,
Würden wir zu Tische gehn,
Und uns in das grüne legen:
Dieses solt' ohn Pracht und Schein
Meine beste Speise seyn,
Daß sie so kan meiner pflegen.

Keines Monden acht ich nicht,
Seh ich ihrer Augen Licht,
Wann ich solte schlaffen gehen:

---

9. zu Kohlen / **(382)**

Seh' ich ihrer Augen strahl
Acht ich keiner Sonnen Mahl
Auff den Morgen auffzustehen.

Also solte weit von Pein
Unsrer Jahre Frühling seyn,
Dieses sucht' ich an zu geben:
Dieses, wer es recht besinnt,
Ist gewiß Geschwister Kind,
Oben mit dem Himmels Leben.

Unterdessen fienge man
Voller Müh zu brachen an:
Rührte tieff und schmal die Schollen:
Egte drauff die Furchen ein,
Schlüge Mist, wo Aecker seyn,
Welche Waitzen tragen sollen.

Doch, eh als das Winterfeld
Seine letzte Prüfung hält,
Würde das Getraide reiffen:
Unsre Wirthschafft spät und früh
Müste voller Lust und Müh
Sämtlich zu der Erndte greiffen.

Unsrer Ceres gelbes Haar (336)
Raschelt vor der Mäder Schaar,
Wann sie ihre Sensen bringen:
Wann sie von dem Tängeln gehn,
Und in vollen Hieben stehn,
Daß Gezeug und Aehren klingen.

Kind und Kegel, Hoff und Haus,
Gienge mit der Sonnen aus:
Diese hauen, jene binden:
Andre mandeln, andre fahrn,
Die es altern und verwahrn,
Müsten sich in Bansam finden.

---

(383) (384)

Nach der Erndte müden Ruh
Jauchtzt ein Feld dem andern zu:
Alles krübelt auf den Bethen:
Knecht und Mägde, par und par
Untermengt in ihrer Schaar
Kämen in das Dorff getreten.

Einen Aehren reichen Crantz
Würd ein Mägdlein voller Glantz
In dem ersten Gliede tragen:
Hinter ihr würd ingemein
Jedes seine Lieder schreyn,
Welch' ich wol nicht weiß zu sagen.

Gienge dann die Kürmeß an,
Ließ ich, wie man weiß und kan,
Einen feisten Ochsen schlachten:
Gäns und Hüner ließ ich hin,
Drüber Töpff und Spiesse glühn,
Setzen zu den andern Trachten.

(337) Phyllis brächte Bier herbey,
Daß man guter Dinge sey,
Lang und rund gebackne Kuchen:
Ja ich dörffte, kriegt ich hier,
Einen lieben Freund zu mir,
Auch ein Trüncklein Wein versuchen.

Eines trinckten wir dann aus
Allda, wo das Sommer Haus,
Das wir liessen überdecken:
Da, wo Flaschen Kürbse stehn,
Und die schwangern Baüch erhöhn,
Wolten wir den Muth erwecken.

Einen Bock hätt ich erkiest,
Welcher dick und zötticht ist,
Eine Schallmey auch daneben:

---

(385) 32. zötich /

Auch ein Him̄lichen, daß ihr
Phyllis, meines Hertzens Zier
Würdet biß in Himmel heben.

Auf dem Anger, wo es Raum,
Stünd ein glatter Tannenbaum,
Drauf die Pursche solten steigen:
Hembder, Hüte, Strümpffe, Schuh,
Und viel ander Ding dazu
Hohlten sie auf seinen Zweigen.

Einen Wettlauff auf der Bahn
Hüben alte Mütter an,
Dieses Theil, das würde singen:
Dieses jauchzen, dieses spieln,
Und die auf die Mägde zieln,
Müsten ihre Kittel schwingen.

Ja ich, solt es bey mir stehn, (338)
Dürffte selbst zum Tantze gehn,
Einen Vorrein machen lassen:
Phyllis, Abends wären wir
Braütgam Ich, und Braütlein ihr,
Niemand dörfft uns drüber hassen.

Wann der Felder gelbe Pracht
Unsre Scheunen voll gemacht,
Wolt' ich mich nicht länger weilen:
Wann des Herbstes Sonnenschein
Licht und Schatten theilet ein,
Müssen Wirth im Säen eilen.

Unter andern führ alsdann
Unser Groß Knecht vornen an,
Hätte sich in Rock verkrochen:
Und die Jungen, wann sie ziehn,
Lieffen mit den Köbern hin,
Käß und Brod hervor zu suchen.

---

(386)

Morgends, wenn die Sonne köm̄t,
Und der Thau auf Kraütern glim̄t,
Drein die rothen Strahlen leuchten:
Wann die Felder mürbe seyn,
Streut ich ieden Saamen ein,
Den die Süd Wind' überfeuchten.

Waitzen in gedingtes Land
Ließ ich aus gestreckter Hand
Durch die vollen Finger springen:
Rooken streut ich gleichfalls aus,
Biß das trübe Wolcken Haus
Würde Schnee und Kälte bringen.

(339) Auf den Pferden, wär es kalt,
Schreyen Jungen, daß es schallt,
Ihre Lieder unterm Eegen:
Wasser furchen führen sie
Junger Saate spät und früh
Inner Fluth und Schnee zu pflegen.

Und indem ich säte zu,
Käme drauf der Erden Ruh
Woll und Bette zu zu schütten:
Doch, eh als es umgewand,
Würd uns seine milde Hand
Aller Gärte Gott entbitten.

Gleichwie Hopff an Stangen hängt,
Also würden untermengt
Aepffel unter Birnen lachen:
Alo würden Aeste stehn
Und gebückt vor Obste gehn,
Die wir müsten ledig machen.

In die Aepffel wolt' ich ihr
Nach der Meß Kunst für und für
Angel, Längen, Rundten schneiden:

---

(387) 2. auf Feldern / **(388)**

Machen wolt ich einen Schwan,
Phyllis, euch zu blicken an,
Eure süsse Macht zu leiden.

Andre, die ohn Schäden seyn,
Legten wir in Fässer ein,
Daß sie über Winter blieben:
Andre müsten in die Stadt,
Andre, wie man Zumuß hat,
Liessen wir in Ofen schieben.

Wann die Nacht die Tage kürtzt, (340)
Und sie in den Seeport stürtzt,
Würd' ich mich mit Falcken tragen:
Würd' ich in dem Herbste hin
Auf die Schnabel Weide ziehn,
Manches Rebhun aufzujagen.

Lerchen, die das flache Feld
Unterm Stoppel deckt und hält,
Wolt' ich unterm Netze rücken:
Fincken, wann ich sie gespürt,
Durch Gesang und Pusch verführt,
Wolt' ich in der Hecke drücken.

Dohnen legt' ich voll Betrug,
Wann der Vogel nim̄t den Zug,
Wär er hungrig eingegangen:
Also würd ich fort für fort
An den Schlingen hier und dort
Amseln, Ziemer, Drosseln fangen.

Und indem der süssen Schaar
Ich in Feldern nähme wahr,
Würden unsre Leute stürtzen:
Offte schaut ich ihnen zu
Hinter der gemahlte Kuh
Hünern ihre Bahn zu kürtzen.

---

8. Andre, daß / 11. in die / (389)

Wald und Saate, Baum und Kraut
Rimpfft indessen Haar und Haut,
Legte sich im Winter schlaffen:
Schlieff in Betten voller Schnee,
Biß man spürte Graß und Klee,
Biß die Schaar vorbey von Schaffen.

(341) Einen Teich, den ließ ich los,
Macht ihn Fisch und Wasser bloß,
Eh' es würde zugebacken:
Hecht und Karpffen, wo sie stehn,
Blieben dann in Hältern gehn,
Die nicht weiter auszubracken.

Alles, wo die Fluthen seyn,
Nähm ich mir in Augenschein,
Um die Zapffen, bey den Pfälen:
Rammel Leutern setzt ich hin,
Umbzurincken, einzuziehn,
Was an Tämmen würde fehlen.

Daß die Pfläcke blieben stehn,
Wolt' ich, wo die Wellen gehn,
Ihnen Schuh aus Eisen machen:
Und das Brust Holtz rückt ich für
Umb der Zwingen ihre Thür,
Brauchte sonsten andre Sachen.

Stechen ließ ich ihr so frey
Einen Zückel oder zwey,
Nähme Speck Schwein aus den Koben:
Einen Ochsen ließ ich auch
Stückweiß hauen in den Rauch,
Was das Gut sonst möchte loben.

Dann der Winter ist ein Gast
Suchet fleissig, was du hast
Über Som̄er eingetragen:

---

(390) 16. Leitern / 18. Dämmen / 19. Pflöcke / 24. Brauchten /
(391)

Grub und Söller, Stub und Heerd,
Müssen, weil er sitzt und zehrt,
Ihn verpflegen, ihn beschlagen.

Eh es inner dieser Zeit (342)
Erstmals überhin geschneyt,
Ritt' ich täglich mit den Winden:
Schaut ich, ob ich umb und an
Einen Hasen auf der Bahn
In dem Lager könte finden.

Stöbern solt ich sie herein,
Wo ein Strich voll Bauern schreyn,
Untern Hunden an den Püschen:
Wo sich endet unser Dorff
Wolt' ich sie auf einen Wurff
Mit gestelltem Garn erwischen.

Im Gehöltze bey der Bach
Stellt' ich einem Fuchse nach,
Der mir käm in Strick gesprungen:
Der viel Renck und Kurtzweil macht,
Biß die Beisser in der Schlacht
Ihren ärgsten Feind bezwungen.

Ja, ich wolte lauschen gehn,
Wo die wilden Eber stehn,
Wann sie auf den Aeckern wühlen:
Gruntzen möcht es fort und fort,
Doch begieng ich einen Mord,
Könt' ich nur ein Stück erzielen.

Phyllis, käm ich voller Frost
Wieder heim von dieser Lust,
Fienge mich mit ihren Armen:
Hülffe mich, würd etwas fehln,
Selber aus dem Peltze stehln,
Daß ich eher könt erwarmen.

---

(392) 25. fort für fort /

(343) Ob die Zapffen umb und an
Noch nicht gäntzlich abgethan,
Dennoch sucht' ich sie zu küssen:
Wenn sie neben ihrer Tracht
Auch mein Wildpret heimgebracht,
Würd ich meiner Lust geniessen.

Wann das Volck von Tische steht,
Und zum Abend Rucken geht,
Würde sie viel Sachen fragen:
Wann die Menscher voll Bethörn,
Umb den Ofen Mährlein hörn,
Wollt' ich ihr auch eines sagen.

Gäb es Zeit (hie ist kein Ziel)
Fodert' ich sie auf ein Spiel,
Doch sie ließ ich stets gewinnen:
Aber, wann sie angebracht,
Hielt ich endlich auf die Nacht
Mir das beste Stichblat innen.

Auf den Dreyschlag dreschen wir,
Übern Tennen für und für,
Biß es Echo hätt erkohren:
Ach! des Flegels süsser Thon
Wäre vor den Coridon,
Wäre vor der Phyllis Ohren.

Wann der Flocken volle Nord
Heult und stöbert übern Port,
Fühlen wir nicht viel Beschwerden:
Würd es draussen friern und schnein,
Heitzten wir die Stuben ein,
Reisig wüchs uns auf dem Heerde.

(344) Fieng ich was zu bauen an,
Holt ich, wañ es Schlittenbahn,
Balcken, Rispen, Riegel, Platten:

---

(393) 27. Beschwerde /

Sparne, Dächer aufzuführn,
Schindeln, Försten einzuschnürn,
Kämen disfalls mir zu statten.

Doch für allen nähm ich mir
Einen Wagen Schienholtz für,
Das ich ließ im Walde scheelen:
Und dann, wan̄ es dürr und gut,
Macht ich, wie ein Steller thut,
Was mir würd an Zeuge fehlen.

Jetzund stöß ich Achsen an,
Was man haben muß und kan,
Von den Deichseln, von den Lassen:
Jetzund zieh ich Stertzen ein,
Suchte, wo Gestelle seyn,
Dis und jenes abzufassen.

Wenn ich mich davon gewand,
Macht' ich mich mit mir bekan̄t,
Jetzo würd ich dieses üben:
Jetzund bitten einen Freund,
Der es gut und treulich meint,
Doch voraus die Phyllis lieben.

Phyllis, wie sie weiß und thut,
Nähm auch ihre Trifft in Hut,
Legte Butter in die Tonnen:
Scharbt ein Faß voll Sauer Kraut,
Hätten sonsten vor die Haut
Dies und jene Speiß ersonnen.

Also wolt ich, wie ich kan, (345)
Meine Wirthschafft stellen an,
Eines guten Nahmens pflegen:
Keinen Wucher nehm ich für,
Wär es Wucher, wär es hier
Eintzig Gottes Gütt und Seegen.

---

(394) 9. am Zeuge / 10. Itzund / Axen / 18. Itzo / 19. Itzund / **(395)**

Meine Sorge würd allein
Gott und denn mein Nechster seyn,
So zu sterben, so zu leben:
Wie der Mensch werd aufferstehn,
Würde beym Vorüber gehn
Jedes Kraut ein Beyspiel geben.

Endlich, wann die müde Ruh
Spricht den trägen Jahren zu,
Auf den Wolle leisen Füssen:
Wann die letzte Stunde schlägt,
Wolten wir gantz unbewegt
Unsers Lebens Lauff beschlüssen.

Dieses wird die erste Pein,
Und gewiß die letzte seyn,
Wer das andre sol begraben:
Welches (hilff uns lieber Gott)
Endlich sol in letzter Noth
Unter uns den Vorzug haben.

Solten dann, wie wir gehofft,
Unsre Bein in eine Grufft
Einen Tag und Stunde kommen:
Solten unsre Seelen hin
Einen Gieb von hinnen ziehn,
Würd uns alles Leid benommen.

(346) Dieses (also schloß er zu)
Phyllis, meine Müh und Ruh,
Ist mein Trost und mein Vergnügen:
Geld und Gut das acht ich nicht,
Tůgend und ihr schönes Licht
Wird mich nimmermehr betrügen.

So viel einer tragen kan,
Der vergnügt ist umb und an,
Wünsch ich eintzig zu erlangen:

---

(396) 27. Ist mein Trost ... bis ... 32. umb und an ... fehlt /

So viel fürcht ich (weil mir wol)
Als sich einer fürchten sol,
Der nichts böses hat begangen.

Aber, was ich wünsche mir,
Phyllis, ist ja nichts als Ihr:
Ihr seyd Hertz in meinem Hertzen,
Ihr könt Fried in meiner Pein,
Hülff in meinem Kummer seyn,
Trost und Rath in meinen Schmertzen.

Fällt euch meine Reise schwer,
Dencket, kom̄ ich wieder her,
Welche Lust wir würden haben:
Sterb ich, spricht ein frembder Mann,
Hat mir, als er auf der Bahn,
Meinen besten Freund begraben.

Daphnis, weil ich wandern sol,
Denn ich kenn ihn gar zu wol,
Der wird meine Bitt erfüllen:
Der wird nehmen euch in Hut,
Wo Gott etwas an mir thut,
Umb der treuen Dienste willen.

Mittels, als er dieses sprach, (347)
Fiel der Abend in die Bach,
Drinnen Baüm und Straüche schwommen:
Und der Wolcken rother Schein
Tauchte sich an Ufern ein,
Draus man sahe Sterne kommen.

Drauff, so faßt er Hertz und Muth,
Phyllis sein erwehltes Gut
Zu der letzte zu geseegnen:
Tausend Seuffzer hieß er hin
Vor den Sims der Fenster ziehn,
Drein die Augen wolten regnen.

---

9. **Hertzen / (397)**

Voller Wehmuth weiß er nicht
Seine Meinung, seine Pflicht
Mit der Zungen anzuschlagen:
Aber Phyllis seine Pein
Fand sich zu ihm voller Schein
Voller Glantz und Wolbehagen.

Was wol bring ich auff die Bahn,
Liebstes Seelchen? Fieng er an:
Bist dus oder ists dein Schatten?
Ach! dein auserwehlter Geist
Hat dich zu mir hergeweist,
Kom̄t mir so mit dir zu statten.

Drauff, so sah ich beyde gehn,
Unter süssen Linden stehn,
Ihre Strasse drauff sie giengen:
Drauff einander führten sie.
War die süsse Phantasie,
Wovon unsre Hirten singen.

(348) Mittags kam ein Wetter her,
Plitzte, rauschte, stürmte schwer,
Drüber beyde sich verkrochen:
Was das edle Paar gemacht,
Als das Wetter ausgekracht,
Ist nicht weiter hier zu suchen.

Dieser Buhlschafft goldne Brunst,
Dieser Wirthschafft gantze Kunst
Hatt' ich gleich zur Welt gebohren:
End und Ziel hatt ich erkan̄t,
Als der dritte Ferdinand
Römscher König ward erkohren.

Apffel, Zepter, Cron und Schwerd
Sind ja seiner Tugend werth,
Seiner grossen Krieges Thaten:

---

2. Seine Wehmut / **(398)** 8. Seelgen / 20. Rauschte, blitzte /

Gott! o laß mich immer zu
Blühn und grünen voller Ruh
Unter seines Adlers Schatten.

Weil das Land voll Unruh war
Unter zweyer Feinde Schaar:
Ließ ich Glück und Wetter walten;
Bey den Herren von Czigan
Hab ich Czepco mich fortan
Mit den Musen auffgehalten.

Alllda hab ich voller Ruh
Dieses Werck, und mehr dazu
Von der Feder hin gerissen:
Was mir sonst, die Zeit zu sparn,
In der Gegend wiederfahrn,
Darff nicht jeder Schäffer wissen.

---

(399) 3. ihres Adlers / 7. dem Herren / 8. Czepko /

DAN. CEPCONIS
PIERIE.

A. C. MDCXXXVI.

(Aij) Dem
Durchlauchten/ Hochgebornen Fürsten
vndt Herrn/

HERRN HEINRICH WENTZELN/
Hertzogen zu Münsterberg in Schlesien/ zur Oelß vndt Bernstadt/ Grafen zu Glatz/ Herrn auf Sternberg/ Jaischwitz vnd Medzibor/ Röm: Kays: auch zu Hungarn vnd Böheim Kön: May: Krieges Rhat/ Cämmerern/ bestelten Obristen/ auch Obristen Hauptman in Ober vnd Nieder Schlesien/ wie auch General Krieges Commissario.

Meinem gnädigen Fürsten vnd Herrn.

OB Ewer Fürstl: Gn: vnterthänigst auff zuwarten/ ich gleich vor etlichen Jahren hero auff gelegenheit gesehen; Hatt doch diesem vorsatze beydes der zustandt deß fast vnerkänlichen Vaterlandes/ vnd dann die jrrthümher meines Reisens/ alle mittel auß den Händen genommen. Diese Pierie/ ob Sie gleich Ew: Fürstl: Gn: vnd dero Hochgeliebten Gemahlin/ etwas zu spät/ auff dero Hochfürstl: Beylager/ Ihre gehorsambste dienste in Demut entbietet/ ist nicht der würde/ bey Ew: Fürstl: Gn: erinnerung zu thun/ dehro Fürstl: Leutseeligkeit/ mit welcher Ew: Fürstl: Gn: Hochfürstl: Vorfahren die vnßrigen gnädigst beseeliget. Ist es aber/ Genädiger Fürst vnd Herr/ das Ew: Fürstl: Gn: diß schlechste Schawspiel mit genädigen/ das ist/ Ihren Augen annehmen/ werde ich mich dahin bearbeiten/ durch was wichtigere sachen zu beweisen/ das/ wie die gutthaten/ welche von Ew: Fürstl:

Gn: Hochfürstl: Hause in vnsere Vorfahren geflossen/ in der gedächtnus Ihrer Nachkommen nicht gestorben: also auch Ew: Fürstl: Gn: niemahls könne von derogleichen Leutseeligkeiten abgesondert werden/ Welche/ wie Sie dem Himmel verwandt/ so Ew Fürstl: Gn: nebest andern hohen Tugenden/ alß ein vornehmes Erbtheil/ von deßen Hochfürstl. Hause anheim gefallen/ Ew: Fürstl: Gn: Göttlicher Obacht Vnterthänigst empfehlende/ Geben Schweidnitz den 5. Septembr: Anno 1636.

Ew: Fürstl: Gn:

gehorsamer Diener

Dan. Cepco.

Dem Lesenden/ (Aiij)

GVnstiger Leser/ weil die Pierie numehr abscheid von mir nehmen wil; Habe ich Sie ohne Paßzedel/ bevoraus bey jtzigem vnsicheren wesen/ nicht abreisen lassen wollen. Dann Sie nimbt jhren weg nicht nach Mylete; Sie wird hier nicht Phrygios antreffen/ die Sie Lieben; Sondern Alles genaw durchsehende Roscios. Derowegen wann Sie vnterweges bey dir ein spricht/ thue Ihr alle gunstige beföderung. Sie hat sich schon in das siebende Jahr bey mir auffgehalten/ vnd dem staub vnd würmern mehr vngelegenheit gemacht/ als jhrem Wirthe. Ich hette Sie auch gantz auß der acht gelassen/ wann mich nicht gegebene Gelegenheit erinnert vnd bey dem ohre gezogen. Das Ihre kleidung nicht allen Augen gefallen wird/ darf bey mir keines überredens. Dann die Schlifsteine wahren damahls aus Vtopien noch nicht ankom̃en/ darauff Vnsere Meister die Scheren wetzen/ vnd allen Leuten rechte kappen zuschneiden. Deme ist es zu Alamodisch/ deme zu Alemannisch: Deme zu kurtz/ diesem zu lang: Diesem zu tunckel/ einem andern zu Lichte. Allen gefugter zu tadeln/ alß beßer zu zurichten. Wie ich Sie auff dem Schawplatze funden/ habe ich sie angezogen: wie wol derogleichen ohne kleider den meisten am besten gefallen. Meines bedünckens/ wird Ihr der staub zimlichen aus dem Gesichte gerieben sein: das Sie Leichte zuerkennen; Vnd Ihre reinigkeit wird Ihr das Recht einer Eingebornen in der Deutschen sprache erwerben; Sonsten sindt jhr die Regeln vnd Gesetze der Gelehrten/ so sie den Tragædien zu schreiben/ nicht vnbekant. Weil aber jhr Glück vnd die andern vmbstände/ Sie von Tragædischer Traurigkeit endheben, vermeinet die freye Pierie entschuldiget zu sein/ daß Sie sich solcher nicht vnterwürffig machen dürffen. Ist es aber/ gunstiger Leser/ das jhr auß deiner Zuneigung vergunnet werde/ sich vnter

Ihrer reyse bey dir auffzuhalten/ werden jhr nicht allein viel von Myunte auß jhren Landtsleuten nachfolgen/ sondern Sie wird auch bey mir vnd jhnen einen vnsterblichen ruhm erlangen; Daß jhnen alle andere zu gutter bedeutung wünschen werden; Wolte Gott ich würde so geliebet/ wie von dem Phrygius Pierie. Wann du im übrigen zeugnüße jhres ehrlichen herkommens begehrest/ sind selbige hier angeheftt.[1]) Gott befohlen.

Die Personen des Schawspiels.

Pythes/ der Pierie Vater.	Eubulus/ Rath.
Hippigia/ Ihre Mutter.	Herold.
Pierie.	Chore.
Miletia/ Ihre Dienerin.	Der Myuntier.
Die Myuntier/ Bürger von Myunte.	Der Jungfrawen von Myunte.
Jungfrawen von Myunte.	Der Soldaten.
Phrygius/ Printz der Jonier.	Der Hofe Pursch.
Damatoles/ sein Kämmerling.	Der Jungfrawen von Mylete.

(B)

Der I. Act. die I. Scena.

Pythes.

WAs wird hinfurt aus vns'rer Sache?
Myunte kan vnß ferner schützen nicht;
Wir sehn/ das wir sehr wenig auß gericht:
Wir sehn an vnß der Götter Rache.
„Zepter kommen doch von sternen; Cronen steht der Him̃el bey.
„Diese faßen Stren'gre kethen/ die sich wollen machen frey.
Was haben wir schon nicht erlitten/
Seyt die Mileßer/ vnß bestritten?
Die schuld wird nicht vertuscht/ wie sehr ich sie beschöne;
Vnd Niemand hat vmbsonst erzürnt Neleus Söhne.

Einer auß denen von Myunte.

Sie zürnen ja vmbsonsten nicht;
Wir sind vmbsonsten nicht gewichen/
So Barbar ist/ wol keiner vntern Grichen/
Dem vnbekant sey vnß're Pflicht;
„Die Götter haßen stets so vngerechte sachen;
Wie solten Sie dann hier bey vnß nicht wachen?

---

[1]) Diese Vorrede ist hier nicht mitabgedruckt.

Es ist vnrecht vnß geschehn/
Drüber Wir kaum sollen flehn.
Nein; Nein;
„Wer hier Genade sucht/ wil gantz gestürtzet sein:
Geld/ Haab' vnd Gutt/ der Menschen zartes wesen/
Ist alles fort: die Freyheit steht noch dar/
Mit derselben wollen wir sterben oder ja genesen.
Sind wir eine schlechte Schaar?
Können nicht auff vnß'rer seiten/
Auß dem Syracuser Port etlich' hundert Seegel streiten?
Glaubt das Diane selbst verfolge die Tyrannen/
Die ihren GOTTES dinst auß jhren Ländern bannen:
Dann jhr Tempel/ vnbedacht/
Wird vor vnß ja zugemacht.

Pythes.

„Wer lust zu händeln hat
„Der findet bald gewehr vnd Waffen:
„Wer auff deß Nachbarn hülff vnd Rath/
„Sich schlägt und balgt; Geht kaum mit gantzem Leder schlaffen.
Ich sehe schon die glutt entstehn/
In welcher sol diß Land vergehn.

Ein Myuntier.

Es ist gewagt: Genade heist verterben:
Ein jeder hier muß schlachten oder sterben.

Chor der Myuntier.

Ist es nicht genung verlaßen?
Vnß're Häußer nun forthan/
Sehn wir mit dem Rücken an.
Vnß're felder/ Vnß're gaßen
Werden diese nu bezihn/ (Bij)
Welche wir jtzt müßen fliehn.

Wir sind auß der Lufft gegangen/
Die vnß sonst so lang ernehrt:
Laßen jetzt in jhrer Erd'

Vnsrer Eltern Asche fangen:
Nichts ist bey vnß/ als der muth/
Den kein Feind bezwingen thut.

Sollen wir nu ferner wancken?
Alles nein; Hier ist kein end';
„Herren haben lange Händ'
„Vnd weit längere Gedancken.
Glaubt/ den Punckt/ den man hier sticht/
Lescht nur blut/ kein thränen nicht.

Darumb frisch! Mit feigem schwätzen/
Wird daß joch nicht abgethan:
Vnßre Manschafft sol forthan/
Niemand zehlen/ sondern schätzen:
Wer die Freyheit nimbt/ ist Feind/
Ob es noch so heilig scheint.

Mancher Griche sol vmbinden
Vnßerthalben Helm vnd Schwerdt:
Hetten sie sich je verkehrt/
Würden wir Barbarier finden:
Wann auch diß vergebens wehr'/
Hetten wir das wilde Meer.
Nein; wir wollen stehn vnd sterben;
Muth genung vor diesen Feind;
Halb ist schon die Schlacht verneint/
Hörn Sie vnß vmb hülffe werben.
Jeder/ der bey vnß sich findt/
Stirbt zugleich/ vnd vberwindt.

Der I. Act. die II. Scena.

Pythes.

„KOmbt es dann vom verhencknus her/
„Der Obersten gewalt/ das sich die Völcker stürtzen/
„Vnd brechen jhren stand? Mehr/ kombt es ohn gefehr?
„O nein. Vmb das Gelücke zuverkürtzen/
„Verwirrt der Götter schaar/ die Rathschläg/ vnd die Sinnen/
„Die einig sollen sein.

„Wie groß die sanfftmuth ist/ die mit der Hoheit Schein
„Vnd Majestet vermischt; Doch wil Sie mehr nicht können/
„Als die Gewalt der Zeit/
„Und das verhangene verwechseln aller dinge.
„Gleich wie der Krebs/ sein scharffes saltz durch strewt/
„Ist es erst gleich geringe/
„Und den gantzen Cörper frist/ rathen nicht deß Artztes hände:
„So frist die zwytracht vnß/ macht ein gutter rath nicht ende.
Ob wir gleich an ihren Port/
Vnß're Seegel laßen streichen:
Reisen vnverhindert fort/
Ob Sie vnß wie güttig weichen: (Biij)
Ob durch Königliche Schrifft
Wir noch sicher gehn vnd wandeln;
Ob vnß schlechte noth betriefft/
Haben recht vnd wol zuhandeln;
„Kommen mir doch solche Schrifften/ anders nichts als Messer für?
„Welche wir den Kindern laßen/ wann Sie schreyen dar vnd hier.
Die Handt voll Volck wil schlagen/
Das schon geschlagen ist/ mit blinden Vneins' sein;
Sey sicher/ dieses Hauß allein/
Kan länger vntergehn/ als du Siegs-Cronen tragen/
Ich aber wil mich auß dem staube machen.

Hippigia.

Herr/ es ist vmb vnßre sachen/
Nur zum besten nicht bestelt;
Ich bin zwar nicht/ eine Göttliche Sybille/
Doch fürcht ich sehr; Jene bannen was in stille:
Wo man was auff Träume helt/
Hab' ich an den holen Vfern/ vmb Mylete blut gesehen/
Vnd die gantze nacht gehöret ein erbärmlich's ach vnd flehen.
Ja wann es war/ was man zu sagen pfleget/
Das Vnßer Hertz' in jhm was Göttlichs träget;
Ist gewißlich was obhanden.

Pythes.

„Mit Göttern fengt man an: Zunechst hab ich verstanden/
Das Phrygius die Königliche Hand

Viel eh' auff Gnad'/ als Helm vnd Schwerdt gewant;
„Ein Oëlzweig ist ja mehr als Degen zuerheben;
„Die drewen Mord vnd Todt/ vnd jener gibt das Leben.
Nun weil das große Fest der heiligen Diane/
Itzt ruchtbar wird durch Land vnd See/
Zeuch hin Hippigia/ mit der Pierie/
Thut/ wie ich Euch vermahne.
Ich weis Ihr werdet mir den zutrit so vmfangen/
Das ich Genade kan bey Hofe drauff erlangen.

Hippigia.

Diß alles sol geschehen:
Die Göttliche Dian'
Hatt selber Lust daran;
Wann wir zusammen flehen:
Dann welche Händ' vnd Sinnen/
Zu einer Gottheit kehrn;
Die werden ohn beschwern/
Sich auch vertragen können.
Wolan ich wil als bald meinn' vnd deß Kindes sachen/
Zur Reis' vnd Gottes dienst' auffs beste fertig machen.

Der I. Act: die III. Scena.

Pierie.

WAs mus der vnmut wol bedeuten?
Die Menscher lauffen hin vnd her;

Miletia.

Die Fraw Mutter ohn gefehr/
Wird zur Reise sich bereiten.
Vnd schawt jtzt kömbt Sie gleich gegangen.

Hippigia.

Mein Kind/ vnd mein verlangen;
Schicke dich mit mir zuziehn/
Als bald nach Mylethe hien:
Nihm opffer mit vnd gaben;
Der Diane Fest felt ein/
Darumb sollen wir dar sein;
Dein Vater wil es haben.

Miletia.

Alles dienstlohn nehmm' ich nicht.
Vor die Reis' vnd den Bericht:
Es fehlet kaum/ ich treffe jenen an/
Ich wolt'/ ich wehre schon mit jhnen auff der bahn.

Pierie.

Liebste Mutter/ Ewer wille/ bleibt vnd ist mir ein Gesetze:
Dem ich mein gehorsam-bleiben/ sonsten nichts/ entgegen setze.
Als bald wiel ich jhr warten auff.
Miletia geh' hin; vnd Lauff':
Hole köstliche Geschmeide; die Saguntischen Thalare/
Perlen/ Edelsteine/ Bänder/ vnd die Goldvmbflochtne-Haare;
Vnd was ich auff das Fest an Zierath sonsten brauch'.

Miletia.

Vnd dann gewies den Spiegel auch;
Das im gefrornen eis jhr seht ob auch die flammen
Der Augen/ vnd der glantz der kleidung stehn beysammen.
Vnd ob Euch über das/
Noch sonsten fehle was.

Pierie.

Schweig/ du abgefürte/ stille. Wird nur etwas hinten bleiben;
Wil ich dir die kurtzweil ärger/ als du wol vermeinst/ vertreiben.

Miletia.

Ach! schawt doch wie wol steht es an/
Wer böse sein wil/ vnd nicht kan.
Ich muß nu fort. Dort kommen die Jungfrawen;
Ja dörfften Sie auch auff das gleis/
Sie geben drumb/ was ich nicht weis/
Vnd Sie vielleichte noch niemanden lassen schawen.

Pierie.

Du Bräckin schweig. Willkommen liebe Schwestern.

Eine auß den Jungfrawen.

Wir wehrn gewesen dir vill angenehmmer gestern.
Jedoch sag' vnß was bedeut/ (C)
Daß du so geschäfftig heut';
Ist ein Bräutgam etwan hier?

Pierie.

Sihe da/ die Spötterinne.

Eine andere.

Warlich nein: Sag' es nur mir;
Diese sein zu klug hierinne.

Pierie.

Auff Dianen Fest sol ich itzund nach Milete ziehn.

Eine Jungfraw.

Ach! der großen Heiligkeit/ die wir sehen in dir brennen:
Doch/ wo ich recht wache bin/
Vnd du selbst es wilt erkennen;
Gestern hab ich was gehört/
Daß Neleus seine Söhne/
Wieder die/ so Sich empört/
Vnd durchächten jhre Thröne/
Die Waffen legen an/ zuschicken Sie zun todten;
Vnd drumb sey jhnen auch/ das Heilge Fest verbothen.

Eine andere Jungfraw.

Man findt stets newen Ruff bey dir.
Diß hat gewiß ein Herold dir gesaget.
Wehr' es nur auch vergünnet mir/
Ich hette gleich wie sie die reise bald gewaget.

Hippigia.

Ihr Töchter jhr/ was gebt Ihr sämbtlich an?
Pierie/ wir müßen auff die bahn.
Gesegne dich; Wir wollen abscheid nehmen.
Auch der Verzug wird deinen Vater gremen.

Pierie.

Nun adi/ ô jhr Gespielen/ dencket meiner/ lebet wol.

Die Jungfrawen.

Deine Reise/ Liebe Schwester/ sey dir gutt vnd glückes voll;
Die Götter wollen dich begleiten/
Vnd wieder führen zu vnß her:
Sie geben/ das wir ohn beschwer/
Auch dahin ziehn in kurtzen zeiten.

Chor der Jungfrawen.

Diana/ weil wir können/
Dein Fest besuchen nicht;
So schaw' an Vnß're Sinnen;
Wir sind in deiner Pflicht.

Wir schicken vnß're Hertzen/
Weil hier dein Oële brent/
Vnd weyhet dir die kertzen/
Die vnßer' Andacht kent.

Ob wir auff den Altären/ (Cij)
Zu deiner Gottheit nicht/
Auch die Gesichter kehren/
Sind wir doch hin gericht.

Alecto auß der Höllen/
Erwecket auffruhr zwar:
Vnd wiel dein Opffer fällen.
Doch rett' vnß aus gefahr.

Verbanne du daß eisen/
Das in den öfen glüht:
Thu vnß inn Tempel weisen/
Wo ruh' vnd friede blüht.

Hör' an von vnsertwegen
Jtzt die Pierie/
Vnd nihm durch milden Segen/
Von vnß daß schwere weh.

Der II. Act: die I. Scena.

Phrygius.

Ich wil nicht Länger schawen zu;
Das abgefall'ne Volck darff meine Langmuth schertzen/
Schlägt in den Wind den Trost der sichern Ruh;
Redt frembde Völcker an auß eyd vergesnem Hertzen/
Vnd hat selbst die verfluchte Handt/
An Cron und Zepter hier gewandt.
Der Himmel helff' es mir. Ich wil Sie strenger Lehren/

Wie sie die Obrigkeit vnd Gnade sollen ehren;
Sie sollen sehn/ das Ich auch zürnen kan.
Dieß Völcklein wiel nicht artznei kennen/
Hier Hielfft bloß vmb vnd an
Fewer/ eisen/ schneiden/ brennen.

Damatoles.

Herr/ ob Euch gleich auff der Erden
An gemüth' vnd Tapfrigkeit/
Weder vor/ noch dieser zeit/
Was kan gleicher funden werden:
Ob gleich große Tugend ist/ Ewer Hertz/ vnd Ewre Thaten;
Vnd von Euch nichts ist geschehn/ welches sey zu wiederrathen.
Dennoch Hab' ich offt gedacht/
Euch wirdt schaden eine Sünde:
Ihr seyd/ hab ich so viel macht/
Zu genädig/ zugelinde.
Herr/ imfall ein frembder Wind/ bläset in die Asch vnd Kohlen/
Wird das Fewer nicht gestillt; Was wir auch vor wasser holen.
Dorte kömbt Eubulus her.

Phrygius.

Schwimbt dann Myunte durch das Meer?
Waß höret man/ von jhren tollen Waffen
In welchen Sie schon vntern Sternen schlaffen?
Nu nu der Zorn sol Sie vergehn/
Eh' einmal Phaebus auff wird stehn.

Eubulus.

(Ciij) Herr/ dieser Zorn/ der diese Leut entzündet/
Ist auf verzweiffelung vnd kalte furcht ergründet:
Eh' als Sie kommen auff die bein'/
Ist schon geendt jhr Trotzigsein:
„Mit auffschub können wir sie schlagen/
„Der allzeit vor den starcken wacht;
Sie werden selber sich benagen/
Auff kurtze zeit/ besteht die macht
Die hülff' auff die sie sich so starck verlassen/
Wird müd vnd matt vnd diese selbsten hassen.

„Keiner müschet sich vmb sonst in dergleichen Händel ein/
„Sieht er nutz vnd vortheil nicht; Helffer ziehn den besten stein.
Herr darumb dämft das Fewer durch das eis/
Wie Ewer witz vnd munter' obsicht weis.
Itzt ist kluger rath vonnöthen.

Phrygius.

Der beste rath ist/ töthen;
Sie sollen heutte noch/ sonst möchten Sie veralten/
Mit der Proserpine die Abendmalzeit halten.
Damatoles/ komm' vnd heiß Lermen blasen.

Damatoles.

Auch andre warten dort auff vnß im grünen Rasen.

Eubulus.

„Hier auff der Kugel dieser Welt
„Steht nichts Es wird stets fortgetrieben
„Was vnterm Monden sich enthelt:
„Nichts bleibt/ nichts ist beständig blieben.
Wir sehn das der Verstand das Rad offt hemmen kan/
„So dieses wechsel waltzt. Es wird vnß alles nutzen/
„Imfall wir nur den mut mit guttem rath' aus putzen;
„Dem weisen ist die Welt vnd Himmel vnterthan.
O Phrygie/ die Vnruh' hettest du/
mit ernst vnd witz/ gar leichte tilgen können;
Der dir gebührt: Itzund muß blutt nu rinnen/
Durch Nachsehn kaufft dein hohes Ansehn rhue.

Das Glücke mißbraucht deine Gütt'
Vnd hat die Cron' vnd dich verrathen;
Diß Volck kennt deine krafft vnd thaten;
Das du mit Langmut überschütt.

Ihr Ansehn haben Sie auß deinem Schatz erkauft/
Dein ist der zeug/ dein' ist/ auß was sie Wafen schmieden;
Jtzt dempft man sie wol nicht: Alß blos durch kurtzen frieden.
Ihr eisen ist zu warm; Ein jeder tobt vnd laufft.
Die ruh wird selbst alßbald Sie feinde machen/
Dann sind sie dein ohn Schwerd vnd todt;

Dann stillt man sie durch etwas sich're noth;
Bey diesem schlaf' ist es dann zeit zuwachen.
„Was nicht durch zwang wird gutt gemacht/
„Durch heimlich's sterben/ off'nes hencken/
„Durch Ansehn/ Tyranney vnd Schlacht;
„Thut kurtze Gnad'/ vnd Langes dencken.
Aber ich muß jtzundt gehn meines Herren zorn zustillen;
Ich wil Leschen diese glutt/ find' ich jhn nach meinem willen.

Chor der Soldaten.

Nach was sollen wir sonst trachten/
O du Gott der Krieg' vnd Schlachten/
Alß zu singen dir ein Lied:
Du solt vnsern Held begleiten/
Zum Triumph' vnd kühnen streiten/
Der dir ähnlich ist vnd sieht.

Kom/ ô Feld Herr kom gehawen/
Hier wirst du ein Krieg's Heer schawen/
Das nach newer Welt schon fragt:
Schaw die Trouppen vnd Standartten/
Deiner in dem Felde wartten/
Welchen nichts als streit behagt.

Dir sehn wir die fahne schwingen/
Dir Trompeten heller klingen:
Dir gläntzt Pantzer/ Helm vnd Schwert:
Vnsre Pfeil' vnd Hertzen brennen/
Höhrn sie deine thaten nennen/
Denen stets der Sieg beschert.

Darumb komm; ich schaw sie weichen;
Vnsre Feinde sind nur leichen:
Alle sind hin in die flucht:
Bloß dein nahme kan sie schlagen:
Solten Sie dein Schwert vertragen/
Das jhr Hertz' vnd Leben sucht?

Vnd du/ gib vnß gutte Beuten/
Zum Triumph' im kühnen streiten;
Führ' vnß an/ wir folgen dir;

Wir wollen mehr als dann betrachten/
O du Gott der Krieg' vnd Schlachten/
Dich/ vnd vnsern Held mit Dir.

Der II. Act: die II. Scena.

Pierie.

ACh! Mutter/ Ach! ich weis nicht welcher Geist/
mich weichen heist:
Eine Gottheit stöst mein Hertz' vnversehens starck zurücke;
Ich weis nicht wie ich mich drein schicke.

Hippigia.

Mein Kind was sol es sein: woher kombt diß entsetzen?
So wüdrig müssen wir nicht vnsre Reise schetzen:
Mache dir nur nicht gedancken:
Sey getrost vnd wolgemut:
Jtzund ist nicht zeit zuwancken;
Rede nur/ es ist schon gutt.

Miletia.

Wo die Kranckheit fellet ein/
Wird schlechte Lust vorhanden sein.

Pierie.

In dem Himmel vnd der Höllen/ (D)
Glaub' ich das ein jeder Gott/
Vber Leben oder Todt/
Bey mir muß ein Vrtheil fellen.
Wo sol ich Arme doch vor diesen ängsten hin.

Der II. Act: die III. Scena.

Phrygius.

DAmatoles/ Es ist zeit fort zuziehn.

Damatoles.

Man kan noch vngeraufft wol Leben.

Phrygius.

Ich wiel befehl zum angrieff geben;

Damatoles.

Gar wol: Wir wollen Sie bald schlagen;
Ich Lese schon den Todt/

An der Feinde stirnen stehen/
Mit kreyde blaßer noth/
Die sol bald durch blutt vergehen
Diß Volck: Was wil es sich doch wagen?

Phrygius.

Es ist gewagt; doch werden sie noch heutt'
Erfahrn/ wie scharff der Königliche Degen:
Vnd was es sey/ sich wieder diesen legen:
Ich wil nicht König sein; Jmfall mit sturm vnd streit/
Vnd straal/ vnd staal/ vnd glutt/ sie nicht.
Ihr Götter; Was wol vor ein Licht/
Seh' ich so eylendts vmb mich blincken:
Ich fühle deßen schein in mein Gemütte sincken:
Sehen muß ich wer sie sind.

Damatoles.

Seht doch wie der Zorn verschwindt
Ich wolte Lieber hier verliehrn/ als dorte Siegen.

Pierie.

Wann deine Gnad vnd macht/ dein Güttig-sein/ vnd kriegen
Sich wol vergleichen vmb vnd an/
O König/ deßen muth/ diß theil wo Menschen Leben/
Ihm erblich macht vnd vnterthan:
Vnd deßen Güttigkeit die Götter selbst erheben:
Hoff' ich sehr dein sanffter Sinn/
Wird mein Elend nehmen hin.
Gehorsam macht mich zihn/ vnd Gottes dinst verwegen.

Phrygius.

Wann deine zier vnd Trew/ dein glantz vnd gunst hergegen/
in rechter Pflicht vnd freindschaft stehn/
(Dij) O Göttin/ derer straal die Hertzen kan endzünden/
Die nach der Welt beherschung gehn:
Vnd derer Pracht/ die Welt/ vnd auch jhr Haupt/ kan binden.
Hoff' ich dein Barmhertzig sein/
Wird auch Lindern meine Pein.

Pierie.

Von Schönheit weiß ich nichts zu sagen.

Phrygius.

Ich desto mehr: doch darff ich fragen;
Auß welchem Himmel kombt jhr her?
Vnd welcher Geist vmbwaltzt der Augen Sphæren/
Die diß mein Hertz' auß heilen vnd versehren?
Vnd mehr; was zwingt Euch vor beschwer/
Mir vnversehens zuerscheinen.

Pierie.

Ich fürchtt' ich muß mein Leid beweinen/
Im fall ich sage wer ich bin.

Phrygius.

Nicht so/ mein Kind: dein Liblich's-ansich-ziehn/
Macht das du Königen auch selber kanst gebieten.
Mit meinem Zepter gräntzt das Glück' vnd deine Sitten.

Damatoles.

Wie verkehrt es sich auff Erden
Herren wollen Knechte werden;
Welche heutte konten siegen/
Werden bald zun Füssen liegen.

Pierie.

Herr/ die worte werden eiß/ vnd die furchte macht Sie stehen.

Phrygius.

Furcht' vnd eys kan übel sein/ wo viel Tausent flam̃en gehen.
Vnd mein gantzes Hertze fleust/
Daß es sol so Langsam wißen/
Was das deine wil genüssen/
Vnd so Langsam sich entschleust/
Diß Land der Pylier vnd dann auch der Ionen/
Zugeben/ Göttin/ dir vnd beyder Reiche Cronen;
Imfall ein trewes Hertze nicht/
Vor diesem dir die Sinnen bricht.

Pierie.

Cronen tragen/ Zepter führen/
Wil vnd kan mir nicht gebühren.
Ich bin deine Dienerin; Dieses was ich sehr begehre
Ist/ das/ großer König/ ich gern nach offter vmb dich wehre.

Alle zu Myunte wollen/
Deiner Göttin/ der Diann'
Heil'ge sachen zünden an;
(Diij) Zweiffeln ob Sie from sein sollen:
Darumb fall' ich dir zu Fuße/ darumb bin ich hergesandt;
Erst von meines Vatern wegen; Vnd dann (wiltu) vor das Landt.

Phrygius.

Es sey: ich kan dir nichts versagen.
Doch wann der Krieg/ auff dein begehrn/
Ohn Schwert vnd blutt/ so schnelle wird zuschlagen:
Sol nicht auch mein beschwern
Dergleichen außschlag hoffen?
Ich wil die Hoffstadt nur zusammen laßen ruffen;
Heutte/ meine Lust vnd Pein/
Soltu/ Königin noch sein.
Damatoles; Laß numehr die Soldaten
Ins Hauptquartier in gutter Ordnung ziehn:
Den sachen wird itzt anderwerts gerathen;
Doch fodre mir die Obersten vorhin.

Der II. Act. die IV. Scena.

Die Myuntier.

DEr ernst vnd eyfer geht nun an:
Ein Bote der hat kund gethan;
Das zu Mylete sey das Läger auffgebrochen.

Ein anderer.

Sie dürffen finden/ was sie suchen.

Die Myuntier.

Mehr; das Sie zu dem Hauptquartier/
Abstechen schon die Schantzen hier.
Der König ist darbey; die Losung die sie nennen/
Die sol nichts anders sein/ als Rauben/ Morden/ Brennen.

Ein anderer.

Was ist zuthun? Weil wir auff gegen wehr'
Itzt sind bedacht/ vmb gibt vnß schon diß Heer.
Eh' als wir die Degen zucken/
Kan es vnß gantz vnterdrucken.

Die Myuntier.

Wo muß doch vnser Pythes sein?
Vnd schawt da kombt er gleich herein.

Pythes.

Die Völcker kommen an: Sie wollen vmbher streiffen.

Die Myuntier.

Wir müßen ziehn den rath wie auß dem stege reiffen.

Pythes.

Vmbsonst ist jtzt der Wiederstand:
„Gewagt; heist hier verlihren:
Geld/ Ordnung/ Manschafft/ Hülff vnd Land/
Kan vnß ins feld nicht führen.
„Freyheit/ die man sucht durch noth/sol bald zurTyrannin werden:
„Vnter Königen sind nicht/ so viel/ als bey jhr/ beschwerden,
Wan wir das Haubtwerck setzen auff/
Felt es/ vnd wir mit jhm zuhauf:
Vnd Weil zwar vnser thun dem Phrygius verrathen:
Befind sich nichts doch noch in tathen:
Darumb suche man jtzundt.
Einen Anstand auß zubieten:
Dann kan vnßrer sache grund/
Besser bleiben vnbestrieten.

Die Myuntier.

„Gar wol: verzug der bringt gefahr vnd Leid:
Wir wollen gehn diß wircken in der zeit.

Die anderen.

Vnter deßen ordnen wir alles auff den wachten an.

Die Myuntier.

Nicht bloß diß: Es sey zugleich in bereitschafft Roß vnd Mann.

Der II. Act. die V. Scena.

Hippigia.

ICh weiß nicht was man bey der Sache/
Mein Kind/ thun oder laßen sol.

Pierie.

Ich bin deß Leyds vnd kummer's voll;
Ach! Ein Gestirn' ist übern Horizunt/
Zu meinem vntergang auff dieses Fest gestiegen.

Hippigia.

Wer macht es vnserm Vater kund?

Pierie.

Ach! wehr' Er hier. Ich fürchte diß vergnügen/
Vnd ich/ werd' jnner Angst vnd Pein/
Ein andre Polixena sein.

Hippigia.

Diana wird diß alles wenden/
Die dir diß glücke zu wil senden.

Pierie.

Lieb haben vnd gezwungen sein/
Ist wieder Lieb'/ vnd schaffet Pein:
Ich fließ' vnd schmeltz in Ach vnd Weh/
Vnd schwimm' in einer trhenen See:
Ich seh' in mir die Procris an/
Wie Cephale Sie tödten kan:
Ich hör' im Meer auff einem Stein'/
Auß Crete Ariadnen schrein:
Ich lese/ was Brieseis sucht/
Vnd wie Sie dem Achilles flucht:
Vnd was vor Männer jeder frist
Bedeckt mit Cronen jhre list.
Ach! ist nicht durch gantz Griechenland
Die Vntrew mehr als wol bekand:
Vnd mehr noch: Wer hatt je gesehn/
Dergleichen Lieb' ohn stetes flehn?
Bin ich dann nu ein schertz vnd spiel/
Muß/ was die Kugel-Gottin/ wil.
(E) Es ist mit mir geschehn: Sie hebt mich auff vor allen/
Herunter kan ich mehr nicht steigen/ sondern fallen.

Hippigia.

Liebe Tochter las diß klagen.
Komm: Ich höre nach vnß fragen.

Chor der Hoffpursche.

O Wie wol hast du gethan/
O du Trost vnd zier der Erden/

Alles muß nu Lustig werden:
Singe/ was hier singen kan:
Venus nimbt von vns die Waffen
Vnd Wir sollen ruhig schlaffen.
  Alles wahr auff streit bedacht:
Vnser fußvolck kam gedrungen/
Vnd die Reiterey geschwungen/
Wolte fewrig in die schlacht:
Alles wahr auff seinen Posten/
Bey Myunte blut zukosten.
Aber Nein. Ein gutter Geist
Zündet an mit Liebes Kertzen/
Die vor zorn entbrante hertzen;
Frieden hoft man allermeist.
Venus hat mit Liebes flehen/
Vnsern Mars nun angesehen.
  Darumb weg mit Kriegs geschos/
Weg mit Degen/ weg mit Lantzen:
Spielen/ Singen/ Trincken/ Tantzen/
Bleibet vnser wort vnd loß,
Venus wil zu beiden Thaten/
Buler haben vnd Soldaten.

Der III. Act: die I. Scena.

Eubulus.

„MAn sieht doch nirgend so als in der Printzen wesen
„Wie sehr das Glücke spielt/ der König wolte furt/
Vnd drewte nichts/ als Todt; Jtzt hat Er Ruh erlesen;
„Diß Schwert hat mehr gefahr nach dem es abgegurt.
Dieses Landes glück' und heil stehet zwischen Thier vnd Angel;
Zwar Charybde lest jhr theil/ Scylla setzt es doch in mangel,
  Die Heyrath/ welch' Er vorgenommen/
Wird/ weil Er sein Gemüt' in einem Hui verwandt/
Vnd mit dem blutte mischt den Königlichen standt/
In vieler Hertz' vnd vrtheil kommen:
Ich sage nicht: Von seinen hohen Ahnen/
Auch nicht; von seinem Blut'/ ob es auch Purpur trägt;

Auch nicht; Ob seinen Nutz vndt hoheit Er bewegt.
Ich sage nur von seinen Vnterthanen.
„Herren suchen Heyrath nicht/ wie gemeine Leute pflegen:
„Diese thun es nach begier: Sie deß Reiches besten wegen.
Mein Phrygius du hast erkandt/
Auff was vor einem Herd' jhr Fewer ist entglommen/
Dardurch du in gefahr mit deinem Lande kommen.
Dein Guttes thun wird es genandt:
Was Legest du itzund darzu noch heissre kohlen?
Der Königliche Stuel/ drauff du jhr blut gesetzt/
Wird nu von jhnen sein nicht mehr so hoch geschetzt/
Vnd dencken wol davon auch Majestet zu holen.
(Eij) „Große Sonne/ großer schatten.
Man wird mittel wol erdencken/ dieser Kranckheit noch zurathen.

Phrygius.

Eubulus; Ist der Herold fort gesandt.

Eubulus.

Ich habe zur Papier schon die Artickul bracht:
Myunte aber hat es gleich wie wir gemacht.

Phrygius.

Wie da? Hatt sich das blat dann vmbgewandt.

Eubulus.

Schreyben haben sie geschickt/
Die vor furchte gantz getroffen:
Fragen/ Erden-zugebückt/
Ob die Gnaden thür sey offen.

Phrygius.

Es lieben vnß ja noch die Götter auß den Sternen/
Vnd wollen dieses Reich wie selbst bewohnen lernen.

Damatoles.

Herr/ der Thron ist nu bereitet; Vnd voll Majestet steht dar
Die jtzt Königin sol werden/ vnd vor wie ein Engel war.

Phrygius.

Eubulus ewrem witz' hab' ich zuvor vertrawt
Mein Reich/ jtzt nembt mein Hertz: Vnd folgt zu meiner Braut.

Der III. Act: die II. Scena.

Chor der Hoffpursche.

DIana komm' auß deinem thron'/
Apollo lest sich sehen schon:
Im Himmel ist es schlecht bestelt/
Die Götter treten in die Welt.
Im fall es auch nicht Sünde heist/
Ist ewer Vorbild allermeist/
Der König vnd die schöne Braut/
Die jhr auff diesem Saale schawt.
Pierie/ kompt seht Sie an/
Ist eine Göttliche Diann';
Vnd Phrygius voll herrligkeit
Ist ein Apollo dieser zeit.
Den tag entzündt Apollo gantz;
Diane giebt den nächsten glantz:
Diß hat auch Phrygius bedacht:
Pierie herscht in der Nacht.
Ihr kombt nun oder kommet nicht:
So sehn wir Ewer Göttlichs Licht:
Dann dieses Hocherlauchte Paar/
Ist Euch doch ähnlich gantz vnd gar.
Drumb auff/ mit der Trompeten schall'/
Vnd Büchsen klang/ vnd Music hall;
Er klingt vnd schreyet die Dian'
Vnd den Apollo frewdig an.

Alle Chore zusammen.

Ein jeder wünsch' jhm auch dergleichen Lieb' vnd Eh'
Ihr Printzen/ vnd darzu Ihr Tugendhafften Damen/
So weit im Welt revier erschallen Ewre Nahmen/
Wie Phrygius hier hat vnd dann Pierie.

Chor der Jungfrawen zu Milete. (Eiij)

Wann wir deß Himmels gaben/
Die wir diß hohe Paar/
Vor andern sehen haben/
Hier sämbtlich nehmen war:

So müssen wir bekennen;
Viel gleiches ist zunennen.
  Der König ist vmbgeben/
Mit glantz vnd Majestet:
Die Braut ist zuerheben/
An schönheit frü vnd spätt.
Auß einer glut genommen/
Vom Himmel beyde kommen.
  Die Crone/ die Sie träget/
Verdienet jhre Trew:
Die Demut/ wie Sie pfleget/
Erhebt Sie also frey:
Sie hat/ drinn Sie kan prangen/
Vom Himmel diß empfangen.
  Nichts ist allhier geliehen/
Als eintzig nur der stand/
Den hat Ihr anzuziehen/
Der König zugewandt.
Dem Sie auch Leib vnd Leben'
Dafür zugleich ergeben.
  Die Liebe sieht nicht Cronen/
Nicht Schild vnd Wapen an:
Sie sucht die zu belohnen/
Welch' Ihr sind vnterthan.
Ihr werck in allen sachen/
Ist vngleich gleiche machen.
  Nun bindt mit süßen flammen/
Gleich-vnd nicht gleiche sein/
Ihr wehrtes Paar zusammen:
Vnd Lebet sonder Pein:
Wir wollen zu gefallen;
Ein glück-zu laßen schallen.

Alle Chore zusammen.

Ein jeder wünsch' jhm auch dergleichen Lieb' vnd Eh'/
Ihr Printzen vnd darzu Ihr Tugendhafften Damen/
So weit im Weltrevier erschallen Ewre nahmen/
Wie Phrygius hier hat vnd dann Pierie.

Chor der Soldaten.

Wie wol doch gleicht sich in der Welt/
Ein schönes Weib/ vnd kühner Held:
Schawt die Pierie doch an/
Vnd was der Phrygius gethan.
Frisch auf jhr Pursch in dieser nacht/
Wird hier geliefert eine Schlacht:
Solt' vnser flügel auff der seyt'
Auch doch erwecken gleichen streit.
Die Nacht ist beßer alß der Tag/
Da Venus beim Adonis Lag;
Auch da Apollo auff der that/
Beim Mars' ertapt die Venus hat.
Dann ist ein Mars nicht dieser zeit/
Der Phrygius an Tapffrigkeit;
Pierie/ vnd deiner Zier/
Weicht Venus selber für vnd für.
Es schickt sich wol; Wie vor gesagt/
Was sämbtlich jhm vnd jhr behagt:
Ein hohes blut vnd kühner Geist;
Fühlt solche flammen allermeist.
Frisch auff jhr Pursch vnd rückt zuhauff/
Her kehrt euch/ Past die Lunten auff:
Gebt salve/ spilt mit Stücken drein;
Vnd thut mit vollem Halse schrein.

Alle Chore zusammen.

Ein jeder wünsch' ihm auch der gleichen Lieb' vnd Eh'/
Ihr Printzen vnd darzu Ihr Tugendhafften Damen;
So weit im Weltrevier erschallen Ewre nahmen/
Wie Phrygius hier hat vnd dann Pierie.

Der III. Act. die III. Scena.

Pythes.

WIr hören das geringste nicht/
Waß vnßre schreiben außgericht:
Wo dieses was geredt im orden/
Dem König' ist verkundschafft worden:

Ist wol kein Trost zuhoffen hier.
„Wer schon im Sattel sitzt/ strafft zwier.
Hippigia in was vor weh/
Bist du jtzt vnd Pierie:
Ach! Kinder/ wie ist mir geschehen/
Was wol vor grausames versehen/
Hat mir/ vnd ich dann Euch befohlen fort zuziehn/
Zu stürtzen Euch/ vnd mich ô Irrdischer gewien'/
O ewiger verlust/ den ich davor empfangen/
Was Thorheit hab' ich nicht begangen?
Ihr werdt an stad der Gnad/ jtzt in dem Kercker sein:
Vor Ruh/ ich in der flucht; Getrent wir vnd in Pein.
Dort kommen Vnßre Leute her.

Die Myuntier.

Mein Pythes der verzug wird schwer.
Kombt die Post nicht in zwo stunden/ gehet alles über hauffen/
Vnd wir müßen ohne Gnade/ fechten/ sterben/ oder lauffen:
Man hört auff allen Thürnen/
Die Völcker draußen zürnen/
Die Erde hat sich selbst bewegt/
Vom starcken Donner der Geschütze:
Die Lufft entsetzet vor dem Plitze:
Das waßer/ das sich sonsten legt/
Vnd stille steht vmb vnsern Port/
Laufft lawer noch vnd wärmer fort.
Alß eine Salve sie in Lägern abgeschoßen:
Vnd drauff ins Feldt geruckt mit Knechten vnd mit Roßen.

Ein anderer.

Sehet/ seht; Ein Herold kommet seine farbe/ seine tracht
Zeiget/ das er sey von Hofe/ höret was er angebracht.

Herold.

Der Große König/ deßen Gütt'
Vnd Langmuth/ nicht mit seinen thaten/
(F) Mit was vor Glücke Sie vmbschütt/
Mehr in vergleichung kan gerathen;
Ermahnet Euch zu trewer Pflicht;
Hier/ leset darauß mehr bericht.

Die Myuntier.

Ihr Herren kompt: Wir werden nu vernehmen;
Wie sehr wir vns/ vnd wegen was zugremen.

Der III. Act. die IV. Scena.

Herold.

WEhr' ich wieder doch zu Hauß'
Hier sieht alles trawrig auß:
Dort ist frewdig Jung und Alt/
Alles hier scheint vngestalt:
Dort ist ruh' vnd sicherheit/
Forchte hier/ vnd bleiches Leid:
Dort ist Music überall/
Weinen hier vnd klageschall:
Dort hat jeder winckel Wein;
Hier ist waßer kaum gemein.
Dort erkiest man Tantz' vnd Spiel';
Hier erschrecknus ohne Ziel.
Dort ist ein recht feyer Tag:
Hier ein Leben voller Plag'.
Himmel ist dort vnser Haus/
Helle hier vnd steter graus.
Ich wolt' ich wehre fort: Vnd schaw Sie bringen Schreiben:
Nu ich wil den Verzug durch eylen wol vertreiben.

Die Myuntier.

Hier wird die antwort sein. Nechst vnsrer Pflicht vnd Leben/
Solt jhrer Majestet in Demuth jhr sie geben.

Der III. Act: die V. Scena.

Pythes.

WEil vnß deß Himmels höchste Krafft/
Den Werthen Trost der ruh verschafft:
Vnd Phrygius/ vnd wir in Trew/
Auch fallen Vnsern Göttern bey.
Was nimbt man rühmlichers wol vor/
Als das wir stimmen/ vnser Chor?

Die Myuntier.

Ein gutter Geist hat vnsern Sinn geführt:
Doch Pythes dir/ allein der ruhm gebürt:
Ein Gott steht dir vnd deinem Hause bey:
Dann du/ vnd dann dein Kind ist vrsach das wir frey:

Pythes.

Dem Himmel ist es zuzuschreiben:
Der Euch vnd dann auch mir so sehr geneiget ist;
Er gebe daß nur Ruh beständig sey erkiest/
Solt' ich vnd mein Kind drüber bleiben.

Myuntier.

Dancken wollen wir den Göttern/ vnd den großen König ehren:
Deine frome Tochter preisen: Vnd dein Lob durch sie vermehren.

Der III. Act: die VI. Scena.

Chor der Myuntier.

(Fij) Ihr Götter/ die Ihr vnß erlöst/
Vnd dieses Land mit frieden tröst:
Vmbgläntzt den Sinn mit Ewrem schein'/
Auff das wir Euch recht danckbar sein.

Du Printz/ zu dem der Himmel kömbt/
Von deiner gütt' ein Beyspiel nimbt:
Bleib jmmer vnßer Schutz vnd Schild;
Wir sein dir trew/ vnd wie du wilt.

O Braut dir schrein wir sämbtlich zu.
Du heilig's mittel Vnß'rer Ruh:
An der das Land zuvor ein Kind
Itzt aber eine Mutter findt.

Diane selber dieser zeit/
Dein Printz sey deine höchste frewd';
Er sey dein trost vnd zuversicht/
Vnd endre niemals dise pflicht.

Vnd du/ ô Gütt' vnd Lust der Welt/
Die Götter sind dir vorgestelt:
Ihr will' vnd dann dein König Reich/
Sol nun vnd jmmer bleiben gleich.

Ihr Götter führt den König an;
Der König liebt die Braut forthan:
Die Braut hat vnß die Ruh gebracht.
Nembt diß/ so lang' jhr Lebt/ in acht.

Alle Chore zusammen.

Ein jeder wünsch' jhm auch dergleichen Lieb' vnd Eh'
Ihr Printzen/ vnd darzu Ihr Tugendhafften Damen/
So weit im Weltrevier erschallen Ewre Nahmen/
Wie Phrygius hier hat vnd dann Pierie.

Chor der Jungfrawen zu Myunte.

Diana/ dich zu Loben/
Ist vnser wunsch vnd ziel:
Gieb vnß den Geist von oben/
Vnd höre dieses spiel:
Dir sollen seiten stimmen/
Dir heilig' opffer glimmen.

Du du hast vnser flehen/
Vnd vnser schweres weh;
In gnaden angesehen
In der Pierie:
Du du hast sie erhaben/
Durch jhrer Demut gaben.

Ach! könten wir dich Ehren/
Kind voller Zucht vnd Scham/
Wir sind/ kanst du es hören/
Dir fast Mylete gram:
Doch es wird bald geschehen/
Das wir dich werden sehen.

Das wir nu sicher leben;
Das nicht der Tempel zu;
Das wir die Händ erheben:
Das bey vnß wieder Ruh:
Gibt vnß/ aus mildem Segen/
Diana deinetwegen.

(Fiij) Diana Laß vnß reisen/
Vnd führ' vnß doch dahin/
Wo wir dich können preisen/
Vnd itzund dürffen zihn:
Du da kanst alles geben;
Dich/ dich wir drumb erheben.

Nihm dieses Haubt/ die Krone/
Das bey gelinder macht/
Diß Land in frieden wohne/
In trewe hutt vnd acht.
Der wir anjetzt zu Ehren/
Diß glück-zu Lassen hören.

Alle Chore zusammen.

Ein jeder wünsch' jhm auch dergleichen Lieb' vnd Eh'/
Ihr Printzen vnd darzu Ihr Tugendhafften Damen/
So weit im Weltrevier erschallen Ewre nahmen/
Wie Phrygius hier hat vnd dann Pierie.

Chor der Myuntier.

Es ist/ wann wir es recht besehn/
Ein grosses Wunderwerck geschehn;
Die Heurath setzt in alten stand/
Gemütther/ Tempel/ See vnd Land.

Pierie/ wir sagen frey/
Bloß wird vermehlt nicht deine Trew;
Viel tausendt Hertzen an der Zahl/
Vereinigen sich dieses mahl.

Die Tempel/ vnd der heil'ge wahn/
Der König vnd der Vnterthan;
Die Landschafft vnd das Königreich/
Sind einig wiederumb vnd gleich.

Die Wasser blasen selbst sich auff/
Verbinden besser jhren lauff:
Die Gräntzen schlissen jhre Stein'/
Jn festen grund vnd freundschafft ein.

Myunte kan nun ohn bemühn/
Vnd anstoß nach Mylete ziehn:
Mylete schwimbt dann wiederfort/
Vnd setzt sich in Myunte Port.

O Heyrath/ diese Wunderthat/
Ist über alle Gütt' vnd Gnad'
Als lange Grichisch wird gehöhrt/
So lange solt du sein geehrt.

Alle Chore zusammen.

Ein jeder wünsch' jhm auch dergleichen Lieb' und Eh'/
Ihr Printzen vnd darzu Ihr Tugendhafften Damen;
So weit im Weltrevier erschallen Ewre nahmen/
Wie Phrygius hier hat vnd dann Pierie.

ENDE

(33) DANIELIS â CZEPKO
DREY
ROLLEN
VERLIEBTER
GEDANCKEN.

(33 v. leer)
(34)

An
die HochWolgebohrne Frau
FRAU SALOME LASSATIN,
gebohrne Burggräfin von Dohna,
Frau auf Quarckhoff.

Eu. Gn.

habe auf dero gnädigen Befehl ich die Rollen verliebter Gedancken, so ich theils aus der Aschen, als solche nebenst vielen andern Schrifften dem Feuer unlängst von den unbeliebten Croaten in Hiltschin aufgeopffert worden, aufgelesen: theils unter dero Liebswürdigen Frauen Zimmer empfangen, hiermit in tieffer Andacht, wie es sich bey derogleichen Göttin, wo auf der Welt dergleichen auch anzutreffen, geziemet, gehorsam übergeben wollen. Ich muß es bekennen, daß ich durch dieses schlechte Opffer dem Altar der Danckbarkeit nicht einen geringen Schandfleck anhänge, als der ich durch die von Eu. Gn. mir so viel erzeigte Gnade längst verbunden gewesen, durch etwan eine neu aufgebauete Arcadia zu erweisen, daß keinem undanckbaren solche wiederfahren. Und hat iemahlen die vom Himmel herabgestiegene und auf Erden sich zu erkennen gegebene Schönheit die
(34 v.) unterthänige Aufwartung der aller berühmtesten Gemüther ver- /34 v./ dienet, so haben in Wahrheit Eu. Gn. die Oberstelle darunter in dieser unserer Zeit erlanget, und wäre zu wüntschen, daß alle derselbigen verwundernde Beschauer Ihre unbegreiffliche Macht, wie sie solche leiden, also auch beschreiben könten. Aber wie M. Scævola seine Hand, als sie den Fehler begangen, und nicht den König Porsena, sondern seinen Cantzler im Lager danieder gestossen, in das Feuer stieß, darinnen abbrannte, und das gantze Lager die wundersame

Varianten: Neudruck Münchner Museum IV, 159. f. Strasser.
27. wünschen /

Leiche seines in der Flammen vertriffenden und gerösteten Armes mit
grosser Hertzhafftigkeit ohn eintziges Zucken schauen ließ: also
fürchte ich, dürfften auch die Überwinder eines solchen Vorsatzes
sich, ehe sie es gemeinet, mitten in den Flammen ihrer Schönheit befinden, und ihre Fehler mit dem Scævola darinnen der gantzen Welt
Schau tragen, und darüber in die Asche geleget werden. Unterdessen
wil ich gegenwärtige Rollen und die darauf folgende Musterung
Eu. Gn. als dem eintzigen Muster aller Vortrefflichkeit bestens befohlen haben. Und ob gleich diese verliebte Gedancken von Eu. Gn.
ausgemustert werden solten, wil ich doch hoffen, Sie werden darüber
ihren eigenen nicht feind werden, die den meinigen viel von ihrem
Feuer mitgetheilet, und wie sie theils noch alle heiß aus /35/ dem (35)
Feuer hervor gesuchet worden, also numehr durch dero besondere
Gnade darinnen bestätiget seyn lassen.

Erste Rolle verliebter Gedancken oder Feuers aus der Aschen. (35 v.)

An Ihro Gnaden (36)
Fraülein Barbara Dorothea
gebohrne Fraülein von Czigan.

Was aus der Aschen ich
Geschorren und bekommen,
Als noch das Blat geglom̄en,
Wil hier bedienen dich.

O Barbara, es ist
Im Feuer aufgeflogen,
Was ich auf hundert Bogen
Zu deinem Lob erkiest.

Jedoch, es sol dein Preiß
Nicht seyn des Feuers Beute,
O Freundin weiser Leute,
Glut frist nicht ihren Schweiß.

Das Ertzt kriegt starcken Schein,
Wo man es schmeltzt zusammen,
So wird dein Lob in Flammen
Ein Salamander seyn.

(36 v.) **1. Vorsatz sucht Platz.**

Wer meinen Vorsatz recht wil wissen,
Muß mein Gemüth in seines schliessen.

2. Dein und Mein verhindert Ein.

Wer sich umsieht, wo er geblieben,
Gehört nicht unter die, so lieben.

3. Ergib dich, so hast du mich.

Als ich zum ersten mich verlohren,
Da war die Lieb in mir gebohren.

4. Vergiß, es ist ungewiß.

Der schlägt die Liebe leicht in Wind,
Wer sich nur sonst auf was versinnt.

5. Es ist ein Bild, daraus es quillt.

In dir ist was, das ist nicht du,
Draus quilt die Lieb und komt dir zu.

6. Wo Huld nicht kan, bricht Gold die Bahn.

Viel, die der Lieb und Treu entgangen,
Hat endlich Geld und Gold gefangen.

(37) **7. Wo Brand, selten Verstand.**

Das uns auf Erden kan erhöhn,
Ist lieben, und dis recht verstehn.

8. Glaub es bloß, so bist du loß.

Wer liebt, und spricht, er ist gebunden,
Hat nichts davon noch recht empfunden.

9. Recht schweigen, kan viel zeigen.

Bedenckt doch, was mein Reden sey,
Ich schweig und werd erhört dabey.

10. Mein Du läst mir keine Ruh.

In mir da redt was immer zu:
Was ists? Ich, oder, Göttin, du.

11. Ich fand dich, und verlohr mich.

Ich hab und suche, was mir fehlt,
Ich bin durch nehmen mehr gequält.

---

30. du? / 31. dich und /

12. **Auf Treu folgt Reu.**
Ach wann ich mich, was ich erkannt,
Doch nicht so bald darauf gewand.

13. **Flamm und Eys hält ein Gleis.** (37 v.)
Ach Wunder! mitten in den Flammen,
Gefrier und back ich offt zusammen.

14. **Lieben macht Dencken, Dencken macht kräncken.**
Offt hebt, wenn ich nicht dencke dran,
Dich in mir was zu nennen an.

15. **Demuth wol Thut.**
Als ichs aufs höchste kam, fiel ich,
Drum der nach gehst, hüte dich.

16. **Laß den Willen, wilt dus stillen.**
Der Willen muß kein Willen seyn,
Die Lieb ist sonst nicht Lieb allein.

17. **Angenehm macht beqvem.**
Treu ist zwar gut. Doch der hat mehr gethan,
Der sich beliebt vor andern machen kan.

18. **Ich suchte dich und verlohr mich.**
Bin ich in dir, und du in mir dergleichen:
Wie kanst du mich, ich dich dañ nicht erreichen.

19. **Viel leiden und schweigen kan zu Hertzen steigen.** (38)
Im Willen wird die Liebe zwar gebohren,
Doch läst du ihn, hast du erst Lieb erkohren.

20. **Wie das Roß, so der Mann, wol dem, der es reiten kan.**
Gut ist die Lieb: als sie wird gut genommen,
Böß ist sie dann: ist sie dir so vorkommen.

21. **Verlohren ist hier erkohren.**
Ich such und find, und als ich es erkohren,
Hab ich dasselb und mich in dem verlohren.

22. **Viel sinnen macht wenig können.**
Wo du mich triffst in meinem Hertzen an,
So rede so, daß ich es hören kan.

---

2. Ach, wann / 12. nachgehst / 13. du's / 16. bequem / 19. Dich / 33. hören an /

23. **Nicht mich sondern in mir dich.**

Was in mir ist, das hast du nicht erkañt,
Drumb ist dein Hertz auch stets von dir gewand.

24. **Verstummen heist übel vernom̃en.**

Es ist nicht Noth: nichts reden und viel leiden,
Ein eintzig Wort, auch kein Wort kan uns scheiden.

(38 v.) 25. **Nicht ich du selbst plagest dich.**

Wann dich nur nicht selbst die Gedancken plagen,
Hast du sonst in der Liebe nichts zu klagen.

26. **Gedancken wancken.**

Du bist zu mir, ich bin zu dir auch gleich gegangen,
Wir fehlen beyde so, und sind doch beyd umfangen.

27. **Was in dir das fehlt mir.**

Die Liebe, die mich plagt, wird anderswo empfangen,
Und anderswo ernährt, und steckt doch im Verlangen.

28. **Wer allein darff sich nicht zweyn.**

Ob mir die höchste Lust dein Antlitz, Göttin, giebt,
Doch hab abwesend ich dich allzeit mehr geliebt.

29. **Ohne Hertz, ohne Schmertz.**

Wer von der Liebsten geht, und bleibet nicht dahinden,
Der kan, ob er verirrt, alsbald nach Hause finden.

30. **Mich aber vielmehr dich.**

Du liebst nicht mich, nur dis, was sich dir in mir gleicht,
Drumb sich in ihrer Lieb auch deine Lieb erreicht.

(39) 31. **In einem Nu leb ich und Du.**

Könt uns der Augenblick, wañ wir uns sehn, vertreiben:
Wo würden, stürben wir, dann die Gemüther bleiben.

32. **Lieb ohne Pein ist ein Pancquet ohne Wein.**

Verlier ich ie die Pein, so ich bisher erlitten,
Ich weiß nicht, solt ich viel umb Liebe bey dir bitten.

33. **Einerley Sinn legt alles hin.**

Hoch halt ich, daß du schön, und höher, daß ich frey:
Wann beyde weg, dann kom̃t uns rechte Liebe bey.

---

1. Dich / 7. Dich / 22. Dich / 32. schön und /

34. Ohne Rath folgt die That.

Als ich Rath bey mir hielt, ob ich dich solte lieben,
Kam selbst die Liebe drein, fieng an mich zu betrüben.

35. Ich bin da, wo mein Sinn.

Die Tugend kan zwar viel, doch macht die Lieb allein:
Daß ich abwesend auch kan gegenwärtig seyn.

36. Beydes bringt Flehn, Sehn und nicht sehn.

Wenn ich dich seh, alsdenn verlier ich Hertz und Sinnen:
Seh ich dich nicht, ich weiß nichts sonsten zu beginnen.

37. Es kom̃t von dir, nihm es von mir. (39 v.)

Weil die Gedancken mich zur Liebe stets vermögen,
So find ich allda dich, bist du gleich nicht zugegen.

38. O Noth, wie nah ist der Tod.

Mein Leben seh ich bloß an deiner Liebe kleben,
Nihm nur die Liebe hin, bald wird es sein Begeben.

39. Kein grösser Leid, als das im Hertzen schreyt.

Mit euch besprech ich mich gar gern, o ihr Gedancken,
Doch schaut, betriegt mich nicht, ich wil von euch nicht wancken.

40. Ohne Pein kan es nicht seyn.

Mit Blumen prangt der Lentz: Der Som̃er drauf mit Ähren:
Mit Wein und Obst der Herbst: Die Liebe mit Beschweren.

41. Geduld erwirbt Huld.

Ich wünsche mir von hier, und wil auch lieber bleiben,
Kan weder hier noch dort die Liebe doch vertreiben.

42. Schaue dich für du dienst deiner Begier.

Viel sind, die beten wol gar schöne Nymphen an,
Und ehren, sehn sie es, bloß ihren eignen Wahn.

43. Sag's ich klag's. (40)

Ich seufftz, umb eintzig nur zu wissen, Schönste Zier,
Wie diesen Blick es geh' (indem ich seufftze) dir.

44. Unverwand der gröste Brand.

Der steckt in grosser Noth, der seine süsse Pein,
Unmöglich und dann auch sieht unverändert seyn.

---

3. die Liebe dein / 5. kann / 10. komt / 25. Dich / 26. wohl / 33. unmöglich /

45. **Wann es gethan, verläst dich der Wahn.**
Im fall ich von dir kom̄, erkenn ich sonder Ziel,
Daß dis, was mich gequält, dann nicht gewest so viel.

46. **Nicht hören kan versehren.**
Erwach ich früh: so rufft das erst Ach Gott in mir!
Das andre, bist du nicht im ersten, Liebste Dir.

47. **Das Mein in dir erweckt Begier.**
Das beste bleibt die Seel, und die war raus getrieben,
Itzt schwebt sie um den Punct (du bists) so drinnen blieben.

48. **Alles du, was ich thu.**
Die Morgenröth erblickt' ich nechst; ich sprang herfür,
Und sprach (du kam̄st mir vor) Willkommen schöne Zier.

(40 v.) 49. **Lieben ohn Vergnügen ist Krieg ohne Siegen.**
Lieb ich: alsden̄ geschichts, daß sie sich von mir tren̄t:
Und lieb ich nicht, ist was, das mich sehr reitzt und brennt.

50. **Bald geschehn macht offte flehn.**
Als ich dich sah: in dem hast du mich weggenommen,
Und weiß noch nicht, wohin ich damals mit dir kommen.

(41)

Andere Rolle Verliebeter Gedancken
oder
Wurm unterschiedener Vorbildungen.

(41 v.)

An Ihro Gn.
Fraülein Rößle
gebohrne Fraülein
von Sedlintzky.

Den Titul, Fraülein, ihr, das Buch hab ich gemacht,
Das Buch nehmt ihr, und mir wolt ihr den Titul geben,
Ich laß es ja geschehn, doch, ist es recht erdacht:
Kan, was von Euch gebohrn, bey Euch auch eintzig leben.

(42) 1. **Ich liebe das und weiß nicht was.**
Was mehr als diese Zier
Die Pfauen so nicht mahlet,
Was mehr, als was da strahlet,
Aus deinen Augen für:

---

6. dir / 9. bist's / 11. Morgenröt erblickt / 13. Lieben ohne / 14. geschiehts / 18. und weiß / 24. Fräulein [auch in den folgenden Fällen, ist diese Schreibweise beibehalten] / 29. lass /

Was mehr, als dieses Licht,
Das Adler so nicht haben,
Was mehr, als alle Gaben,
Und ihre grosse Pflicht:
Ist, das ich lieb gewonnen,
Was ists? Ich such es hier,
Und ist, bleibt es bey mir,
Weil ich es hab, entronnen.

2. **Angst und Hohn der Liebe Lohn.**

Nihm die Rose von den Dörnern,
Zeige dann den Frühling an:
Nihm die Aehren mit den Körnern,
Sage, was der Sommer kan.
Nihm der Trauben süssen Preiß,
Sprich darauf, der Herbst ist kom̄en:
Nihm̄ das Schmeltz Glas von dem Eyß,
Auch der Winter wird genommen.
Nihm der Liebe Quaal u. Pein,
Liebe wird nicht Liebe seyn.

3. **Der Liebe Taback.** (42 v.)

Liebe treugt, Rauch verfleugt.

Die Lieb ist rauch, mein Kind,
Der es nicht sieht, ist blind.
Ihr Kram ist nichts, als Rauch,
Ein täglicher Gebrauch:
Sie schenckt uns Rauch vor Wein,
Rauch muß ihr Essen seyn:
Was sie verspricht vor Lohn,
Geht, wie ein Rauch davon.
Voll Rauch wird dessen Haubt,
Der solcher Liebe traut:
Die Lieb ist Rauch, der liebt,
Wird stets durch Rauch betrübt.

---

4. große / Zeile 5 fehlt / 6. ist's / 12. Ähren / 14. süßen / 18. und / 29. Geht wie /

4. **Was treibt, das bleibt.**

Durch fliehn entflieh ich nicht,
Wann ich durch Wind und Wellen
Gleich meinen Lauff wil stellen,
Folgt doch das schöne Licht:
Durch Berge, Thal und Wald
Seh ich stets vor mir stehen,
Seh ich stets vor mir gehen
Die freundliche Gestalt.
Mich müst ich selber fliehn,
Dieweil hier steckt im Hertzen,
(43) Dein Bild voll Liebes Schmertzen,
Dem ich mich wil entziehn.

5. **Je härter Band, je freyer Stand.**

Hätten Angel Würme nicht,
Kein Fisch würde darnach schnappen:
Wenn der Falle Speck gebricht,
Hört man keine Maüse tappen:
Wenn nicht Beern an Sprenckeln seyn,
Kan man keine Vogel kriegen:
Wenn nicht Gänß an Eysen liegen,
Geht kein schlauer Fuchs nicht ein:
Also, wie es jener*) giebt,
Liebe, wilt du seyn geliebt.

6. **Überall durch Zufall.**

Kein Gastgebot, kein Spiel,
Kein Tantzen und kein Wincken,
Kein Nahmen und kein Trincken,
Nach der Buchstaben Ziel.
Kein Krantz, kein Gruß, kein Brief,
Auch sonst kein Fund noch Grief
Kan bey den Liebes Sachen
Auch nicht das minste machen.
Es ist in uns ein Bronnen,

*) Martialis (Anm. Czepkos).

---

5. Folgt durch / 10. müßt / 18. Mäuse / 20. Vögel / 25. Uberall /

Draus komt, was angenehm,
Behäglich und bequem,
Nach seiner Art geronnen:
Das wird numehr geliebt, (43 v.)
Weil sich es mehr ergiebt;
Als Gastgebot, als Spiel,
Als Tantzen und als Wincken,
Als Nahmen und als Trincken
Nach der Buchstaben Ziel.
Als Krantz, als Gruß, als Brief,
Und mehr, als Fund und Grief:
Wer Liebe wil genüssen,
Muß diesen Brunnen wissen.

7. **Wer fragt, verjagt.**

Ach Mägdlein, deine Zier
Sieht wie ein Blümlein für,
Das zart und neu gebohren:
Und sich so bald verlohren,
So bald ein kühler Wind
Zu wittern sich beginnt:
Durch stille seyn und schweigen
Bekleibt und bleibt es eigen:
Erfährst du, was es sey,
So ist sie schon vorbey.
Glaub, eh als du es funden,
Ist es bereit verschwunden.

8. **Der Wahn zündt an.**

Mein Feuer kömt aus dir,
Und bist Eyß gegen mir:
Von dir sind meine Plagen,
Und du hast nie geschlagen:
Mein Treu seyn lehrst du mich, (44)
Und stellst nicht recht treu dich.
Von dir sind meine Schmertzen
Und nihmst es nicht zu Hertzen.

---

5. ergiebt / 11. Und mehr als / 12. genüßen / 13. **wißen** /

Du giebst, was du nicht hast,
Hast, was du nicht kanst geben,
Was mich befreyt und fasst,
Von dem sol ich nu leben.

9. **Dis was man liebt, sich selten giebt.**

Ich fliehe, die mich suchet,
Die mich fleucht, die such ich,
Ich lobe, was mir fluchet,
Der ich fluch, ehret mich.
Nicht alles, was bequem,
Ist lieb und angenehm.
Was uns die Augen giebt,
Das hasst man offt im Hertzen,
Und dis, was uns betrübt,
Verehrn wir voller Schmertzen.
Ich wil, die mich nicht wil,
Die wil, wil ich betrüben:
Die mich liebt, plag ich viel,
Die mich plagt, wil ich lieben.
So lebt die Lieb allzeit
In Wiederwärtigkeit.

10. **Wol bedacht, erhält die Schlacht.**

(44 v.) Wie Apollo seinen Strahl
Läst zu uns hernieder gehen,
Und doch in des Himmels Höhen
Bleibt Apollo überall;
Und wie Arethusa Fuß
Durch die See mit seinen Fischen
Kom̄t gegangen ohn Vermischen
Und behält den frischen Fluß:
Also gehet auch Verstand
Mitten durch der Liebe Flammen,
Wird zum minsten nicht verbran̄t,
Wol dir, hast du sie beysammen.

---

3. faßt / 5. Dis, was / 13. hast / 22. Wohl / 33. verbran̄t; /

Dritte Rolle Verliebter Gedanken, oder Zunder Unversehener Zuneigungen. (45)

An Ihro Gn. Fraülein Catharina geb. Fraülein von Bössin. (45 v.)

Fraülein voller Hurtigkeit,
Charithea unsrer Zeit,
Derer Tritte, Blick und Sachen
Alle Gratien belachen.

Eurer Anmuth süsse Macht
Hat mich auf das Seil gebracht:
Daher trag ich ungebeten
Catharina Eure Keten.

Ob es Ernst ist oder Schimpff
Weiß ich voller Treu und Glimpff
Euch nicht auf der Post zu sagen:
Göttin, ihr must Euch drum fragen.

1. Das Härteste, das Hertzlichste. (46)

Wann unsre Hertzen ich mir bilde, Göttin, ein:
Ist deines und zugleich auch meines wie ein Stein.
Zwar deins, weil es die Angst des Meinen nicht erwegt,
Und meins, weil es den Grim̃ des Deinen so erträgt.
Jedoch, bedenck ich ie mein Leiden umb und an,
Das du mir schickest zu, und ich ertragen kan:
Fält grosses ungleich für. Dann sind die Hertzen Stein,
Ist es, daß mein an Treu, das Dein an grausam seyn.

2. Biß auf den Mund.

Alles, was ich seh an dir,
Deiner Stellung, Wonn und Zier:
Deiner Wangen freundlich Lachen,
Wann sie Rosengrüblein machen,

---

3. unversehener / 17. müßt / 22. des deinen / 25. großes / 26. das dein / 29. Stellung Wonn /

Deiner Augen Schertz und Spiel,
Wann sie sind der Meinen Ziel:
Deiner Lippen lieblich Küssen,
Wann sie sich zusam̃en schliessen:
Deiner Hände Deuteley:
Deiner Füsse Schockeley:
Aller deiner Glieder Sitten,
Wenn sie mich sehn dich so bitten;
Nymphe, sprechen säm̃tlich Ja:
Nein, spricht blos der Mund allda.
Wañ es sol zum halten kommen,
Daß er müste gar verstummen.

(46 v.) 3. **Kleider Sprache.**

Wie daß die Göttin ihr die Farbe hat erkiest,
In die das schöne Reich der Lufft gekleidet ist.
Bedeut es Hoffarth? Nein. Dañ sie ist allen gut:
Bestand? Nein. Dañ sie braucht in etwas Wanckelmuth.
Geht es auf Eyfer? Nein. Dañ ihr gilt alles gleich.
Auf heimlich Leiden? Nein. Dañ sie ist sonst so bleich.
Ich deute diese Farb auf Freud und Hoffnung mir,
Deñ eines Theil spielt blau, das andre grün herfür.

4. **Ie heimlicher, ie inbrünstiger.**

Deine Hand wie Marmorstein
Fügst du ja der meinen ein:
Und erlaubst mir sie zu küssen,
Wilst sie auch drauf stärcker schlüssen.

Heimlich läst du dis geschehn,
Wann uns niemand kan zu sehn:
Bald hast du sie ausgewunden,
Wañ sich iemand beygefunden.

Fraülein, es gefält mir wol,
Daß es niemand wissen sol,
Wie wir miteinander stehen,
Laß mich, laß mich weiter gehen.

---

3. Küßen / 4. schließen / 8. bitten: / 10. Nein spricht / 16. 17. 18. und 19. Nein. Dann / 25. küßen / 26. schlüßen / 27. dies / 32. wißen /

Diese Freyheit deiner Hand
Sey und bleibe mir bekañt,
Biß du sie wirst, o mein Leben,
Einem vor dem Priester geben.

5. **An die Augen der Gegen über stehenden Göttin.** (47)

Allezeit lichte bey dieser Sonnen.

Ihr kõñt mir Himmel und zugleich auch Hölle seyn:
Ihr schönen Augen ihr durch euern Glantz und Schein,
Schaut ihr mich gnädig an, seh ich den Himmel offen,
Schaut ihr mich zornig an, hab ich die Höll antroffen.
Hier Pein, und dort ist Lust, doch wil mit euch in Pein
Ich lieber als ohn euch in Lust und Freude seyn.

6. **Hertze, der beste Spiegel.**

Weil ihr vor dem Spiegel steht,
Und mit ihm zu Rathe geht,
Fraülein, habe ich euch erschlichen,
Drüber etwas ihr verblichen.
Über Eurer Achsel hin
Seht ihr mein Gesichte ziehn
In des Spiegels reinen Plätzen
Sich zunechst an Eures setzen.
Das entsetzen ließ ja nach,
Weil mich Euer Mund besprach,
Daß vom Putzen auf der Stellen
Ich ein Urtheil solte fällen.
Zier und Antlitz voller Schein,
Fraülein, sprach ich, treffen ein:
Aber kehrt der Augen Kertzen
Dort in Spiegel, hier zum Hertzen.

7. **Der Sonnen und Augen Vergleichung.** (47 v.)

Wie der Sinn, so die Sache.

Die Sonn ist hell und klar, auch deiner Augen Licht,
Die Sonne breñt die Welt, dein Augen kühlen nicht;
Die Sonn ist hoch und groß, dein Augen sind erhaben;
Die Sonne liebt das Gold, dein Augen goldne Gaben;

18. drüber / 19. Eurer / 20. Ziehn. / 34. brennt /

Ist gleich die Sonne so, doch sol sie fleckicht seyn;
Sind gleich dein Augen so, ist doch was falsch ihr Schein.

8. **Der beste im Hause der Wirth.**
Auff einen Handschuch.

Herberg einer schönen Hand,
Zarter Finger Wohn Gebaüde,
Sonnenschild, mein Ehr und Freude,
Welch ich diese Nacht erkañt.
Handschuch, weil du diese Nacht
Mein Anfechtung bist gewesen,
Hast du besser zu genesen
In die Heimath dich gemacht.
Wañ du heimkom̃st, sprich zu ihr,
Fraülein, nehmt mich an in Gnaden,
Gieng es euch, wär es ohn Schaden,
Gleich auch diese Nacht, wie mir.

9. **Eine Schnure Schmeltz Glaß.**
Überall seh ich meinen Fall.

(48) Du Schmeltz Glas schwartz als Pech, das du umkettelt hast
Die Lilgen weisse Hand, und zehnmal umgefast:
Ich zürne doch mit mir, ob meiner Farbe du,
Die mein Betrübnüs zeigt, gleicht triffst am nechsten zu:
Nicht mache dich so groß: Du bist und bleibest Glas:
Die Reiffen sind zu schlecht umb ein so edles Faß.
Ach Göttin! Diese Schnur erkieß ich nicht umbsonst,
Die Farb ist meine Pein, das Glas ist deine Gunst.

10. **Über einem Pistol Schuß.**
Verschonen heisset Straffen.

Göttin, ist das Recht gethan
Weil ich auf und nieder gehe,
Und am Fenster stille stehe,
Stellest du dich Seiten an.
Höfflich redest du mit mir,
Als ich mich zu dir wil bücken,
Reicht dein Knabe hinterm Rücken
Ein gespañtes Hand Rohr dir.

---

9. Handschuch well / 11. beßer / 20. weiße / 27./28. Ueber. / Schuß Verschonen / heißt / 29. recht / 36. gespanntes /

Eh, als ich nehm es in acht,
Giebst du Feuer. Ach! Der Laugen!
Fenster aus vor meinen Augen,
Daß es auf dem Marckte kracht.

Aber, was ist dieser Schuß?
Deiner Augen Blicke machen,
Daß ich stündlich sonder Krachen
Hundertmal vergehen muß.

Kan dein Liedermacherlein (48 v.)
Göttin, eine Gnad erwerben:
Laß mich ungemartert sterben,
Her Rohr. Weg der Augen Schein.

11. **An eine Kette und Armband.**
Wer frey ist, ist am minsten frey.

Warum schleust du den Hals und deine weisse Hand
An diese goldne Kett', an dieses goldne Band?
Indem du dich geziert, und gehest wie gefangen,
So führst du mich herumb, und bindest mein Verlangen.
Die Schönheit ist mein Joch. Drumb ist es recht gethan,
Daß ich, und nicht daß du die Ketten trägest an.

12. **Im Mittel das Beste.**

Nymphe, weil ich werffe mich,
Dir gebückter vor die Füsse:
Und den Saum des Rockes Küsse,
Ey so laß erbitten dich.

Zwar, du wilt mit deiner Hand
Von der Erden mich aufheben,
Mit ein schönes Antlitz geben:
Doch dein Hertz ist unverwand.

Nun ein Circkel ist der Saum:
Drüber wolt ich gerne kommen,
Davon hast du nichts vernommen,
Drumb erlang ich da nicht Raum.

---

2. Ach der Laugen! / 12. Rohr, Weg / 15. weiße / 20. du dir Ketten /

(49) **13. Aus wiedrigem größere Vereinigung.**

Ihr Sinn ist voller Eyß, ihr Augen voller Glut,
Voll Feuer ist mein Sinn, mein Augen kalt wie Fluth.
Das macht, daß seinen Sitz der Gott der süssen Schmertzen
Bey ihr in Augen hat und bey mir in dem Hertzen.
Ach! daß er wechseln wolt, und nehmen sonder Pein
In ihr das Hertze zwar, in mir die Augen ein.

14. Der Liebe Azoth.

Göttin, du bist Stall und Stein,
Sol ich meine Lieb und Pein
In dein hartes Hertze graben,
So muß ich was härters haben.

Was ist härteres als du:
Das mich reitzt so starck dazu.
Es sind die standhafften Flammen,
Die aus Witz und Tugend stammen.

Es bringt einen Azoth mir
Die Beständigkeit herfür:
Der wird dich voll Lieb und Lachen
Rauer Felsen mürbe machen.

Und so mürbe, daß man mich
Göttin, oder selber dich,
In dir würd abdrucken können,
Doch du must mich lieb gewinnen.

(49 v.) **15. Haus Diebe, Haus Verräther.**

Wie artig ist mein Schalck. Sie nahm ihr goldnes Haar,
Druckt es an Mund, und warff dadurch der Augen Paar:
Nicht Haar, vielmehr ein Netz: in dem ich mich verfitzt,
Dadurch viel tausend Blick auf mich gefach geplitzt.
Nicht Netz, ein schlauer Raub: weil sie durch diesen Strahl
Mir Hertze, Seel und Muth und Sinn u. Leben stahl.
Niemand nahm es in acht. Nun es hat keine Noth,
Der Diebstahl ist entdeckt. Wie? Sie ward drüber roth.

---

4. süßen / 6. wechseln solt / 19. Lachen, / 31. und /

16. **Alles auf Eines.**

So viel Wellen in der See:
Wan̄ die Fluth steigt in die Höh,
So viel Stern in hellen Nächten:
Derer Zahl nicht zu verfechten.

So viel Blätter in der Welt,
Wenn der Herbst sie runter fält;
So viel Stipchen in der Sonnen,
Wenn der Ausfluß kom̄t geronnen.

So viel Anschläg auf der Post,
Wältz ich täglich in der Brust:
Ist ein Anschlag doch vor allen,
Den̄ bloß dir wil ich gefallen.

17. **Von seinem Feuer. Das Leben komt vom Tode.**

Wann durch der Flammen Krafft der Phoenix sich gebiert, (50)
Sehn wir, daß die Geburt von seinem Sterben rührt.
Aus seinem Grabe kan sich seine Wieg erheben,
Aus seiner Asche springt und bricht hervor das Leben.
So sterb und leb ich auch. Es machen mich, o Noth,
Dein Augen lebendig, mein liebes Feuer todt.

18. **Ohne Nachtheil.**

Weil die Angel offen stunden,
Hab ich mich zu euch gefunden:
Fraülein, in der Kam̄er Thür,
Euer Mensch verrieth sie mir.

Fangt nicht auf sie an zu schmähen,
Denn ich habe nichts gesehen,
Als wie ihr des Todes Bild
In den blossen Armen hielt.

Ich zog ab den leisen Fuß,
Legt aufs Bettuch einen Kuß:
Eh auch Euch was solte wecken,
Wolt ich Euch selbst selbst zudecken.

---

3. Wann / 29. bloßen /

19. Kein Rath ohne Liebe.

Wann ich nicht bey dir bin, lieg ich in solcher Noth,
Als einer, welcher stirbt und ringet mit dem Tod:
Und kom̄ ich ie zu dir, so kan ich nicht bestehen,
Und sterbe so dahin, und kan doch nicht vergehen:
Mein Abseyn kräncket mich von Liebe gegen dir,
Dein Beyseyn tödtet mich durch Härte gegen mir.

(50 v.) **20. Vergessenheit. Des Liebhabers beste Tugend.**

Fraülein, wie viel Lieder ich
Dir geschrieben, dir gesungen,
Muß ich doch geseegnen dich,
Weil mein Unglück mich gedrungen.

Bisher hat die treue Hand
Deines Knechtes dich erhaben,
Bisher hab ich dich genan̄t,
Und gepriesen deine Gaben.

Numehr wirst du, schönstes Licht,
Meiner gantz und gar vergessen,
Numehr wird sich dieser Pflicht
Mancher Held und Gast vermessen.

Castalis ist ja vor dich:
Du wilt mir aus Lethe schencken:
Beyde heissen dich und mich,
Fraülein, dencken und nicht dencken.

---

11. gesegnen /

DANIELIS a CZEPKO UNBEDACHTSAME EINFÄLLE IN DREY BÜNDE VERFASSET. (15)

(15 v. leer)

An Gelehrten Leser. (16)

Den Ungelehrten mag ich nicht zu Richtern meiner Bücher einladen. Sie pflegen sich ungebeten wol einzustellen: und, weil sie weder die Art der Schrifften, viel weniger die Nachsinnigkeit des Erfindens verstehen, herausgegebene Sachen entweder zu verachten, oder, wann es hoch komt, über den letzten Sylben, ob sie in ihren Ohren einen angenehmen Wiederschall geben, zu urtheilen. Was aber verständige der reinen deutschen Sprache und des rechten Brunquells solcher Reinigkeit, als der deutschen Reimkunst seyn, die sehen beydes nach den Worten, und denn ob sie nach ihrem rechten Verstande gesetzet, ingleichen, ob die vorgegebene Sachen deutlich beschrieben, und insonderheit mit was unvermerckten Lehren, Aufmunterungen und Wunderreden offte solche kurtze Gedichte geschlossen werden. Der letztern Art untergebe ich diese drey Bünde unbedachtsamer Einfälle. Es haben mir aber die ungesuchte Gelegenheiten und geschwinde Beschreibungen einer und der andern Sache diesen Vornahmen an die Hand und Feder gegeben: In welcher Art zu schreiben die Einfalt, so zu sagen, den Reyen führet. Dann die Einfälle, wie sie von den unverhofften Gegenwürffen eylends im Gemüthe empfangen, und in einer /16 v./ Bewegung auf das Papier (16 v.) gebohren werden: also erhalten sie durch nichts als einen einfältigen Schluß und Ausführung ihr Leben. Und werden dadurch vor andern Arten unterschieden, welche mehren Witzes, Lieblichkeit und Auf-

---

Von diesem nur fragmentarisch überlieferten Zyklus gelangen nur Vorwort und „Bund I" zum Abdruck, die Reste des teilweise vorhandenen „zweiten Bundes" stellen sich vorwiegend als Gelegenheitsgedichte und Namenspielereien dar.

rückens, das ist, verblümter Weise mehren Saltzes, Honigs und Gallen bedürffende sind. In solcher gelehrten Unbedachtsamkeit sind die Griechen vor andern Meister gewesen: Die Lateiner haben bald an Nägeln zu beissen angefangen, und einer spitzfindigern Art von genauer Sorgfalt angehangen: Der Griechen Nachfolger sind vor unsern Jahren die Welschen, itzo die Frantzosen geworden. Die es ihnen nicht allein an Aufsicht der Gelegenheit, sondern auch an Glückseeligkeit der Aufsatze: wie nicht weniger an scharffen Nachsinnen der Einschrenck- und Beendigung darinnen weit bevor thun. Wiewohl nu an andern so kurtzen Überschrifften unterschiedliche Muster auf den Urthels Platz gestellet: habe ich dennoch diese drey Bände darzu legen wollen: weil die andern mehrentheils gantzer Wercke Arbeit; dieses hingegen von allerhand Veränderungen der so unterschiedlichen Gegenwürffe verfaßet und zusammen getragen worden. Wie einem von dem Lande beliebet bald in Feldern seine von unterschiedlichem Getrayde hervorgrünende Saaten: bald auf der Weiden seine gesonderten Heerden an allerhand Vieh: bald in Wäldern, die, wie die
(17) gezogene Kertzen, gerade auf — /17/ gewachsene Tannen und andere Baüme: Bald in einem Lustgarten die unterschiedlichen Blumen und von allerhand Farben gemahlte Gewächse zu besehen, und eben aus der vorgestellten Veränderung Gesicht und Gemüth desto nachdrücklicher zu erfreuen: also gehet es auch hier zu: Itzo ist die Lust da gantze Bücher zu durchlauffen, es mangelt aber an der Zeit: itzo ist die Zeit übrig, aber es wil sich nicht die rechte Lust und das durchdringende Urthel einstellen. Damit nun die Lust nach der Zeit und ingleichen die Zeit nach der Lust gerichtet werden möge, habe ich diese Einfälle unter die andern Bücher mengen, und den Verständigen die Geschicklichkeit der deutschen Sprache mehr und mehr darthun, den andern aber ein gutes Gemüthe, und nebst gesundem Leibe gesunde Urtheile verwünschen wollen.

(17 v.)

**Erster Bund
unbedachtsamer
Einfälle.**

(18)

**Einfälle
ohne Nachdencken.**

An Hl. Wolff Helmhard von Hochberg.

Hohberg, den die Musen lieben,
Den sie ihnen auserkiest,
Weil ihr Berg dein Nahmen ist,
Seit sie vom Parnass vertrieben:
Hier sind keines Gottfrieds Waffen,

Die dein Tassus aufgelegt,
Dis hat kein Marin geprägt,
Vom Adon u. seinen Schaaffen:
Womit ich dich hier ergetze,
Weit von deiner schönen Art,
Drüber dich Mercur verwahrt,
Nennt man leider ohn Gesetze.

1. **Wer nicht sterben wil, der freye.**
An einen unausbedachten Weiber Nehmer.

Sterben muß vor sich der Mann,
Doch das Weib, wann Gott im Leben,
Ihr und Ihm wil Kinder geben,
Macht, daß er nicht sterben kan.

Wie der Tod vom Weibe kommen,
So vertreibt das Weib den Tod:
Es verehrt ihn Mensch und Gott,
Wann der Mann ein Weib genommen.

Mensch: so wird die Welt gefüllt, (18 v.)
Gott: so bleibt sein Ebenbild:
Darum, so du nicht wilt sterben,
Kom̃ mit, umb ein Weib zu werben.

2. **An einen Staffelsetzer.**
Unganghaffte Müntze.

Deine Glaübger wachen auf,
Lieber Tichter, geh und lauff:
Was wilt du mit Versen prahlen,
Weil du must mit Fersen zahlen.

3. **Nicht ohne Dorn.**
Auf eine Rose, welche seine Rosimunda abgebrochen.

Rose, ja du bist zu preisen,
Sehet wie die Morgen Röth
Auf den weichen Blättern steth,
Die des Mayens Brüste speisen.

Aber, was wol wilt du machen,
Röth und Schönheit jagen ein
Diese Rosen, so voll Schein

Auf der Schönsten Wangen lachen:
Seh ich sie, so kom̄st du mir
Wie ein Dorn am Wege für.

4. **Der keines.**

An Mastrupatern.

(19) Nihm dein Kammer Mensch zu dir,
Wilt du dir ie lesen für,
Deines geilen Moschus Sachen:
Sonsten, wo ich dich erkan̄t,
Must du eylends von der Hand
Ohn' Verlöbnüs Hochzeit machen.

5. **Nirgends Ruh.**

Die unglückseelige Dido.

Dido schau ich beydes an
Deinen Buhler, deinen Mann,
Bist du recht des Unglücks Schatten:
Der verricht, der ward verrathen,
Dieser stirbt, du flohest ihn,
Jener fleucht, du starbest hin.

6. **Süsses unterm Bittern.**

Bitterer überzogener Mandel-Kern, welchen ihm seine Liebste gegeben.

Eine Speise giebst du mir,
Aussen süß, und bitter innen,
Gleich, als sagte dein Beginnen,
Koste, so schmeckt meine Zier:
Schönste, darff ich es verneinen,
Deine Zier ist edles Blut,
Aussen herb und innen gut,
Und nicht, wie du es wilt meinen.
Wärest du mein Mandel Kern,
Aussen süß und bitter innen,
(19 v.) Dürfft auf süsses bitters rinnen,
Drum versagst du es, mein Stern.
Jedoch weil du ohn Erbarmen
Aussen bitter bist mir Armen,
Ey so must du meine Pein
Innen treflich süsse seyn.

7. **Andern zum Schaden.**

An den Priscus.

Priscus ward ein Edelmann,
Daß er nun mehr borgen kan,
Fährt er mit sechs Kutschen Pferden:
Und wil Herr und Grafe werden.
Glaübger seht umb euer Geld
Ob er sich nicht hurtig hält.

8. **Ohne Unterscheid.**

An seiner Ocliclara Augen, als sie geschlaffen.

Augen, tödtende Planeten,
Quelle meiner Bangigkeit,
Die ihr mich auch wollet tödten,
Wann ihr zugeschlossen seyd:
Könnet ihr dis zugethan,
Was gebt ihr wol offen an?

9. **Wie sie wil.**

An Ihren Traum, da er ihr vorkommen, als wäre er Todes verfahren. (20)

Die mein Trost und Leben ist,
Siehet mich im Traume sterben,
Als sie mich darauf erkiest,
Wil sie mich ohn Traum verterben.

Ach mit was vor Rauhigkeit
Ist ihr Angesicht umgeben,
Daß sie mich die kurtze Zeit
Sieht vor ihren Augen leben.

Augen, Brunnen meiner Noth,
Was hab ich von euch zu hoffen:
Wann ihr zu, seht ihr mich todt,
Tödten wolt ihr, wann ihr offen?

10. **Alles zum Besten.**

Über den Traum.

In den Augen, wo ich lebe,
Nihmt ein Traum das Leben mir,
Daß mich Amor doch dafür
Wachend ihren Armen gebe.

Was wol liebers könt' ergehen?
Gut wär es, so schlaffen ein,
Liebste, meine Wonn und Pein,
Besser, also auferstehen.

11.
(20 v.)

Gottes Rache.
An einen verlaümenden Ankläger.

Weil die Gicht dich hat zurissen,
Hier an Händen, dort an Füssen,
Daß man kan vor Hände Klauen
Und vor Füsse Hüffe schauen:
Kanst du keinen nicht vertreiben,
Noch durch Gehen, noch durch Schreiben.

Damit es nu nicht an Quälen,
Untern Leuten möge fehlen,
Fängst du sie in ihren Nöthen
Mit der Zungen an zu tödten:
Nu die Gicht wil sie itzt dehnen,
Wil sie rädern mit den Zähnen.

Menschen Kind, zu deßen Plagen
Ihn die Füsse vor getragen,
Dessen Gut mit seinen Händen
Er versuchte zu entwenden:
Auf den er wil grausam schmähen,
Itzo kanst du Freude sehen.

Ob die Gicht ihm seine Sehnen
Etwas ehrlicher wil dehnen,
Als wann sie die Folter Bogen,
Wie du wünschest, angezogen,
Wären ihm die Hencker Schmertzen
Doch vor diesen bloß ein Schertzen.

12.
(21)

Glauben ohne Glauben.
An den Priscus.

Priscus wil des Glaubens Licht
Itzt in die Laterne stecken,
Dran sechs schöne Pferde trecken:

Und ihr sprecht: er glaubet nicht.
Euren Deutschen, Ach dem Pralen!
Wird er mit dem Römschen zahlen.

13. **Biß in Tod.**

An die Augen seiner Cordidura, als er tödlich kranck gelegen.

Augen, meines Lebens Seele,
Augen, meines Hertzens Licht,
Schaut, ich reis' aus treuer Pflicht
In des finstern Todes Höle.

Daher sterb ich ausser Schuld,
Daß ihr mir nicht helffen wolt,
Schärffer als des Todes Bogen
Habet ihr mich angezogen.

Meine Stunde kom̄t heran,
Und ich muß die lange Bahn,
Augen, allda ich verterbe,
Weil ihr mich nicht angesehn,
Als ich vor euch wolte flehn,
Ey so seht doch, wie ich sterbe.

14. **Nichts ohne Gefahr.**

Icarus und Daedalus. **(21 v.)**

An die liebreiche Morata.

Zu dir als zu meiner Sonnen
Hab ich meinen Flug gewonnen,
Ungewiß, ob ich im Ziehn
Icar oder Dædal bin:

Doch gewiß kan man erkennen,
Daß nicht bloß die Flügel brennen,
Auch das Leben büß ich ein,
Umb der Augen süssen Schein.

Nun ich folge meinen Sinnen,
Könt ich nur den Platz beginnen,
Welchen Dædalus gekriegt,
Läg ich gleich, wo Icar liegt.

15. **Einer Allein.**

Von ihren zweifelhafften Gedancken.

Meinst du, daß ich voller Pflicht
Einer andern dienen solte,
Könt ich gleich, so wolt ich nicht,
Minder könt' ich, ob ich wolte.

Ich bin nicht ich, sondern du,
Du bist meiner Seelen Ruh:
Du hast mich genommen ein,
Daß ich sonst nicht weiß zu leben,
Solt ich nu der andern seyn,
Must du mich mir wieder geben.

16. **Nichts ohne Vernunfft.**

(22) **Wunsch eines verständigen Frauen-Zimmers.**

Liebe, wann ich ie sol lieben,
Und dir unterworffen seyn,
Ey so laß die süsse Pein,
Meine Seele nicht betrüben.

Zünde, wilt du mit mir schertzen,
Noch von kaltem Alter nicht,
Noch von leichter Jugend Pflicht
Flammen an in meinem Hertzen.

Wo ich ja den Stand erfahre,
Gieb ein weises Hertze mir
In nicht angefärbter Zier,
Graue Lieb, ohn graue Haare.

„SATYRISCHE GEDICHTE“
(IN AUSWAHL.)

Kurtzer Satyrischer Gedichte (36)

Erstes Buch.

(36 v.)
Motto

1. Nicht was hoch, sondern was gefällig. (37)
An seine Musa.

Wo wiltu mit dem Buch, o liebste Musa hin?
Sol deine Verse dann der Drucker übersetzen?
Mit was gedenckestu den Leser zu ergetzen?
Der alle Sylben wird auff neue Wirbel ziehn.

Er mache, was er thut. Dieß ist mein Trost und Ziel,
Gefällstu ihm, so hat er ja nicht fug zu klagen:
Ob er viel Blätter müß im Lesen überschlagen:
Wo nicht, gehstu gleich auff, vertirbt mir nicht zu viel.

Ich muß es ja gestehn, wer itzt nicht spät und früh,
Bey seiner Lampen sitzt und Helden sucht zu singen,
Nach diesem fragt man nicht, wie seine Verse klingen,
Doch blobt man Seine bloß, und lieset dennoch die.

2. Zur Lust, nicht zum Nutz.
An den Leser.

Du darffst dir kein Pulpet zu diesem Buche machen,
Noch in dem Zimmer es bedachtsam übersehn:
Denn ist es rechte Zeit, die Blätter umbzudrehn,
Wenn du bey Tische sitzst und trinckst und pflegst zu lachen.

3. **Warte deines Ambts.**

An einen spitzfindigen Schul Fuchs.

Ich bin dir wol nicht gram, daß du die Löcher siehst,
Auff denen Eurus läst verfaulte Winde streichen,
Wann der Calfactor dir die Ruthe pflegt zu reichen,
Die deine Wonn und Lust und Cron und Zepter ist.

Du magst die Lection aus der lateinschen Kunst,
Den Schülern auff der Banck mit grünen Bircken schlagen,
Und durch die Classes sie ihr Cujus partis fragen:
Wo du was weiters thust, so ist dein Thun umbsonst.

(37 v.) Man sagt, daß Aleph dir und Gimmel sey bekannt,
Daß du viel Grecken solst von dem Homerus wißen,
Die Verse lauffen dir auff ihren eignen Füßen,
Und haben beßre Wort als Lehren und Verstand.

Kein Priester kan zuerst auff seiner Cantzel stehn,
Kein Glöckner stirbt, kein Herr hat etwas unterfangen,
Wenn es des Doctors Magd selbst übel ist gegangen,
So muß mit Versen dir dein Weib zum Drucker gehn.

Was dein Latein betrifft, so gönn ich gleichfalls dir,
Daß du die phrases kanst in deine Scripta bringen,
Die dorte Plautus wäscht, hier Flaccus weiß zu singen,
Und was der Römsche Marckt den Krämern leget für.

Nur dieses bitt ich dich, laß deine Sichel nicht
In Andrer Erndte gehn: nicht Andern Grund begrasen,
Ich kenne deinen Witz: und was mit krummer Nasen
Der Herr Magister thut, ist auch der Knaben Pflicht.

Denn wo auch diß die Hand aus deinem Barthe streicht,
Und du dich unterstehst mich seitwerts anzustechen,
So laß mich unverklagt, wenn ich mich werde rächen:
Nein: Eule glaub es nicht, daß dir der Reiger weicht.

4. **Was verdeckt, laß unauffgedeckt.**

Von einer Nacht Schirben, in deren Boden ein Spiegel gewesen, welchen Amandus seiner Pulcheria geschickt.

Der in die Schirben du den Spiegel hast gebracht,
Wenn du ja sehen wilt den Ort, daraus du kom̃en,

So hättestu dis Werck dir beßer vorgenom̃en,
Wenn du dein Antlitz selbst dafür hineingemacht.

5. Der Mensch reucht nach dem Tode. (38)
An die Balsamirte Humande.

Der Staub aus Cypern muß auff deine Haare schneyn,
Und alles nach Zibeth an deinen Kleidern schmecken:
Es pflegt, indem du gehst, umb dich ein Dampff zu seyn,
Den nicht der Nebel kan an Moschus Reh erwecken.
Man sieht, daß deine Hand Pomamber Kugeln trägt,
Und daß die Wangen dir wie frische Rosen blühen,
Wenn ihres Purpurs Schein die Schmincke drüber legt,
So fangen wie Corall die Lippen an zu glüen:
Das Wasser, welches früh aus deinem Becken fleust:
Reucht nach Pariß, die Seiff ist von Venedig kom̃en:
Die Kohlen schmeltzen dir, was der Chineser geust,
Und die Pastillen sind aus Spanien geschwommen.
Ich weiß nicht, was es hilfft, Humande, deine Zier,
Wiewol [du] deinen Leib mit Balsam hast bestrichen,
Dann gienge gleich dein Ruff den besten Salben für,
Doch wirstu im̃er zu nach einem Todten riechen.

7. Gelegenheit macht Schälcke. (38 v.)
An einen guten Mann, der seine Frau jährlich ins Warme Bad geschickt.

Der Lentz tritt wieder ein: Auch deine Frau die nim̃t
Ihr numehr wieder vor auff Hirschberg zu zu reisen:
Es ist wie ihr Geding. Die Wiege wird es weisen,
Was Sie allda verbracht, nachdem sie wieder köm̃t:

Und wenn sie fröm̃er wär, als ie Sybilla war,
Die dem Pompilius das theure Buch verlaßen:
Doch kan sie in dem Bad auch blinde Flam̃en faßen,
Und stehet wegen Glutt im Waßer in Gefahr.

Nu Stangen trägt dis Thier, davon man nennt die Bahn,
Und wer sieht diesen Leib hier unterm Brunnen spielen
Der nicht zum minsten solt auch ein Geweihlein fühlen,
Denn beyde sind zu viel, und gehn euch Männer an.

(39 v.) **13. Wol liegen, macht wol leben.**
An Seinen Freund.

Mein Freund, was vor ein Geist wil dir nach Hoffe ruffen?
  Dahin sonst keiner kom̃t, der nicht dein Handwerck fleucht?
Du bist arm, wie wiltu dir die Befehl erhoffen,
  Wann nicht der Cantzelist vergoldte Becher reucht?
(40) Du bist deutsch: niemand wird vor dich den Wirth betrügen
  Wenn du nicht wilt nach Rauch mit ihm zu Marckte gehn.
Du bist treu: Was wiltu von gutten Leüten lügen,
  Wenn der Fiscal sie heist auff Gutt und Leben stehn?
Du bist fromm. Kanstu auch die Seel an Nagel hencken,
  Wenn von dem Eyde dich der Pater loßgemacht?
Du bist keusch: Wird die Frau den Herren wollen lencken,
  Wann ihr dein Styl auch nicht ein Abschrifft vorgebracht?
Du bist karg: Wie wiltu bey Gunst und Gelde bleiben,
  Wann nicht der Parasit mit dir zu Tische sitzt?
Du bist plumb: Wie wirstu die Sache sicher treiben,
  Wann auch des Nachbarn Kind auff deine Worte spitzt?
Mein Freund, wo du der bist, und ich dich habe troffen,
  So stelle deine Reiß auff solche Farben ein:
Und giengen diese hin, laß diß dir abwerts ruffen:
  Man sagt, als wann du schwartz zu Hoffe soltest seyn.

14. Eines vom andern.
Wallsteinischer Auffruhr.

Im Hause wil der Troß, der Haubtmann in der Stadt,
  Der Oberst in dem Land, als bald sie es bekrochen:
Dein Herr und Kayser seyn an Macht, Gewalt und That:
  Wie sol der Feldherr denn ihm auch nicht Kronen suchen?

15. Tugend der beste Handel.
Der Hochtrabende Kauffmann.

Es ist mit mir ja schlecht, als wie du siehst, bestallt,
  Weil meine Gütter gantz in Staub und Asche liegen,
  Doch hab ich freyen Muth und kan mich hoch vergnügen,
Daß Fama meinen Ruhm auff deutschen Cymbeln schallt.
Du aber handelst starck: Die Fuhrleut umb und an,
  Führn deinen Glauben her in Centner schweren Säcken,

Die Wechsel müßen sich durch gantz Europa strecken,
Das Geld wird Viertel Weiß in seinen Ort gethan.

Dis bistu: jenes ich: wie treffen wir denn ein, (40 v.)
Ich sol zu Fuße gehn, du fährst mit schönen Pferden,
Doch glaub es, was ich bin, das kanstu nim̄er werden:
Was du bist, dieses kan mein Knecht und mehr noch seyn.

16. **Durch dieses ein anders.**
An die Publiculta, als sie ihre Fenster verhangen.

Der Vorhang, der den Tag von Fenstern heißet gehn,
So daß er, wie er ist, nicht darff ins Zimmer sehen,
Der ruffet denen zu, die auff dem Platze stehn,
Kom̄t, Publiculta sucht das Bettuch umbzudrehen.

20. **Das Blat ist befleckt, nicht das Leben.** (41)
An den Leser.

Nicht zürne, wo das Saltz dich in die Augen beißt,
O Leser, das du wirst umb diese Blätter lesen:
Wann meine Musa dich als wie mit Fingern weist, (41 v.)
Dann treff ich auff mein Ziel, da ist sie recht genesen.
Und wo du sonsten siehst, daß etwan̄ das Papier
Die Fächer aufgedeckt, umb die die Buhler bitten:
So theile, wie du pflegst, die Laster nicht mit mir,
Die Reime, die sind mein, und deine sind die Sitten.

22. **Aus der Tracht, der Stand.**
Der alte Juncker Hanreh.

Der Hutt steigt wie ein Thurn vom Schädel in die Höh,
Auff welchen dir der Kranch drey Federn hat geliehen:
Man sieht die Wangen ab des Bartes Püsche ziehen,
Der voller Zapffen hängt und grauer ist als Schnee.

Der Kragen umb den Hals kennt keine Stärcke nicht,
Schwim̄t auff der Kappen her, wie die Magister tragen:
Das andre Schweitzer Kleid ist um und um beschlagen,
Weil es die Trauffe färbt und Kam̄erlauge bricht.

Zun Knochen hastu dir von Filtz ein Haus gebaut, (42)
Die du biß oben an mit Betten hast verbunden:
Wenn auff der Radwer du dich drauff zu uns gefunden,
Liegt vorn und hinten Heu, daß man nichts von dir schaut.

Mein lieber Ritters Mann, wie seltsam bist doch du:
Ob der Sulpitia dein junges Weib zu gleichen,
Wird doch der Titul nicht des Hanrehs von dir weichen,
Wie from̃ sie scheint und ist: Die Tracht macht dich darzu.

23. Es helffe, was da kan.
Kühschatzung.

Es wäre bald geschehn, als um den Oder Port
Auch in das Steuerbuch die Kühe man genommen,
So brüllten sie weit aus (So kam Europa fort.)
Ach daß doch über See ein Ochse wolte kommen.

24. Die Herren schlüßen, die Bauern büßen.
Ein anders.

Der Kühe Zoll ist schlecht. Der du es auffgebracht,
Daß man den Anschlag hat auff unser Vieh gemacht:
Die Esel hätten dir was beßers eingetragen,
Im Fall du deiner Zunfft die Schatzung zugeschlagen.

25. Hölle oder Heller.
Ungleiche Heurath, des jungen Floridons und der alten Hecate.

Die Erd ist nicht so kalt, wann sie der Winter drückt,
Als der verschrumpne Leib, an dem du dich wilt wärmen:
Man sieht nicht umb ein Aaß so viele Wespen schwärmen,
Als Flöhe von ihr ziehn, wenn sie den Buckel rückt.

(42 v.) Kein Beinhauß blecket so, wie ihre Knochen stehn,
Die dis Gerippe hier hat unterm Rocke liegen:
Kein Fluß führt so viel Eyß, als du dort wirst bekriegen,
Woraus bey andern sonst die Wärmbde pflegt zu gehn.

Mein Bruder, setzt dir dann der böse Feind so zu,
Und wilst ohn allen Danck hin auff den Teppicht treten,
Wirstu den Drachen nicht von alten Thalern beten,
So bethe, daß du stracks mögst kommen zu der Ruh.

26. Verse mit Fersen.
An einen Poeten.

Was wil der Grafe dich mit Lorbern erst begraben?
Du kom̃st ja nirgend hin, alldar auch nicht ein Kind
Von deinen Versen sagt, die recht poëtisch sind,
Denn die bestehen ja die Händ und Füße haben.

29. Wer die Hertzen hat, hat alles. (43)
Ungetreue Räthe.

Ihr gebet unser Volck bey Euern Herren an,
Das an den Steuren sich längst arm und kranck gegeben,
Wann ihr nichts weiters wüst bey Ihnen zu erheben,
Als ob es ie Gewalt der Majestät gethan.

Wann ihr die Obrigkeit dann so verhast gemacht,
Daß Sie ohn Schrecken nicht die Unterthanen nennen,
Erweckt ihr ärgre Noth als die mit Stöhrn und Brennen
Ihr eignes Land durchaus verheert und umgebracht.

Ihr Fürsten, denen Gott das heilge Schwerd befiehlt,
Ach last die Leute gehn, die ohne Degen schlaffen;
Nehmt solche Diener für, die so bloß draün zu straffen,
Denn er beleidigt auch, der euch die Hertzen stiehlt.

30. Wie die Sünde, so die Straffe. (43 v.)
An Oppanum.

Als auff Patroclus Stuhl Oppanus wolte kreisten,
Und über der Geburth fieng mühsam an zu seyn,
Fleucht eine Wespe zu, und setzt den Stachel ein
Ans Jungfern liebe Ding und wil ihm Beystand leisten.

Der Stich ist voller Gifft. Was aber anzustellen?
Mein Freund du must zu dir den krancken Stachel ziehn.
Die Wesp' ist Nemesis. Dann dencke, daß vorhin
Auch manche Wunde must umb seinetwillen schwellen.

31. Die kleine Welt, das kleine Vaterland.
Landsmannschafft.

Die zwischen innen dort ein junges Mensch erkannt,
Und hin in ihren Schoos mit ihren Händen reißen,
Kan ich als Landsleut euch ihr Spieß Gesellen weisen,
Denn schauet, beyde ziehn hin in ihr Vaterland.

32. Ehrsucht nechster Todtengräber.
Wallsteinischer Tod.

Der alles wust allein, was er durch andre that,
Und zwar von Friedland kam, doch Krieg und Streit erhaben:
Liegt ohne Titul dar. Fragstu, wer ihn begraben?
Deutsch weiß ich's nicht, sonst heist es la raison d'Estat.

33. **Nicht dich, sondern das Deine.**
Erbschafft suchende.

Der heute zu dir kam, und gestern bey dir saß,
Und in der Kranckheit dich auch morgen wil besuchen;
(44) Den hat dein Haab und Gutt von weitem angeruchen;
Dann schau er ist ein Aar, und wartet auff ein Aaß.

35. **An einen Gläser Freund.**
Wahr reden, und gerne trincken steht einem Deutschen wol an.

Wann uns der kühle Wein die dürren Lippen netzt,
Und man die Zunge sieht im goldnen Bade schwimmen,
Und jeder seine Wort aus freyem Hertzen setzt,
So läst auch deine Treu der Freundschafft Lunten glimmen.
Jedoch wann Schlaff und Rausch aus Haubt und Augen gehn,
So ist es bey dem Trunck ohn Hertz und Hand geschehen:
Laß deine Freundschafft auch bey nüchterm Munde sehn,
Sonst steht es übel an: Viel sagen, nichts gestehen.

36. **Auff einen Politicum.**
Beleidige nicht, die sich rächen.

Wann man Poeten sol in Vogel Haüser jagen,
Die das gemeine Volck durch ihre Hechel ziehn,
Auff was vor Saulen dann henckt man die Vögel hin?
Die so viel Schand und List von grossen Herren sagen?

(44 v.) 37. **Auff einen Anti-Machiavellisten.**
Zum Hüten, nicht zum wüten.

Wo dir der von Florentz ein Gottes Lästrer ist,
Der so viel Ränck' und List im Herrschen auffgeschrieben,
Wie wird dem, der getaufft, der seine Lehr erkiest:
Die grösten sind: die, was er hat geschrieben, üben.

39. **Peruque.**
Erinnerung der Sterblichkeit.

Der etwan schon verfault hat dir sein Haar geliehn,
Er wird dich bey dem Ohr, in dem du schläffest, ziehn:
Und dich durch seinen Tod auch deinen Hintritt lehren,
Doch köntest du davor der Glatzen Predigt hören.

40. **Auff einen vornehmen Hosen Klecker.**
Unten wie oben.

Der zwischen Harn und Koth in seinem Sode liegt,
Und täglich also lebt, als wie er war gebohren,
Hat eine schwere Zung, in dem er trinckt, gekriegt,
Drumb hat zu plappern ihm der Unterbauch erkohren.

43. **An den Hoffmann, wie er die Freyheit erlangen könne.** (45)
Überwinde dich.

Du suchest Netz und Strick und wünschest frey zu seyn,
Im Fall es ja dein Ernst wil ich dir Mittel sagen:
Gib den Begierden nicht zu viel im Hertzen ein,
Die sonsten immer zu nach höhern Aemtern fragen.

Verschlag dir nicht die Gunst, die dir dein Herr erweist,
Und gehe nüchtern umb mit seinem Schluß und Willen:
Laß den erkaufften Geitz, wie recht er es auch heist,
An armer Leute Gutt nicht seinen Hunger stillen.

Mach' nicht aus deinem Schloß ein Kauffhaus derer Waar,
Die abzuwägen ist in des Gewissens Schaalen:
Bewahre deinen Eyd, was böser Leute Schaar
Dir vor verdam̃ten Rauch wil vor die Augen mahlen.

Steig auch nicht gar zu hoch in deines Herren Gunst, (45 v.)
Denn ihre Gnade führt die allerschwersten Keten:
Und bau nicht gar zu viel auff deine Treu und Kunst,
Wer weiß, weil du hier sitzst, wer vor dich hat gebethen.

Hast du die Macht in dir, die Macht, die du itzt hast,
Aus ungefärbter Pflicht ohn Nachtheil zu begeben,
So wirstu täglich seyn der Freyheit liebster Gast,
Und kanst viel freyer noch als selbst dein König leben.

44. **Unversehener Poßen.**
Löbliche Cameradschafft.

Als Cynthia ihr Thier im goldnen Kettlein hielt,
Das unser Deutsche nennt vom Horn und von der Eichen,
Nahm es ihr Buhler ihr, und wolt es freundlich streichen,
Und nen̄t es schön und werth von ihrer Huld erfüllt.

Als er sich bückt und küst aus Demuth ihre Schuh,
Fährt ihm der Käffer auff, wie fest er zugeschlossen,

Drein springt der kleine Narr, und reist ihm diesen Possen,
Was schämstu dich [?] dis Thier spricht seinem Bruder zu.

45. An Calvinum.
Als ihm die Peruque entfallen.
Eine Schande deckt die andre.

Was greiffstu nach dem Kopff? er steht noch zwischen Ohren?
Ists eine Schande dann die kahle Platte sehn?
Nein. Weil der Wind ein Theil wil wiederum verwehn.
Denkstu das Haupt geht drauff, das du vor halb verlohren.

46. Fürsten Tag.
Nicht ohne Beding.

(46) Es wird ein Fürstentag den letzten dieses seyn,
Auff dem ein ieder Stand sol seinen Dienst erweisen:
Ihr Herren, was wollt ihr erst hin nach Breßlau reisen?
Sprecht nur zu Hause Ja, es trägt euch vielmehr ein.

48. Vergängliche Poeten.
Ie herber, ie lieblicher.

Es ist kein Wunder nicht, daß faule Motten kommen,
Und richten dann ein Mahl aus euern Versen zu:
Ihr last des Lesers Ohr doch gar zu sehr zur Ruh,
Der Sinn verliert das Buch, eh' es die Hand genommen.

Als lang am Himmel sich die goldnen Sphären waltzen,
So lange wird ein Blat durch kluge Hände gehn,
Auff welchem so viel Wort als süsse Stacheln stehn,
Fragt ihr, an was es fehlt? Ihr müst die Verse saltzen.

(47) **50. An den Leser.**
Ein gut Gewißen darff nicht verbleichen.

Mein Griffel ziehet hier die stachlicht' Arbeit ein:
Denn das lateinsche L wird iedes Buch beschließen.
Wo Momus drüber wird die schwartze Galle gießen:
Sol es ihm umgekehrt ein Griechsches Γ seyn:

Du aber solst dadurch, wie durch ein Winckel Scheid,
Im Schrancken, lieber Freund, der starcken Tugend stehen:
Auff Laster laß ich bloß des Grieffels Schärffe gehen,
Nicht ich, es hat hiervon dein Leben dich befreit.

Kurtzer Satyrischer Gedichte Anderes Buch. (48)

(48 v.)
Motto

1. **An den Leser.** (49)

Lachen und Trauren haben einen Ursprung.

Die kurtze Satyra, verzeih es Leser mir,
Wil ihr das Maul zu lang schon wieder lassen werden:
Wo Amt und Stand und Haus mit wichtigen Beschwerden
Dich ja beladen hat, so weise sie von dir.

Ob Sie gleich unnütz ist, und kein Blat vor den Mund
In ihrem Schertzen nim̄t, und wahr redt unterm Lachen:
Kan sie doch Schertz und Ernst zu süßer Mischung machen,
Wen es verdreust, mit dem hat es wol einen Hund.

Laß sie zu dir hienein, da, wann du müßig bist,
Wann aus dem Miltze gleich die Schwermuth kom̄t gestiegen,
Wird ein Gelächter Sie doch alsobald besiegen,
Denn Momus selber lacht, wenn er die Verse liest.

2. **Abgesandter.**

Uberreden ist Kunst.

Wenn ein Gesandter ist ein allgemeiner Mann
Der einer gantzen Stadt zum besten lügen kan:
Was wil Longinus thun, der imt 6. Kutschen Pferden
Viel schwerer leugt, als fährt? Er wil Gesandter werden.

3. **Beständig wie ein Felß.**

Schaut unsern Jupiter, der auff dem Adler sitzt,
Die Riesen werden uns nicht mehr zu Kopffe wachsen,
Dort umb den Ober Gott, der in den Wolcken blitzt,
Steht Vater Promius: bey uns das Haus von Sachsen.

11. **Der Geitzige.**

Gegen sich am ärgsten. (50 v.)

Du drückest wie ein Alb die Heller Tag und Nacht,
Und pflegest so dabey ohn Brod u. Tranck zu sitzen,
Ich weiß, daß voller Angst die dicken Thaler schwitzen,
Indem die karge Hand vor ihren Kasten wacht.

Was quälstu dann dein Geld? Es suchet frey zu seyn,
Ich seh' ich hör es springt den Erben selbst entgegen,
Eh als du umbgesehn, so hastu kein Vermögen,
Zeucht täglich gleich der Drach auff deinem Söller ein.

Dann wann dich Streckfuß dehnt, so geht dein Schatz auch fort,
Das du verschorren hast, das hilfft auch dich verscharren,
(51) Auff! Auff dein Charon pocht, Er wil nicht weiter harren,
Dein Erbe nihmt das Geld und dich des Todes Port.

12. Auff einen reichen Kauffmann.
Freundlich aber nicht treulich.

Indem du nüchtern bist, so wiltu gantz verzagen,
Die theure Zeit sieht dir wie zu den Augen aus:
Wann du gegläselt hast da, wo ein freyer Schmaus,
Da hört man dich vollauff von goldnen Bergen sagen.

Red und trinck immer hin: Des Morgends redstu wahr,
Wenn man den Croesus sucht, so steht ein Codrus dar.

13. Ein bekan̄ter Nachtschwärmer.
Biß zur Lust.

Wieviel dein dürrer Mund der Gläser trucken macht,
Doch hörest du nicht auff, biß es begin̄t zu tagen:
Kein Boden knacket so, den Polter Geister schlagen,
Als der gedielte Saal dir untern Füssen kracht.

Bald, wenn ein schneller Zorn dir aus der Gallen fährt,
So stehstu blanck und wilt den armen Offen stürmen,
Bald, wann der Stock erwarmt von andern Bacchus Würmen:
So lauffstu Kam̄ern auff, und holst was du begehrt.

Dann kühlstu deinen Muth und schlägst die Gläser todt,
Und übergehst die Wand, daß alle Fenster klingen:
Wann du die Feind erlegt, so fängstu an zu singen:
Und ruffest Gläser her: Lyæus ist mein Gott.

(51 v.) Nu dis hastu gelernt, als Ræcus und sein Fahn
Zu Sturm im Him̄el lieff: Da hastu helffen schlagen,
Drum ist dir Bachus gut: und wie ich höre sagen:
So hängt Silenus dir stets seinen Esel an.

16. **Natürliches Ring Spiel.**
Ringe gehören an die Finger.

Ein edle Compagnie fieng nechst das Ring Spiel an,
Das voller Kurtzweil pflegt von Hand zu Hand zu gehen:
Als in dem Circkel must ein lustig Mägdlein stehen,
Hat es den Spiel Ring drauff ins Nachbarn Hand gethan.

Nu schaut der Ring fiel ihm zum Kleider Thürlein ein: (52)
Wie seltzam ist der Fall! Was hilffts es ist geschehen,
O Einfalt volles Kind! Was wiltu drüber flehen?
Da wo sein Finger ist, da wünscht der Ring zu seyn.

19. **An seinen Freund, der sich zum Fenster hinaus begeben müßen.**
Hütte dich vor einem andern Auge. (52 v.)

Als Mavors einesmals aus süßer Liebes Pflicht
Bey seiner Venus lag, nahm ihn Vulcan gefangen,
Mein Freund! Du bist dem Garn auff gutes Glück entgangen:
Das halff dir: Dein Vulcan sah' auff ein Auge nicht.

20. **Ein anders.**
Wenns geräth, ists zu loben.

Lieb ist auch eine Pest, die aus der Gruben fährt,
In welche man dich sieht durch Thür und Fenster dringen:
Du bist wie Curtius: Der Sprung ist nur verkehrt,
Ihn sahe man ins Loch, dich aus dem Loche springen.

21. **Ein anders.**
Ohne Federn gefährlich.

Was vor ein Icarus fleugt zu dem Fenster naus?
Ich kenne seinen Fall, er hat sich ja verstiegen:
Ihr Buhler, thut es nach, und mercket dieses Haus:
Der vor in Federn lag, muß ohne Federn fliegen.

24. **An seinen Freund.** (53 v.)
Es ist nicht so viel daran gelegen.

Ich schicke von der Hand die naßen Blätter dir:
Wo du was ändern wilt, nihm nicht die Feder für,
Ein Strich macht alles gut: Du darffst nicht Sterne schreiben,
Die Laster dürffen nicht wie gute Bücher bleiben.

25. **An einen Eunuchum, als er ein Weib genommen.**
Nichts ohne Beweiß.

Weil dir das Beste fehlt, das auff der Unterbahn
Dir als dein Vatertheil die Mutter ließ verschüren:
Nihmstu dir gleich ein Weib, so wirstu doch kein Mann;
Die Zeugen die sind fort, du kanst dich nicht ausführen.

26. **An sein Weib.**
Wo keine Enten, da kein Gequacke, d. i.
Non entis nullæ qualitates.

Wo nichts darinnen ist, kan auch heraus nichts kommen
O ärmstes Weib, du büst niemals die Jungfer ein:
(54) Es ist ja Schand und Spott also betrogen seyn,
Du hast ein rechtes Weib zum Manne dir genom̄en.

27. **Ein anders.**
Es liegt nicht am Krähen.

Das Mundstück an der Braut, sprichstu, ist trefflich gutt,
Trompeter, wie daß du den Ansatz nicht kanst sehen:
Du bläsest doch, obgleich es an dir mangeln thut,
Doch hört man manchesmal auch einen Kapphahn krähen.

(54 v.) 29. **An die Adels-Krämer.**
Die Tugend nicht der Brieff.

Ihr, die ihr Adel habt in euern Bauden feil,
Zu welcher alle Welt nach Tituln kom̄t gelauffen,
Und einem ieden misst sein Maaß und Grad und Theil,
Wie theuer meint ihr wohl die Tugend zu verkauffen?

(55) 30. **An unsre a la Mode Brüder.**
Geld verthun, erfordert Kunst.

Die Junckern, welche du eh' als die Glocke schlägt,
Um die der Bürger sonst des Abends pflegt zu eßen,
Dort a la mode siehst die Pflaster Steine meßen,
Die haben zu Pariß die neuste Tracht verlegt.

Drum wann die Cavalier de la Speranze gehn,
Und auff dem Marckte hin frantzösisch schreyn und lallen,
Daß ihrer Worte Macht muß an die Fenster schallen,
Wo ihre Damen sind, bleib nicht bestürtzet stehn.

Die Reden, die sie führn, die sind so weit nicht her,
Ihr Thun und Hand Werck ist; Wie außer viel Beschwerden

Und mit manier man sol der Heller ledig werden.
Nein, umb so arm zu seyn, reiß ich nicht über Meer.

37. An des Amyntas Bruder. (56 v.)
Das seelige Landleben.

Was wiltu in der Stadt, mein liebster Freund, gewinnen,
Der du so froñ und deutsch an Mund und Hertzen bist:
Du kanst dein liebes Weib dem Nachbar nicht vergünnen:
Den etwan die Frantzoß auff allen Seiten frist.
Du kanst die Leute nicht biß in den Hiñel heben,
Die Honig auff dem Mund und Gall im Hertzen führn:
Du kanst denselben nicht Gemach und Bette geben,
Die ihren frechen Leib an härne stricke schnürn.
Du kanst biß auff das Blut dein Mündlein nicht beklauben,
Und armer Waysen Haab in deinen Nutzen ziehn:
Du kanst nicht alle Wort auff andre Meinung schrauben,
Und mit Verrätherey den Henckers Knecht bemühn:
Du kanst nicht wie ein Alb auff unsern Weibern kleben,
Und wie ein Drescher pflegt, die kalten Mütter bähn:
Von was wiltu dich nährn? Von was denckstu zu leben?
Bleib. Dañ im Fall du zeuchst, ist es mit dir geschehn.

39. An den argwöhnischen Leser. (57)
Nicht ich, sondern dein Gewißen.

Der du die Verse liest, dis bilde dir nicht ein,
Sañt meine Galle solt auch deinen Stand besprützen,
Die Furcht ist dir zu hoch, du kanst was seichter sitzen,
Und darffst um deinen Ruff hier nicht bemühet seyn.

Da wo der Kramer wohnt und Pfeffer Dütten dreht,
Und was der Koch erkaufft zum Futter der Pasteten,
Da geh und hol ein Blat und frage nach Poeten:
Die liest man, wann der Wind aus faulen Löchern weht.

Der hinterm Offen sitzt, und Banck und Tisch beschwert,
Anstatt des Griffels führt ein Art von groben Kohlen,
Der ist vor dich, bey dem kanstu dir Verse holen.
Dann meine Feder ist vor wahr nicht deiner werth.

(57 v.) 40. **Blinde Liebe**

Eines vornehmen Herren Hochzeit.
Kinder führen des Vatern Nahmen.

Ihr Freunde last es seyn: Der Herr, was ihm behagt,
Läst sich zur Schleußern traün: es ist auch keine Schande:
Was nach ihm wird gebohrn, das gleichet seinem Stande:
Dann er kam von dem Knecht und dieses von der Magd.

41. **Ein Anders**

An die neugemachte Frau.
Demuth, thut gut.

Was pralest du daher? ob dich voll Schein und List
Des Herren Geld, und dann des Cantzlers Brieff erhaben:
Bedencke, wann um dich die Mägd und Diener draben,
Daß du des Herren Bett und Kam̄er Kachel bist.

(59) 46. **Falscher Gottesdienst.**

Nicht nach der Warheit, sondern dem Schein.

Die hinterm Pater knyn und neue Creutze schreiben,
Die hat nicht eine Sach erleuchtet und bekehrt,
Der rufft ein Landgut an, und der es ihm gewährt,
Den muß er vor heraus mit from̄en Finten treiben:

Ein Andrer, den der Muth pflegt Pöfel ab zu reißen,
Schlägt Aemter aus der Brust, indem der Pater list,
Und bleibt, wie er vermeint, ein Evangelscher Christ,
Sein Am̄t sei nur Catholsch, nach dem muß er sich heißen.

Und jener, weil er sonst hat Treu und Lohn verlohren,
So glaubt er, was man sagt, auch mit dem andern hin;
Vor wahr, auch selber die, so in die Klöster ziehn,
Die haben nicht allein den Rosen Krantz erkohren.

Ich seh' in manchem Wamst ein Art von Ketzern stecken,
Die mehr als, Arme Leuth, euch können schädlich seyn:
Auch der euch ehrt, der kan der Worte kurtzen Schein,
Wie lang der Mantel ist, nicht allezeit bedecken.

Den Pöfel acht' ich nichts. Dann wann der kom̄t getreten,
So lebt er ohn Verstand und stirbet wie ein Vieh:
Du denckst, er ehret Gott, und weiß dan̄ voller Müh
Kaum eine Pfan̄e Bier auff Römisch an zu bethen.

47. Der Wohlgebohrne Prodigus.
Den Stand führen, macht offt alles verlieren.

Es müßen Rosen dir auff deiner Taffel blühn, **(59 v.)**
Die der gelehrte Koch mit Speisen weiß zu zieren:
Man sieht sechs schöne Roß an deiner Kutschen ziehn,
Und so viel Bey Pferd auch an Reuters Händen führen:

Die Knaben dienen dir in gleicher Lieberey;
Man hört dir die Trompet und auch die Laute klingen:
Der Rhein läst Baccharach, die Tonau ihr Tockay,
Wann du es nur befiehlst in deine Schaale springen.

Es sieht ja Herrisch aus: doch niemand wils verstehn,
Dann soltu es vollführn, so must du sachter prahlen,
Es dürfft' in kurtzer Zeit der bleiche Schuldner gehn,
Und bey dem Richter schreyn; Er sol mich auch noch zahlen!

48. Traum ohne Schlaff.

Noch schöner als der Mond (er gieng in vollem Schein
In vollen Hörnern auff) kam Chloris hergetreten,
Die auff den Feder Schmauß ihr Limpidor gebeten,
Ich sah', erschrack und schlieff mit offnen Augen ein.

Wer weiß ob Luna bloß damals gehörnert war,
Weil dieser Luna auch eins jeder kont entbieten:
Sie schliech bedachtsam her in halb gestohlnen Schrieten,
Und reicht ihr Honig ihm zusam̃t dem Stocke dar.

Ihr Hembde war so dinn als Spinnen Weben gehn,
Nu Phoebus brach drob ein: halt an, was wiltu rennen?
Der thut dir nichts, der uns den Tag pflegt an zu breñen,
Wo du nicht hin gedenckst, da kan dein Phoebus stehn.

50. An den Leser. (60 v.)
So viel Gedichte, so viel Bücher.

Dis funfftzig geht auch aus: Mein Deutscher, gute Nacht:
Wann dein Poete dir verdrüßlich ist gewesen,
Bistu selbst Schuld daran, weil du es nicht bedacht,
Daß man hier funfftzig mal auffhören kan im Lesen.

(61) **Kurtzer Satyrischer Gedichte**
Drittes Buch.

(61 v.)
Motto

(62) 1. **Wo Gunst, da Kunst.**
An den Leser.

Daß Maro seinen Geist, das Flaccus seinen Mund,
In solcher Pracht erhebt, so zierlich weiß zu zwingen,
Geschicht, weil sie die Verß in denen Haüsern singen,
Allda die Majestät der Welt Beherrschung stund.

Ich tichte weit von Rom. Allhier wo alle Kunst,
Wo alle Wißenschafft umb Arctos liegt verfroren,
Es leiht mir kein August und kein Mæcenas Ohren,
Kein Leser stöhrt den Fleiß durch solche Gnad und Gunst.

Doch ist noch mancher Freund, der meine Bücher trägt,
Und mit dem Nachbar list: Sie fluchen auff die Waffen,
Sofern ihr Czepko nicht kan im Parnassus schlaffen,
Wiewol er sich dahin offt auff ein Ohr gelegt.

Ihr Freund, ich wolte wol mein Deutschland zu verehrn,
So gut als ein Virgil Arma Virumque ruffen:
Doch eher dürfft ihr nicht auff solche Blätter hoffen,
Biß mich wird ein August und ein Mæcenas höhrn.

2. **Tödtende Erfahrenheit.**
Von einem unverständigen Artzt.

Vespillo wird berühmt vor andern Aertzten werden,
In dem er seine Kunst auff manchen Schlag versucht,
Itzt Pulver stöst und siebt, itzt Träncke seudt und kucht:
Und seine Krancken schickt fein ordentlich zur Erden.

(62 v.) Man muß nur seiner Art und Wißenschafft gewohnen,
Und wer wil einen Artzt vor die Gerichte ziehn:
Er tödtet ohn Entgelt, man weiß es zuvorhin,
Dem er sein Recht gethan, der muß ihn noch belohnen.

4. **Kehre vor deiner Thür.**
An einen Welschen.

Rück' nicht ohn Unterlaß den Trunck den Deutschen für:
Man sieht dich Tag und Nacht in Huren Haüser rennen;

Dein Knab ist unser Schild: Sol dein Geschlecht in neñen?
Was er im Affter führt, das ruffet Schwager dir.

6. **Es gehöret mehr dazu.** (63)
An einen Stadt Verkehrer.

Die Fiedler und darzu die Dudler sollen dir,
So um die Kretscham Saul ein Dorff voll Bauern jagen,
Die Städte durch das Land vor ihren Tisch betagen,
Und Bürgermeister seyn, die du zeuchst andern für.

Du sprichst, wo Jungfern stehn, da zeucht man Zapffen auff,
So kan man Städt' und Land verdudeln und verfiedeln:
Wie wird den Erbarn Rath die Noth im kurtzen igeln:
Der Feind kom̃t: Zuvor, bleib: Dañ wird ihr Wort seyn: Lauff!

8. **Sold, Übung, Straffe gehöret den Soldaten.** (63 v.)

Fragt ihr, woher es seyn, wann eine Schlacht geschieht,
Und in dem freyen Feld ein Heer das andre sieht:
Daß erstlich Unsre fliehn: Solt' es nicht daher kommen,
Daß zu viel Lauffgeld Sie vor auff die Hand genom̃en.

9. **Ruhm gehet vor Reichthum.**
An einen Neidischen Verfolger.

Du sprichst ich hätte nichts gelernt als Verse schreiben,
Mit denen niemand ihm den Hunger kan vertreiben:
Hergegen bläst dich auff das grosse Schreiber Am̃t,
Und durch die Wissenschafft hönst du uns allesam̃t.

Es ist wol wahr, ich kan die Leute nicht verjagen, (64)
Nicht fälschlich schwehrn, nicht Geld in fremden Schreibtisch
Indem ich aber weiß, acht ich mich hochgelehrt, [tragen:
Wohin mit seinem Geld ein solcher Mañ gehört.

Nun Juncker nicht zu stoltz: Du must mich nicht verachten,
Die Verse heißen mich nach Ruhm und Ehre trachten:
Der Höchste wird mich führn in seinen Him̃el ein,
Wenn deine Goldne Kett einmahl wird eisern seyn.

10. **Nichts ohne Wunderwercke.**
Von dem Durchlauchtigen Hause von Oesterreich.

Seht unser Oesterreich steht über den Gestirnen,
Es grünt und blüht ie mehr, ie mehr es Feinde hat,
Was machstu hier o Welt, es wird sich früh und spat
Die gantze Welt zu todt an diesem Hause zürnen.

(64 v.) 12. **Glückl. Weiber Abgang.**
An den Sylvius.

Hört doch, was Sylvius zu mir vorgestern sprach,
Nichts üblers kan uns Gott, als durch ein Weib begaben:
So sprach er; als er gleich das Sechste ließ begraben,
Und holt ihm unverwandt das Siebende hernach.

(65) 15. **Schertz ohne Galle.**
Von einem Handelsmann und Fleischhacker.

Es kam ein Handels Mann nechst einem Fleischer bey,
Die zugen sich nun auff, und schertzten beyde frey:
Der von dem Beile sprach: Laß mich, sonst ruff ich dir,
Knecht kom in Stall und halt allda die Ochsen mir:
Der Handelsmañ erwuscht ihn stracks und sprach: Wie nu?
Ich halt ihn schon, steht auff Ihr .Gäst und schlaget zu.

(65 v.) 16. **Vollbrütig, Gutthätig.**
An einen gefräßigen Polyphemus.

Wenn man dich sieht als wie ein Ungeheuer kommen,
Vor dem die Thüren, Bänck und Tische gantz verstummen,
Da flucht der Koch, ja selbst die Bräter schrumpffen ein,
Denn du solst seine Furcht und ihr Erschrecknüß seyn.

Und nicht umbsonst; denn so du frist, so kan dein Magen
Mehr Fleisch, als Pohlen vor auff Schweidnitz trieb, ertragen,
Und wenn du saüffst, so riñt durch deiner Gurgel Schlauch
Das Faß von Heidelberg in den so tieffen Bauch.

Als weit du reichst, wo du die Taffel kanst bebrütten,
Da sieht es wüster aus, als in den Bauerhütten:
Die bey uns Wirth und Vieh und Körner ledig seyn,
Was nicht der Schlund, das ziehn drauff beyde Diebsäck ein.

Wann du als eine Bach im brüchiglosen Wasen,
Den die Vollbrätigkeit vergruntzt und auffgeblasen:
So stürtzt dein satter Wanst den Vorrath wieder aus,
Mit dem dein Wirth versieht die Mast Schwein unterm Hauß.

Es hat sich sehr genarrt, der dich zum Hunger leiden
In unsre Pest gelegt, du bist zu unbescheiden:
Ob die Besatzung gleich mit uns umschloßen ist,
Sperrst du dich wie ein Wolff, wo du es rauchen siehst.

Als du dich in den Tisch, da, wo ich war, gefunden, (66)
Und Krüg und Schüßeln leer, als weit ich sahe, stunden,
Mein lieber Polyphem! Da nahm ich meinen Bauch
Und gieng davon und dacht: Er frist dich endlich auch.

18. **Gute Zucht, gute Sitten.**

Was wolt ihr eure Söhn in frembde Länder schicken,
Den Leib und Sinn mit Tracht und Sprachen auszuschmücken:
Ihr Mütter thut es nicht, der Bauer ingemein,
Wenn er den Mist besieht, redt wol und gut Lad ein.

Spansch, wenn er klagt, daß man wil nach Rebeldern fragen:
Welsch, wann mit Gabeln sich die Cavaliere tragen.
Und wann er saüisch frist, giebt er frantzösisch zu:
Die Deutsche Sprache bleibt vor dieser Schaar zu Ruh.

Man hört nichts als Don Hans, als Signor Merta ruffen,
Wann Balger Dominus läst Mons. Bartheln ruffen.
Das sind die Sprachen bloß: Wer sich läst weiter ein, (66 v.)
Der muß gestehn, daß sie sehr scharff gelehret seyn.

Man hört die Schöppen ja (es sind sehr hohe Sachen)
Vom Ent, und vom non Ent im Kretscham Schlüße machen:
Kein Dorff ist, wo man nicht die schweren Fragen rührt,
Und endlich in den Stock ein ander drüber führt.

Zwar Schaaff und Küh und Pferd, und Hoff und Haus u. Leben,
Muß vor das Lehr Geld er den scharffen Schulherrn geben:
Ihr Mütter eure Söhn, indem ihr kratzt und schabt,
Verlehnen auch ihr Gut und alles was ihr habt.

Das ist der Unterscheid: Die Bauern hinterm pflügen
Begreiffen ihre Kunst und Wißenschafft im Kriegen:
Viel Bauern Kinder sehn in Finstern Zimmern an,
Draus kaum der Zehnde das, was hier ein Bader kan.

22. **Gefährlicher Banco rotto.** (67 v.)
Als Gentil zum andernmahl umbgesattelt.

Die Seele trug Gentil dem Pfaffen wieder an;
Sechs Gulden gab er ihm, die jener bald verthan.
Erst galt sie mehr, dann da, als er Romanisch worden,
Hat er ein reiches Am̃t, stund in der Landherrn Orden.

Gentil! wie fällt der Werth, halt an, wo du die Pflicht
Auch künfftig brichst; glaub es, sechs Heller gilt sie nicht:
Mein Pfaff! unlängst und itzt, und künfftig ist verlohren
Dein Geld. Warum? Er hat die Seele längst verschworen.

(68) **24.** **Mit der Saüle, das Gebaüde.**
An Deutschland.

Ich sag es, Deutschland, dir, Sol Oesterreich ja fallen,
Wie iedem seinen Fall der Him̃el auserkiest:
Du fällst mit ihm: Ich hör, ich höre Haüser schallen,
Dann mit der Saulen fällt, was drauff gebauet ist.

(68 v.) **26.** **Diæt Hochtrabender Quacksalber.**

Iß'st du? Der Artzt der nim̃t die besten Austern dir,
Hält sie vor Ungesund, ob sie Ihm gleich nichts schaden.
Trinckst du? alsbald du wilt die Zung im Golde baden
Fast er den Kelch und setzt vor sich den Malvasier.

Kranckst du? er kocht dir Tränck, ob er nicht gleich davon
Den minsten Tropffen schmeckt, und macht dir viel Beschwerden.
Stirbst du? Weil er dir hilfft fein nach der Kunst zur Erden,
Heischt als ein Hencker er noch vor den Tod sein Lohn.

Ja wol, man kan ihm kaum gerecht im Zahlen seyn,
Verdrüßlich, weil man lebt, beschwerlich, wann wir sterben,
Und unrecht nach dem Tod ist dieser Leute Werben:
Es steht da selten wol, wo sie gehn aus und ein.

(69 v.) **30.** **Nicht der Anfang, sondern der Ausgang.**
Welscher Krieg unter Urbano IIX.
Pont. Max.

Der alte Vater wil in Welschland Kriege führn,
Und läst voll Geistlichkeit vor Glocken Drom̃eln rühren:
Der friedsam hat gelebt, läst itzt die Bienen schwärmen,
Wer ihren Stachel fühlt, wird sich von Stund an härmen.

Sey wach, o großes Rom, der Finne fragt nach dir,
Der alten Gothen Geist waltzt sich vom Arctos für:
Ihr Herrn, ihr werdet noch der Barbarn ihre Diener,
Der Barbarn, oder ja zu vor der Barberiner.

31. **Beydes wahr.**

Von General Torsten Sohn.

Ihr dürstet so: dabey sol man ihn lernen kennen, (70)
Sol man den Torstensohn, sprach Criticillus, nennen:
  Mein Freund ihr irrt: daß er (dis kom̄t mir beßer bey)
  Nicht durstig, sondern gar zu Thurstig vor uns sey.

37. **Kein Tag ohne Erinnerung.** (71)

Über seines liebsten Freundes Herrn Albrecht von Donaths Geburtstag, welcher auff der Heil. Drey Könige Tag eingefallen.

Tag sey gegrüßt, du gieb, Apollo, Verse her,
Ihm sey ja kein Gewülck und dir kein Strahl zu schwer:
Heut (und wer wolte nicht die Freud in ihm vermehrn)
Seh ich drey Könige das große Kind verehrn:
Heut! ach der Güttigkeit! verehret nach Begier
Sich selbst das grosse Kind den Eltern und dan̄ mir.
Verzeiht es mir, so weit ein Mensch vor Schätze geht,
Nach selbigen die Welt mit ihren Kindern steht,
So weit geht dis Verehrn den Königlichen bey:
Dann denckt, daß dis von Gott, von Menschen jenes sey.

40. **Ehe ärger, als beßer.** (71 v.)

Beantwortung einer immerwährenden Frage.

  Du fragst mich allemahl, wann wird es besser seyn? (72)
Wo es dich nicht verdrüßt, ich wil es dir wol sagen:
Dann wird es beßer seyn, wann ieder nach Behagen
  Sich in den alten Stand wird laßen weisen ein.

  Alsdann so wird der Blind im Pfarrock einher gehn,
Der Krumme seinen Dienst dort hintern Mauern suchen,
Der Schlim̄ in Klöster ziehn mit Eyer Brod und Kuchen:
  Der Blaße vor der Thür mit seinem Hüttlein stehn.

  So wird, (verzeih es mir, ich rede, wie ich bin)
Der Kürschner wieder nehn, der Fleischer Vieh begreiffen,
Der Pfeiffer auff dem Thurm ein Lied zu Tische pfeiffen:
  Der Drechsler drehn, den Strang der Seiger-Wächter ziehn.

  Wann alles so gesetzt in alten Stand wird seyn,
So wird es beßer auch, als wie ich hoffe, werden:
Mein Bruder, was schafft dir mein Antwort vor Beschwerden,
  Glaub es, was ich geredt, das weiß ich nicht allein.

(72 v.) 43. **Nicht prale, sondern zahle.**
Von dem Alvendo.

Alvendus kaufft ein Gutt von funffzehn tausend Cronen
Das wol ist angebaut, und da viel Leute wohnen:
Er hat es um das Geld gefunden, wie man spricht,
So wol kaufft er. Warumb? Er zahlet keines nicht.

44. **Glauben verlohren, alles verlohren.**
An einen Schuldner.

Als man dich wandern hieß, Mein Freund, des Glaubens wegen;
Fieng sich der Glauben an in deiner Brust zu regen:
Du giengst, u. nahmst dir Geld auff deinen Glauben aus,
Verschriebst voll Glauben drauff dem Nechsten Hoff u. Haus.

(73) Itzt, weil die Straff und Pein des Glaubens wil vergehen,
Und vor den Glauben Hauß und Hoff ohn das nicht stehen:
Verlischt des Glaubens Krafft: Denn du giebst weder Geld
Noch Hauß dem Glaubiger, der dir zu Fuße fällt.

Das heißt auff Glauben Gott nicht Haus noch Hoff befohlen,
Es heißt dem Nechsten Geld auff Glauben abgestohlen:
Nihm nur den Glauben an, dein Glauben nim̄t dir schon,
Weil du nicht Glauben hälst, des wahren Glaubens Lohn.

45. **Die Gicht vertritt des Henckers Statt.**
An die Lucia.

Wie Fulvia, als ihr geleget ward zun Füßen
Des Römschen Redners Haubt, die Zunge raus gerißen,
Und sie an einen Pfahl gehefftet auff der Bahn,
Um, daß sie den Anton zuvor gestochen an.

So hastu auch, in dem er dich an deinen Ehren,
O keusche Lucia, so fälschlich wil versehren,
Dergleichen Rach und Pein dem Vicebock gedraüt,
Weil seiner Zungen Gifft noch Gott noch Menschen scheut.

Halt an, o Lucia, ob du in deinem Leiden
Ihm nicht die Zunge siehst aus seinen Rachen schneiden,
Noch selbst durchbohren kanst; o Lucia halt an,
O süße Rach! es hats die Gicht vor dich gethan.

50. Nicht zur Auffrückung, sondern Verbeßerung. (74)
An den argdencklichen Leser.

Ist was nicht deutsch und nicht verständlich etwan hier,
Mein Leser, oder bin ich gar zu derb an Worten,
Und treffe deine Stirn und Art an meisten Orten,
Wirff alle Schuld auff dich und nicht auff mein Papier.

Sein Leben giebt mir ja die Schelt Wort an die Hand,
Und kön̄t ich von Natur und Art nicht Verse schreiben,
Der Eifer würde sie dir in die Nasen reiben,
Den ich empfind, alsbald ich deine Sünd' erkan̄t.

Dich kenn ich nicht, doch treff' ich deine Laster an,
So bist du mir vielmehr als dir bekannt gewesen,
Ob ich dich nicht gesehn, kanst du dich hier schon lesen,
Zuförderst wer du bist, und dann, was du gethan.

Wiltu zum Richter gehn? Halt an, der Tag ist da, **(74 v.)**
Dann wo du zornig bist, hat dich, wie ich kan schließen,
Dein Argwohn schön verdam̄t! Durch wen? Durch dein Gewißen,
Vernein es, wie du wilt, es spricht doch allzeit: Ja.

Kurtzer Satyrischer (75)
Gedichte
Vierdtes Buch. (75 v.) Motto

1. Beßer zusehen, als mit spielen. (76)
Einführung.

Indem die gantze Welt itzt Alexandrisirt,
So wil ich auch mein Faß von Ort auff Ort bewegen,
In dem nichts anders hat als dis Papier gelegen,
Das sein Diogenes und Lasterstürmer führt.

Es zürnen meine Freund auff diesen Tag mit mir,
Weil dies' in Krieg, in Rath mich jene wolten haben,
Daß auch vor mir nicht sol ein Zug von Sechsen draben,
Auch nicht sol gleich wie sie vor andern ragen für.

Verzeiht mir es, ihr Herrn, ich wil viel lieber schaun,
Wie auff den Schauplatz Ihr kön̄t Am̄t und Ansehn stärcken,

Es suchte niemand nicht die Fehltritt anzumercken
  Solt ich mitspieln und auch mich frembden Urtheln traun.

  Jedoch, wenn ich ein Buch mit Versen voll gekleckt,
So hab ich nichts davon: Ich muß umbsonsten lachen,
Wie lustig sich dabey der Leser weiß zu machen,
  Der meinen Stachel fühlt und seine Galle schmeckt.

  Mein Rent Am̃t ist ja schlecht: Doch sprecht ihr bey mir ein,
Wird Jeder meine Ruh vor seinen Sorgen preisen;
Er war selbst Herr der Welt, schaut, im Vorüber Reisen
  Wünscht Alexander doch Diogenes zu seyn.

2.

Nicht Worte, sondern Thaten.
An einen falschen Freund.

(76 v.) Wann du mir Geld solst leihn, sprichst du: Geld hab ich nicht,
Geld hast du: wann ich dir wil Haus und Gut verpfänden,
Was du nicht Freunden traust, das traust du Kalck und Wänden:
  Der Mist ist mehr als ich in deiner Treu und Pflicht.

  Du solt hin vor das Am̃t, dein Hauß mag mit dir gehn,
Du solt hin in die Flucht, dein Gutt mag dich begleiten,
Ein Mörder fällt dich an: Der Kalck mag vor dich streiten,
  Du kranckst und stirbst: Der Mist mag deinen Ruhm erhöhn.

3.

Nicht nach der Kunst, sondern dem Glück.
An einen vollbrätigen Schuster.

Du hast ja nichts gelernt, als Flecke mit den Zähnen,
Die von den Aäßern seyn, auff Stieffelbrete dehnen:
  Itzt baustu Haüser auff und kauffest Gütter dir,
  Der du vor kurtzer Zeit kaum hattest Brod und Bier.

Alsbald der Seiger schlägt, so muß der Junge lauffen,
Und, wo der beste Wein, dir deinen Tischtrunck kauffen,
  Was zu der Mahlzeit sol, das muß ein Haselhun,
  Der Lachs Forellen Tracht, kein Polnscher Ochse thun.

Der Pöfel fängt dich an, da, wo du gehst, zu ehren,
Ich weiß nicht was er sol von einem Am̃te hören,
  Das Glücke hat dich schon so weit bekañt gemacht,
  Daß auch Ein Erbar Rath auff dich wil seyn bedacht.

(77) Was hilfft michs, daß ich bin den Musen nachgezogen,
Die Eltern sind um Gold, und ich um Müh betrogen.

Es ist umbsonst sein Glück in Künsten fliehen an,
Wann einem Schuster dis der Leisten geben kann.

5. **Ein Paar ist ehrlich.**
Von einer übergeseegneten Fraüle.

Ein edle Dame fuhr auff eine Gasterey,
Da meine gute Freund auch in Gesellschafft waren,
Gedenckt, Sie komt kaum heim, so kindert sie zu paaren,
Mein Fraülein, so komstu der Römschen Lupe bey.

6. **Alle Decken sind umbsonst.**
Auff ihre Peruque.

Gar wol fällt dir dein Haar[,] das abgeborgte Haar, (77 v.)
Das du schon längst gesollt mit einer Haube decken,
Doch, so komst du nicht fort, man sieht die Schande blecken,
Bedenck' es selbst: Dein Ehr' ist ein entlehnte Waar.

7. **Der Vater ist ungewiß.**
An ihre Peiniger.

Weil niemand vor gewiß kan seinen Vater kennen:
Was plaget ihr das Mensch: Die Kinder, die sind dar
Ohn Vaters Nein, doch nehmt hier des Entdeckten wahr:
Dann den gewißen wird sie euch gar schwerlich nennen.

6. **Alle Decken sind umbsonst.** (78)
An ein Mägdlein.

Die keuschen Nymphen plagt u. schmertzt es trefflich sehr:
Daß Melitea noch im Krantze pflegt zu gehen,
Als der viel beßer solt eine alte Haube stehen,
Ihr Nymphen last es seyn, ich weiß, es schmerzt sie mehr.

10. **Theure Mahlzeit.** (78 v.)
Über eine Kloster Freude.

Nicht wundre dich, daß man zu Tantz und Sprunge schlägt,
Und daß der Väter Schaar, die graue Kutten trägt,
So lustig sich erzeigt und in die Welt wil sehen,
Weil es nicht heute pflegt am ersten zu geschehen.

Der Wein ist hier nicht Wein, die Trachten keine Tracht,
Gedencke, daß du auch ein Theil darzu gebracht:
Als zu dem Opffer sich ein ieder muste finden,
Die Speisen und der Tranck, das sind der Leute Sünden.

12. **O Zeit! O Sitten!**

An unsere a la Mode Damen.

Bringt der Frantzose dann nicht eine Tracht herfür,
Die uns unnachgeäfft von Weibern könne bleiben?
Sie wollen uns wol gar aus unsern Kleidern treiben,
Und sacken so in Wämst und Hosen ihre Zier.

(79) Viel Federn stecken sie auff ihre Hütte hin,
Ihr Haar muß der Barbier nach unsrer Art verschneiden:
Nichts mangelt als das Theil, das uns kan unterscheiden,
Sonst suchten sie sich uns in allem vorzuziehn.

Doch glaubt, daß ihnen auch das Ding noch nicht gebricht,
Und solten sie den Sam̄t aus Josephs Hosen trennen,
O Gott! Vor konte man ja Frau und Jungfer kennen,
Itzt ken̄t man Mann und Weib schier von einander nicht.

Was bleibet? Bloß der Barth, doch kom̄t es ihnen ein,
So werden wir ihn auch, drauff man schon ist beflißen,
In kurtzem, wie es scheint, vor ihnen legen müßen,
Als denen viel an Muth und Hertzen ähnlich seyn.

13. **Schlesier Eselsfreßer.**

An Herren Haubtmann Thomasen.

Ich liebe dich, daß ich dich möcht' aus Liebe freßen,
Sprach der von Püschel nechst, mein Thomasen, zu dir,
Ich fieng darüber an, weil ich dabey geseßen:
Er ist ein Schlesier, Herr Haubtman̄, seht euch für.

(79 v.) 15. **Gesellig, nicht allezeit gefällig.**

An zwey haderhaffte Eheleute.

Was gleich ist, gleicht sich wol, nun, wie ich höre sagen,
So trifft man weit und breit nicht gleicher Eheleut an,
Sie ist das schlim̄ste Weib, er ist der schlim̄ste Mann,
Drum wunder ich mich sehr, daß sie sich nicht vertragen.

(80) 17. **Es henckt offt an einem schlechten Faden.**

An seiner Freunde einen.

Nechst gieng mein guter Freund vor seiner Liebsten Thür
Und ließ wie auff den Marckt die leichten Schenckel gleiten,
Und sah' als wie ein Falck am Haus an allen Seiten,
Ob durch das lichte Glaß gläntzt ihre rundte Zier.

Nun schau, er wolt' als sie den Wirbel auff wil drehn,
Dort über das Gerinn in Capriolen fliegen,
O Weh! der Nestel brach, die Hosen blieben liegen,
Was drunter lag, halt ich, wolt' ich auffs Fenster sehn.

18. **Frische Klagen.**
An Sylvium.

Seht unsern Sylvius im Trauer Mantel gehn:
Die Ursach ist nicht schlecht: Er läst sein Weib beerden,
Die Ihm an Baarschafft läst auff dreißig tausend stehn,
Wer wolte so nicht gar zum Trauer Mantel werden.

20. **Allzuscharff macht schärtig.** (80 v.)
An einen sich selbst balbierenden.

Schaut, wie sich der geputzt und tritt dem Spiegel bey,
Ein Theil ist halb geschorn, ein Theil ist halb geschunden,
Ein Theil ist halb gekratzt, ein Theil ist voller Wunden,
Wer glaubt, daß dis Gesicht von einem Kopffe sey.

21. **Zugleich lieben und haßen.** (81)
An einen Verräther.

Bloß die Verrätherey, nicht dich, läst Ihro Gnaden,
Erhebe dich nicht so, zu Ihrer Taffel laden:
Du wirst, daher bist du ein unvollkom̄ner Gast,
Weil du es thust, geliebt, daß du es thust, gehaßt.

22. **Das übel verstandene man sol den Feind nicht reitzen.**
Von dem Schlesischen Kriege.

Wie sol der Krieg bestehn, wenn ieder Tag und Nacht,
Auff nichts, als Gütter ist, auff nichts, als Geld bedacht:
Wo man die Völcker führt nur armes Volck zu quälen,
Nur auff und ab zu ziehn, nur Pferd und Küh' zu stehlen.

Wie sol der Krieg bestehn? Wann man zu Felde zeucht,
Und eh' ein Schuß geschicht, frisch vor dem Feinde fleucht:
Wo man, ob gleich kein Stall, kein Bansam zu verschließen,
Der zu entlegen sey nichts wil vom Feinde wißen.

Wie sol der Krieg bestehn? wann man Gewehr und Schwerd
Auff Unterthanen nur und nicht auff Feinde kehrt:
Wo man gefangen nihmt, was da verlohrn das Leben,
Und diese tödten wil, die alles hergegeben.

Wie sol der Krieg bestehn? wann selbst ein Feldherr nicht,
Dem Obersten darff traun, Sie ihrer Knechte Pflicht:
Wo auff den Sam̃el Platz gesetzte Trouppen rücken,
Die (doch auff Beuthen nicht) sie drauff nach Beuten schicken.

(81 v.) Wie sol der Krieg bestehn? wann man, was ihn ernährt,
Was ihn erhält und führt, verurscht, verterbt, verheert:
Wo man hergegen kan ins Feindes Läger schauen,
Wie iedes muß das Land zu seinem From̃en bauen.

Wie sol der Krieg bestehn? wann Haus und Magen leer,
Und nichts mehr übrig bleibt als Hunger und Beschwer:
Wo man viel Meilen muß um unsre Gegend reisen,
Eh' als man einen Pflug kan Wandersleuten weisen.

Wie sol der Krieg bestehn? wann nicht mehr Hertz und Brust
Ein deutscher Eyfer brent̃, zu sehn des Feindes Post:
Wo mehr kein Vorsatz ist den Frieden einzuführen:
Und Hände Palmen Zweig und Hertzen Drom̃eln rühren.

Ihr Herren, wo der Krieg sol lange so bestehn,
So werdet ihr mit uns, befürcht ich, untergehn:
Dann Herren ohne Land und Länder ohne Leute,
Und Leut' ohn Haus und Hoff sind solcher Kriege Beute.

24. Gottes Furcht, die beste Regierungs Kunst.
An unsere Welt Weise.

Ihr sprecht daß Tacitus der Kayser Lehrer sey,
Der nichts als Gifft und List wil in der Feder halten:
(82) Ein Wunder ist's (denn Gott steht hohen Haüptern bey)
Daß ohn die Künste man nicht sol die Welt verwalten.

25. Thue nichts, das nicht alle Menschen sehen mögen.
An eine Dame, die etliche Jahre in einem finstern Zim̃er geseßen.

Du führst, als wie man sieht zwar einen schweren Orden,
Weil du dir nicht einmahl begehrest auffzustehn,
Doch bist du mehr besucht, als die wir täglich gehn,
Vor unsern Augen sehn, o schöne Nymphe, worden.

Wann man die Brunnen deckt, so pflegt uns mehr zu dürsten,
Steh' auff, es staübt zu sehr, wo Bett und Federn seyn,
Da hat ein gutes Kleid mit ihnen nichts gemein,
Dann welche zu dir gehn, die sollen im̃er bürsten.

26. **Bezahle die Schuld.**
An Cornelium.

Die Frau, die macht es recht (schreyt nicht ihr Leben an)
Daß sie sich endlich läst wie Venus überschwätzen,
Weil ihr ihr Mann kein Horn des Nachts gewähren kan,
So wil sie ihm ein paar auff seine Stirne setzen.

28. **Die Zunge fehlt, nicht der Sinn.** (82 v.)
Der stam̃elnde Stall Knecht.
An seine Mopsa.

Du bist zu wol beredt, drum werden wir nicht zwey,
Ich stam̃l' und kom̃e dir nicht mit der Zunge bey:
Dann offte, wann ich sol hin nach Futt-Futter gehn,
Da wo Ve-Venus steckt, bleib ich beym Mars-Ars stehn.

31. **Lange geborgt, nicht geschenckt.** (83)
Von einem Betrüger.

Wann Albrecht etwas borgt, der manchen hat betrübt,
So spricht er, wann ich kan ein Stücklein Geld erlangen,
Ist es, wie halb geschenckt. Und wann er es empfangen,
So ist es gantz geschenckt, weil er nichts wieder giebt.

33. **Krieg, der Wirthschafft Feind.** (83 v.)
An unsern schwartzen Graffen.

Indem du zu Landeck im warmen Bade bist,
Da nichts als Freud und Lust dir wird zur Seiten stehen,
Sieht mich der ernste Voigt auch allhier müßig gehen,
Der mir von Tag auff Tag sein Rechnungsbuch verlist:

Hier ist (das zeigen fast die alten Thier Gärt an)
Der Fürstin Agnes Gut und Meyer Hoff gewesen,
Wo itzt dein Czepko wohnt, den du dir wünschst zu lesen,
Und mehr von ihm begehrst, als er vermag und kan.

Die Nymphen, wo du bist, die laßen voller Ruh
Selbst die Gesundheit dir aus milden Adern springen,
Mich wil der wilde Mars von sichrer Freude dringen,
Und läßt mir nicht die Helfft' in meiner Wirthschafft zu.

Und ob die Galle mir zu Zeiten übergeht,
Daß ich das gröste Theil muß öd' und wüste schauen:
Doch bin ich offte hier: Ich darff mich beßer trauen,
Dieweil es von der Stadt nicht eine Stunde steht.

Vor diesem kont' ich ja bald auff das Land hinaus,
Bald auff die Berge zu: itzt laß ich alles liegen,
Und wer wil sich zu Tod auff wüsten Güttern pflügen,
Genung, erhalt ich das: wo nicht: Die Stadt bleibt Hauß.

(84 v.) 38. **Tröstlicher Weiber Abgang.**
Von dem Sylvius.

Als ich nechst meinen Freund und seinen Tod beklagt,
Sprach Sylvius zu mir: Er ist ein Mensch gewesen:
Wenn dich sein früher Tod gleich gar zu tode plagt,
Doch wirst Du weder Er durch solche Pein genesen.
Gedenck ich trage schon das fünffte Weib hinaus,
(Und lebe doch) wie schön und reich sie zu erheben:
Wie weis' ist Sylvius, er erbt so manches Hauß
Und manchen Sack voll Geld, und wil dabey noch leben.

39. **Weiber Credit gefährlich.**
An Cornutum.

Mein Weib hat mehr Credit, dis sagst du für und für,
Als ich an Kauffmannschafft, als ich an Wechselbäncken,
Ich glaub es mein Cornut, sie weiß sich so zu räncken,
Daß sie die Kinder offt auch selbst verwechselt dir.

(85) 40. **Wie gewonnen, so zerronnen.**

Ihr Bürger, seht den Sohn der reichen Heb'Amm an:
Wie mit den Herren er sein Geld und Gut verthan:
Doch Sohn und Mutter ist in eine Werckstatt kommen,
Er hat es eingesteckt, wo sie es raus genommen.

42. **Es ist ein theures Ding um Discretion.**
Schweidnitzische Einquartierung.

Ihr Herren, ob ihr gleich gesam̃t zu Rathe laufft,
Doch läst der Oberst auch nicht einen Pfennig schwinden,
Hier ist nicht Höffligkeit, als wie ihr meint, zu finden,
Er hat sie gar zu offt in Schlesien verkaufft.

43. **Darzu gehören, die geistlich arm sind.**
Von dem Sylvius.

Weil auff den jüngsten Tag sol alles untergehn,
Fängt Sylvius schon an das Seine zu verkochen:
(85 v) Meint untern Armen so das Him̃el Reich zu suchen,
Du must Geist- und nicht Geldarm seyn, wilt du bestehn.

44. Du solt nicht andere Götter haben.
Hoff Leben.

Wer was zu Hoffe sucht, muß nicht Catholisch seyn,
Weil ihm die Zehn Gebot unmöglich sind zu halten,
Das erste heißt: Es ist ein Gott, den laß bloß walten,
Das muß man stracks verkehrn, und stets zu andern schreyn.

45. Unterm kleinen ein großes.
An die Gellia.

Du pfeiffst ja klein, man hört dich lispeln wie ein Kind,
Dein Rock muß Röckgen dir, die Schuhe Schühlein heißen,
Der mit der Geißel kan sechs Pferd am Wagen schmeißen,
Sol dir ein Hänsgen seyn, das Steckgen noch beginnt.

Was meinst du, mein Gesell, erschreckt sie dich auch sehr?
Weil du so kleine Ding im Munde pflegt zu tragen,
Sey sicher, sie wird dir wol keinen Ritt versagen,
Die kleinen neñt sie zwar, nach Großen sieht sie mehr.

49. Nach der Weiber Weise. (87 v.)
Über der Camilla Trauer Klage.

Wie ängstet sich das Hertz in der Camillæ Brust,
Dieweil ihr liebster Mann Binoræus gestorben,
Ich wundre mich noch itzt, daß es nicht gantz vertorben,
Daß es nicht gantz vor Leid zum Leibe raus gemust.

Das heist voll Lieb, das heist voll Treu an Mañ gedacht,
Dann wißt, dieweil ihr Leid mit nichts sonst war zu stillen,
Liß über Jahres Frist sie sich in Schleyer hüllen,
Und hat vor Angst darzu ein Kind zur Welt gebracht.

50. So gut sie gerathen. (88)
An seine Freunde.

Wann ich vom Felde koñ, und etwan einem Hasen
Das durch beschwitzte Fell durch meinen Wind gezwagt,
Wann ich dem griñen Wolff ein Schäfflein abgejagt,
So ticht' ich offte Vers, indem ich sol verblasen.

Offt, (es ist mein Gebrauch) wenn meine Leute dreschen,
Muß mit dem Schiferbuch ein Junge bey mir stehn:
Wenn ich den Schäffer schelt' und heiß ihn von mir gehn,
So muß den Zorn in mir ein Epigramma löschen.

Gefall' ich euch ihr Freund, und lobt ihr meine Sachen,
So glaub ich, daß ich nicht der letzte Tichter sey,
Wo nicht, betrüg' ich mich: Jedoch bedenckt dabey,
Ob man es beßer auch könt' untern Bauern machen.

(89) **Kurtzer Satyrischer**

(89 v.) Motto **Getichte**

Fünfftes Buch.

(90) 1. **Wie die Gelegenheit, so das Gedichte.**

Damit die Motte nicht darff über Hunger klagen,
Noch sonder Tichter darff der Kramer Dütten drehn,
Wird hier das Fünffte Buch der gute Leser sehn,
Mit welchem sich schon wil der harte Lands Knecht tragen.

Es sind ja Pappelstiel, und wo von eiteln Sachen
Was schlechters kan als wol die Pappelstiele seyn;
Ich theile Schandfleck aus, und nehme sie auch ein:
Denn ieder wil mich draus ohn Danck zum Tichter machen.

2. **Der Friede kom̄t von oben her.**
Von Kayserl. Feldherrn.

Als Cæsar einest saß und dacht in seinen Sinnen:
Die Welt ist mein: Ich wil den Frieden nun beginnen,
Sprach seinem Adler zu der große Jupiter:
Auff, schwing dich über Ihn, dort sitzt der Erden Herr.

Die weiße Henne fast der Adler unter allen,
Und läßt sie in die Schoss des ersten Kaysers fallen:
Dieweil sie einen Zweig in ihrem Schnabel hielt,
Vom Oelbaum abgeraufft, war sie des Friedens Bild.

(90 v.) Nachdem das Kayserthum so grausam wird bestritten,
Und bloß auff Frieden gehn des Ferdinandus Sitten,
Schickt ihm der höchste Gott zum Stiffter solcher Ruh,
Durch Hertz und Witz versehn, den weisen Gallas zu.

Wird er den Friedens Zweig dem Kayser übergeben,
Ist vor der Hennen weit der Gallas zu erheben,

Und weiter Ferdinand dem Cæsar vorzuziehn,
Der Tod dort, aber hier wird nichts als Leben blühn.

3. **Nicht ieder komt nach Corinth.**
Von eben demselbigen.

Weiß am Verstand, und weiß ist Gallas an den Haaren,
Der Vorgesetzter ist der Kayserlichen Schaaren:
Stillt er den Hahn und schafft den kalten Heintzen bei,
Sag' ich, daß er ein Sohn der weißen Hennen sey.

4. **Goldne Zeit aus der eisernen.**
An die das beste hoffende.

Ihr Weisen habet Recht, die goldne Zeit geht an,
Die Ihr durch Geist und Schrifft vor diesem kund gethan:
Die Welt erneuert sich: Sie streicht vom alten Rücken (91)
Die tieffen Runtzeln hin, und wil sich wieder schmücken.

Was wollt ihr mehr, ihr könt die rechten Zeichen sehn,
Dem Löwen wil der Hahn ja in die Ohren krähn:
Die Biene Honigseim aus gelben Lilgen machen,
Und auch die Hene selbst wil vor den Adler wachen.

7. **Am Haubte liegt es.** (91 v.)
Als ihm ein guter Freund eine Peruque verehret.

Indem das Fieber, das uns Flecke setzen kan,
Die Haare mir beginnt vom Schädel abzuzwacken,
Darauff die Glatze gläntzt wie Elephantenbacken,
So stell' ich meinem Haubt ein Leichbegängnüß an.

Ich sehe mir selbst zu, wie ich ein Theil allhier,
Eh' ich gestorben bin, muß hier zu Grabe schicken:
Biß unter mir sich drauff die Träger werden bücken:
Doch du gestehst es nicht, und komst zu Hülffe mir.

Weil du der Stirnen Ruhm und Ehre sincken siehst (92)
Und nackt und bloß da stehn die Wittwen meiner Wangen,
Hast du der frechen That den Zügel nicht verhangen,
Und diesem meinem Haubt ein fremdes auserkiest:

Die Rabenschwartze Zöpff' (es hat sie selber dir
Minerva auffgekraußt und in ein Haupt gelesen)
Die heißen meine Schläff' in Sicherheit genesen,
Und schützen das Gehirn aus ihrer vollen Zier.

Weil aber Deutschland es dir nicht zu geben weiß,
So schickstu über See und Land die theuren Sorgen:
Und nicht umbsonst: Es muß der Gallier dir borgen,
Und der getrennte Schott' erweist dir seinen Fleiß.

Du achtest mich ja hoch: Das Alter und der Tod
Reibt alles auff: Die sol ich gantz und gar nicht achten:
Ihr Borsten weg, der Ruhm, nach dem ich werde trachten,
Theilt sich in König Reich, es hat hinfort nicht Noth.

(92 v.) **9.** **Wehe dir Schadenfroh.**

Über Einäscherung des schönen Kletschkischen Meyerhoffs.

Hier wird nach langer Zeit kein Hoff nicht wieder stehn,
An welchem seine Lust der Bürger vor gesehen:
Ich hör Arcadia wil seinen Stall beflehen,
Weil es nicht aus und ein das schöne Vieh sieht gehn.

Pan unser Hirten Gott steckt keine Hüttung aus,
Kein Strauch ist, da er mehr könt' in dem Schatten schertzen:
Die Gärte sind ohn Baüm: es wil Pomona stertzen,
Den Abschied setzet ihr der Mauer wüste Graus.

Die Stöcke sind verwaißt, es lieget Kind auff Kind
Umb seine Mutter her: Die Aest auff dürrer Erden:
Die Ställ' und Scheunen selbst die müßen Pfäle werden,
Dadurch die Graben hier durchaus verbauet sind.

Der Ceres göldnes Haupt hört keine Sichel nicht
Mit löblichem Gethön umb ihre Haare rauschen:
Man kan vor eine Sens' itzt Röhr und Schwerdter tauschen,
Anstatt der Mandeln liegt der Aeßer nackte Schicht.

Mein Pilgram, bleibstu je um diesen Abraum stehn,
Hier liegt der Meyer Hoff und auch sein Herr begraben:
Doch können sie noch was von Hülff und Hoffnung haben,
Auff diesen Winter wird der Maüer her vor gehn.

(93) **10.** **Natur läst sich nicht bergen.**

An einen Hoffe graffisirten Edel Mann.

Ich hienge gerne dir ein rechtes Schand Mahl an,
Nun, die Natur die sprach: Ich hab es schon gethan.
Er ist ein Dieb, er führt das Zeichen an der Stirnen,
Dann ließ den Titul ab, wenn er sich wird erzürnen.

Natur, ich laß es seyn, der Warheit Senff ist scharff,
Weil ihm, was er verdient itzt niemand sagen darff,
So sieht man durch das Land sein Urtheil auffzuhängen,
Er wird ein Edel Mann: Man sol den Dieb gestrengen.

11. **Willen über Natur.**

Von Christina Margaretha Czepconin und Sigismund Ernsten Schildbachs Geburth.

An Herren Gottfried Schildbachen.

Gott theilt die Wünsch: Du hoffst die Tochter, ich den Sohn,
Wir tragen keines so und beydes doch davon:
Die Tochter haben dir, den Sohn mir zugedacht,
Sie selbst, so uns verkehrt zu Vätern itzt gemacht:
Nun wohl, der Sohn wird dir, die Tochter mir bescheert:
Gott mischt die Lust u. hat sie deñoch gantz gewährt:
Doch alles ist und bleibt bey Freunden stets gemein,
Die Treu wil gantz und gar nicht unterschieden seyn:
Wolan, was die Natur versagt, laß uns vollziehn,
So krieget seinen Wunsch von uns ein jeder hin:
Gib mir den Sohn, ich wil die Tochter geben dir,
Dem Sohne fehlt ein Weib einmahl, ein Mann auch ihr:
So kriegst die Tochter du, Herr Schildbach, ich den Sohn,
Und ieder trägt das Sein und Ihres Sie davon.

Antwort Herrn Schildbachs. (93 v.)

Aus dem Lateinischen.

Mein Freund, wie unter uns die Wünsche Gott getheilt,
Lehrst du, es wird im Wunsch ein ieder übereilt:
Ein Theil wird uns versagt, ein Theil wird uns gewährt,
Es kriegt ein ieder doch, was er von Gott begehrt,
Die Tochter lach' ich an, ich nehme sie zu mir,
Und gebe dir den Sohn nicht sonder Wunsch dafür:
Nicht sonder Wunsch woll' es zu seiner Zeit geschehn,
Daß Sohn und Tochter wir vermählet mögen sehn.
Ein ieder hält' und gibt das Sein aus seiner Hand,
Und kriegt am Sohn und an der Tochter zwier sein Pfand.

12. **Es ist der Hunde Brauch.**

An einen unbarmhertzigen Steuer Schinder.

Indem ein armer Mann die Steuer solte geben,
Sprach er: Ich habe nichts, Herr, als das bloße Leben:

Der saure Schwede sprach: Du Hund, was bellst du viel?
Nicht eine Stunde geb ich dir Geduld und Ziel.
Der Bürger seuffzete: Das heist ein Ding verstellen,
Was bitten ist, das neñt der geitze Seehund bellen:
Jedoch es kan auch seyn: es weiß fast iedermañ:
Weñ Hunde Diebe sehn, so bellen sie sie an.

13. **Greiff in deinen Busen.**
An den Longinum.

Longinus irrt, daß er mich einen Ketzer heist,
Weil ihm selbst die Natur ein anders sagt und weist,
Vom Reiger, der die Lufft kan mit den Flügeln trennen,
Weiß mein Geschlechte sich von Alters her zu nennen.
Das weiß ein iedes Kind durch diese gantze Stadt,
Daß einen Kater er zu seinem Vater hat,
Und daß die Pfoten sich von einer Kätzin schreiben,
Wem wird der Kätzer nun mir oder ihm verbleiben.

(94) 14. **Verkehrte Bekehrung.**

Nechst sah' ich vor das Thor den armen Sünder führen,
Der Pater schry ihm zu: Das Beil wird dich zuvieren,
Der Pfahl durchbohrn, das Rad zerschelln, der Rost verzehrn,
Der Teuffel hole mich wirst du dich nicht bekehrn.
Der arme Tropp erschrack: nahm an den rechten Glauben,
Der Pater wuste hoch die schöne That zu schrauben:
Was rühmst du dich, aus Furcht, aus Angst nim̃t er ihn an,
Du hast ihn nicht bekehrt, der Hencker hats gethan.

15. **Prüfe die Geister.**

Daß sich der Teuffel kleid' in eines Engels Schein,
Wird unter andern dir Franciscus Zeuge seyn:
Auch andre Orden mehr. Deñ was (Ach Abendtheuer!)
Liegt unterm Him̃elthau verdecket? höllsches Feuer.

16. **Hure und Hölle eines.**
An Caligulam.

Wann dich, daß sie dir Leib und Seele mögen schwächen,
Die Rasende Begier, der wütende Gebrechen,
Das stinckend' Ungemach, gleichwie die Noth kom̃t an,
Die Knöpff und Senckel löst, ist es um dich gethan.

Denn wil die Brunst, als wie die Fraas ihr Toben schärffen,
Und deinen Leib herum auff einem Aaße werffen,
Das wie ein Klotz im Sumpff auf ieden Schlag sich henckt,
Und Augenblicklich dich in Sumpff der Höllen senckt.

O Mensch der Geilheit Aaß, daß du nicht seyst verlohren
Durch schnöde Hurerey, ward Gott ein Mensch gebohren:
Er wird mit dir vermählt, Ach denck an die Geburt,
Und schau auff was vor Art du lösest deinen Gurt.

18. **Verlaümbder.** (94 v.)
An Caprisecum.

Pamphilia ist Frau, du suchst Sie auszutragen,
Die Stadt weiß nichts von ihr als Liebs' und Guts zu sagen:
Der Athem stinckt dir selbst: Nun, das ist allen kund;
Der Hintere bey ihr ist reiner, als dein Mund.

24. **Frembde Sitten, Frembde Völcker.** (96)
An die heutigen a la Mode Brüder.

Da noch ein Deutscher Ernst in Zucht und Kleidung war,
Bezwang das deutsche Volck der fremden helle Schaar:
Itzt, seit der Deutsche führt der frembden Völcker Sitten,
So hat der frembden Heer die Deutschen überstritten.

Wir haßen unsre Ehr', ein ieder sucht sein Theil,
Und trägt den freyen Stand in dienstbarn Waffen feil:
Ich rede deutsch, wir sind im a la Mode Orden,
Zwar alte Männer vor, itzt alle Memmen worden.

25. **Deutschland geh' in dich.**
An die deutschen Lappländer.

Was fürchtet Ihr so sehr der Lappen ihre Schaar,
Der Finnen ihre Macht? Ach nehmt der Deutschen wahr:
Wir selbst wir stecken ja hier unter ihren Kappen:
Und weil uns jene scheern, sind wir die grösten Lappen.

26. **Wo nicht vor das Vaterland, iedoch mit dem Vater Lande.**
Über eines treuen Land Mannes Abschied. (96 v.)

Nachdem des Himmels Reich in grimmen Schlachten glüt,
Und niemand keine Treu in deutschen Hertzen sieht:
Nachdem ein ieder läst das allgemeine Wesen,
Aus deßen Fall er ihm sein eignes weiß zu lesen.

Nachdem wir die Gesetz und alles Recht verlohrn,
Und alle müßen thun, was einer auserkohrn:
Nachdem man hat den Hut der Freyheit abgezogen,
Und das verfluchte Joch um ihren Hals gebogen.

Nachdem der Pöfel sich zu fremden Göttern sellt,
Und nichts von Erbarkeit und guter Auffsicht hält:
Nachdem der Deutsche Muth von großen Haüsern kommen,
Die Furcht und Heucheley indeßen eingenommen.

Nachdem das Band der Welt der Glauben abgethan,
Und Mißtreu Frieden heist, der alles stürtzen kan:
Nachdem das Vaterland zu Sturm und Grund gegangen,
Und seine letzte Hülff und Oelung hat empfangen.

Nachdem der Schatten selbst des ersten Standes fleucht
Und mit der Leichen sich in ihre Grufft verkreucht,
Stirbst du, o theurer Mann, wolt ihr es recht verstehen,
Er wil zu Grabe hin mit unserm Lande gehen.

27. Ehrlicher nach dem ersten.
An Jactantium.

Zuvor war er ein Artzt, itzt ändert er den Orden,
Dieweil Jactantius ein Todten Gräber worden:
Gantz recht: denn dieses Am̄t ist jenem beygethan,
Der Todten Gräber endt, da, wo der Artzt hub an.

(97) **30. Der geborgt, bezahle.**
Über den Frieden.

Den Frieden, darauff wir so fleißig untergehn,
Den Frieden, darnach wir schon dreißig Jahre stehn:
Den Frieden, darum wir mit Gold und Silber lauffen,
Wird man zu allerletzt umb einen Böhmen kauffen.

31. Gleiche Müntze.
Vor die Ehe.

Ein Pfaffen Kind rieff mir ein Glaubens Pein'ger zu:
Das ist ein Huren Kind. Ich sprach: Freund, wer bist du?
Wo man die Ehe bricht, und sie verbeut nicht minder,
Verzeih es mir, da sind die meisten Huren Kinder.

32. **Sicherer finden als machen.**
An die eilfertige Achtermacher.

O Schweidnitz, die du dich so ehrlich hast gewehrt,
Und öd' und wüste bist, und keinen Arm begehrt
Zum Nachtheil deiner Pflicht die Zeit nicht auffzuheben,
Wie haben mich und dich Verräther angegeben.

Hart ist der Schluß, und schwer muß dein Verhängnüß seyn, (97 v.)
Ihr Herren, die ihr wollt die Güter ziehen ein:
Das Schwein kan nicht gewehrn, nachdem euch so sol dürsten,
Denn wie ich glaub' ihr sehnt euch nicht nach seinen Würsten.

35. **Du glaubst es selber nicht.** (98)
An Purpurcultum.

Der Tischler machet nicht durch Hobeln und Beziehn
Zum Heiligthum ein Bild, du machst es durch dein Knien:
Dein Vater hat dich nicht den Gottesdienst gelehret
Wenn er die Peltze flickt, als wie es sich gehöret.

Wenn er die Götzen fand, die vor ihm stets verblichen,
So sprach er: Ducket euch, ihr sollt in Ofen kriechen:
Bedencke wie du dich hast deinem Gott entwandt:
Was du verehrst, das hat dein Vater vor verbrañt.

36. **Nicht zu hoch.**
An einen umgekehrten Verkehrten.

Du bist ein schnöder Mensch, und sprichst: Ich bin ein Gott,
Ich habe Stadt und Land erlöst aus aller Not:
Du schöner Heyland du. Erlösung zu erwerben,
So muste Christus Gott und Mensch am Creutze sterben.

Nun ihn gehst du nichts an: Rom hielt zwar den Gebrauch,
Daß sie nach ihrer Zeit die Bürgermeister auch,
Hieß Götter auff dem Marckt und allen Straßen nennen,
Jedoch, es muste vor ein Holtz Stoß sie verbrennen.

Wann dich vor einen Gott dein Volck anbeten sol,
Must du zuäschert auch (es sol ihm gehen wol),
Zuäschert oder ja drey Ellen von der Erden
Auff deutschen Brauch geschnürt ans Griech'sche Γ werden.

(98 v.) **38. Steuer Einnahme. Auff den 9. May des 1645. Jahres. An Herrn Ernst von Nimptsch der Fürstenthümer Schweidnitz und Jauer Kayserl. Steuer Einnehmer und Fraülein Susannen, Wolgebohrnen von Gersdorff, Hoch Zeit-Tag.**

Die schwere Steuer macht, Ihr werther Ritters Mann!
Daß Eurer Hochzeit ich kein Carmen steuern kan:
Die Musen wollen mir ja nicht zu Steuer kommen,
Denn in der Steuer wird ein Reim nicht angenom̃en.

(99) Und Eure Braut, der selbst die Venus Steuer giebt,
Und was an Pracht und Zier der Him̃el sonsten liebt:
Verdient, daß diesen Tag berühmte Seelen feyern,
Und ihrem großen Ruhm erwünschte Sachen steuern.

Jedoch wo kom̃en, Herr, mehr solche Steuern ein,
(Die andern mag ich nicht) an Hoheit, Witz und Schein,
Als selbst in eurer Brust die Steuer abzuführen,
Drum könt ihr bloß die Welt mit ihrem Lobe zieren.

Und weil ihr euren Stand verändert, nehmts in acht,
Herr Nimptsch, daß nicht das Am̃t auch ändre diese Nacht:
Deñ [es] ist mir recht (es sind der Liebe süße Gaben)
So wird die schöne Braut die Einnahm heute haben.

(100 v.) **41. Über des Edlen Herren Abraham von Franckenbergs Seriphiel. Den Zehlenden.**

Die Zahl, ein' edle Kunst, die offenbahrt uns Gott,
Und er wird offenbart durch sie aus weiser Noth:
Ihr erster Ausfluß ist das allgemeine Wesen,
In dem hat die Geburth das Ein ihm auserlesen:

Du Göttliche Gewalt, Du Thron Fürst dieser Krafft,
Die aus dem Ein entspringt, und würckt und alles schafft:
Und wir selbständig sehn durch alle Zahlen flüßen:
Willkom'n Seriphiel. Mach uns die Kunst zu wißen.

So weit das große Tieff: in dem die Sternen stehn,
Und ringrecht durch den Trieb des Grundbewegers gehn,
Sich in der Ewigkeit in Ihm weiß auszustrecken:
So weit wil dir den Zweck der Herrschung Gott auffstecken.

Du kanst der Sternen Zahl und sagst Sie aus der Hand,
Ob ihrer mehr noch sind als Thetis grauer Sand:

Kein Vogel, Fisch und Thier im Him̄el, Meer und Erden
Brüt, streicht und wirfft. Ihm muß die Zahl erst von dir werden.

Und aus der Zahl da fleust das Wesen ieden ein,
Da wo ein Einfluß sich dem andern macht gemein:
Du machst, daß alle Ding' in dem sie durch dich gehen,
Dort in der Algebra, hier Mercava bestehen.

Gott schleust die gantze Welt in deine Ziffern ein,
Es ist gezehlt, wie lang sie sol seyn, und nicht seyn:
Es ist gezehlt, schau umb: Sie stehn dir im Gesichte,
Die Sündfluth und der Tag des Herrn und das Gerichte.

Im ersten Ein da quillt das wesentliche Meer
Der Unvergänglichkeit ohn End' und Anfang her:
Das rinnt von Zahl auff Zahl durch dieses große Gantze,
So wir sehn und nicht sehn in ungeendtem Glantze.

Daß in den Zahlen uns, in uns die Zahlen wir (101)
Umschaun, und in das Ein gekehrt seyn für und für:
So bringt Herr Franckenberg ein geistlichs Licht getragen,
Das untern Engeln Er im Himmel auffgeschlagen.

Du Edler Franckenberg! Dein him̄lischer Verstand
O seelge Freundschafft! macht mit Engeln uns bekan̄t:
Wir können diesen Dienst mit Zahlen nicht bezahlen,
Das Ein, das muß es thun: Drein sie gehn, draus sie strahlen.

Erweckte Seelen auff! Was vor kein Cabalist,
Es sey Pythagoras, es sey der Trismegist,
An Ziffern ausgezehlt durch Glauben und durch Schweigen,
Wird itzt ein Engel Euch an Fingern zehln und zeigen.

Und du Seriphiel, umziffre diesen Berg,
Den Gott bestritten hat: feur an dis heilge Werck:
Führ uns durch die zwölff Zahln ins ungezehlte Wesen,
Wo alle Zahl zerfleust: wenn sie das Ein nur lesen:

In diesem Ein besteht das Reich der Ewigkeit,
Das nichts als ein Gemüth und Licht ist weit und breit:
Mein Mensch, das Reich, das Ein ist hier: Wilt du es wißen:
Findstu es nicht in dir, must du es ewig mißen.

42. Über eben des Edlen Herren Abrahams von Franckenberg Raphael. Den Heilenden.

Drey Theil; als Seel und Geist und Leib, Mensch sind in dir,
Wir sehn, so iedes bricht, aus seinem Mittel für:
Gesundheit und Vernunfft und Heiligkeit sich färben,
Wo nicht, so muß der Mensch dran krancken oder sterben.

Der Geist ist frisch, wenn er Gott nach dem Wesen kennt,
Gott nach dem Willen ehrt: Gott nachzufolgen brent:
Und dieses hat er bloß im Glauben auserkohren,
Ohn ihn ist kennen, ehrn und brennen gantz verlohren.

(101 v.) Die Seel ist frisch: wann sie rein als die Engel liebt,
From, als die Geister ist, frey, als die Jünger, giebt:
Und dieses kan allein die Weißheit in ihr machen,
Ohn Sie sind lieben, seyn und geben todte Sachen.

Der Leib ist frisch: wann er an Sinnen Kräffte spürt,
An Gliedern Stärcke fühlt, an Adern Speise führt:
Und dieses kan in Ihm die Mäßigkeit erhalten,
Ohn Sie sehn wir die Kräfft' und Stärck' und Speis' erkalten.

Ohn Glauben seyn, das ist Ohn Gotts Erkänntnüß seyn:
Ohn Weißheit seyn, das ist entbärn der Tugend Schein:
Ohn Maaße seyn, das ist sich tödten vor dem Sterben,
Mensch, auff den Schlag muß Geist und Seel u. Leib verterben.

Auff daß du nun nicht gantz verterbest, suche Heil,
Und schau der Raphael gibt iedem Theil sein Theil:
Der treue Raphäel, der als ein Artzt voll Ehren
Gesundheit und Vernunfft und Heiligkeit kan lehren.

Mensch, ist der Geist ie kranck: Er wird ergeistern sich,
Und in das Hertze Gott's versenken ihn und dich:
Und durch die neue Krafft des Wesens überfeuchten,
Biß nichts im Glauben wird als JESUS wieder leuchten.

Mensch, ist die Seel ie kranck: Er wird sie führn zur Zucht,
Die er in JESUS Hertz und seiner Sanfft Muth sucht:
Wird deine Seele da mit Blut und Waßer reinen,
Biß nichts als Weißheit wird durch deinen Willen scheinen.

Mensch, ist der Leib ie kranck: Er wird ein Artzney glühn,
Und der Natur ihr Hertz und deßen Dunst abziehn:

Und die Grund Feucht' in dir u. die Grund Hitz' ergäntzen,
Daß nichts als Mäßigkeit durch Sinn und Leib wird gläntzen.

Wer nun, als wie es Leib und Seel und Geist ist wehrt,
Gesundheit und Vernunfft und Heiligkeit begehrt:
Muß Sie durch Mäßigkeit, durch Weißheit u. durch Glauben,
In Gotts, in JESUS Hertz und der Natur ausschrauben.

Vom Him̄el kom̄t die Kunst nicht von der Erden her,
Der Herr von Franckenberg ist so treu und gewehr:
Daß keinen Zweiffel du auch solt darüber tragen, (102)
Sol sie der Raphäel aus seinem Munde sagen.

Mensch, hier hast du das Hertz (ach über seel'ge Cur)
Aus Gott, aus JESU, aus der güttigen Natur:
Du hast kein Hertze, wirdt du deines nicht drein sencken,
Und das dir jenes giebt ans Franckenbergsche dencken.

**43. Auch im Feinde ist Tugend zu loben.
Von Königsmarckischen Einfällen.**

Es sey, daß König stam̄t und kommt vom Worte können
Dadurch man kan Gewalt und Macht und Recht beginnen:
Es sey, daß sich das Wort vom Kühnen rühmt und schreibt,
Ist es, daß Königs Marck ein Marck von beyden bleibt.

Was nen̄t das Marck ihr nun von den Arctoischen Waffen,
Den Königs Marckt den Marckt von Kühen und von Schaaffen:
Arg macht ihr es, der Held ist kühn und wird euch kühn,
Daß ihr zun Ochsen theils des Plato werdet fliehn.

Von euch wird manche Marck noch Königs Marck bekom̄en,
Den merckt es, welcher Märckt' in Deutschland eingenom̄en,
Bringt Länder, bringt zuletzt selbst Königreiche bey,
Last weg den Marckt, drauff lest, was den̄ sein Nahme sey.

48. Grab Schrifft einer weißen Frauen. (103)

Das Todes Alkahest, das löst mich auff allhier:
Mein Freund, ich werd' auffstehn in Engels reiner Zier:
Ein schwartzes Ertzt wusch ich, und es ward weiß und roth,
Giebt dieses uns die Kunst, was zweiffelst du an Gott?

49. Gott liebt, die er in der Kindheit abfordert.

Über zweyer betrübter Eltern Klage ihres verstorbenen Söhnleins.

103 v.) Ihr Eltern klaget nicht umb euer Liebes Kind,
Ihr wißt ja, daß dem Herrn auch lieb die Kinder sind;
Ob euer Jüngster Sohn mit euch nicht spielt noch schertzt,
Seht, wie Ihn Christus selbst der Kinder Vater hertzt;
Ob ihr das Werthe Pfand nicht auff den Armen tragt,
Seht, wie es schwebt und gläntzt vor Gott, und ihm behagt:
Ob Euern seelgen Schatz der Tod macht kalt und bleich,
Seht ihn, ein Theil von euch (o Trost!) in Gottes Reich.
Und darumb, Eltern, tragt nicht seinetwegen Pein,
Denn Gott wil, daß das Kind so früh sol seelig seyn.
Die Rothe Ruhr führt es ja aus der argen Welt,
Doch JESUS rothe Blut dafür in Him̄els Zelt.

50. Rechne alle Abend mit dir ab.

An den Leser.

Weg mit der Satyra und aller Tichterey,
Hier geht der Laster Sturm und Castalis vorbey:
Es ist nicht noth durchsehn der andern Leute Leben,
Weil viel Gefahr und Schuld aus unserm ist zu heben.

Ein ieder, wenn er sich zu Bette hat gelegt,
Den Wachsstock ausgelöscht, sich nichts im Hause regt:
Erforsche nur von Sich, was er den Tag begangen,
Er wird Bericht genung, mehr als ihm lieb, empfangen.

Wann sein Gewißen Ihm die Seinen stellet hin,
Darff Andrer Fehler er nicht durch die Hechel ziehn:
Nun die Gewalt sol auch bey mir inkünfftig gelten,
Ich wil von Nacht auff Nacht mein Hertz und Leben schelten:

Wil sagen: Diesesmahl, geb ich dir noch Gehör,
Verzeih' ich dir die Schuld: thu es hinfort nicht mehr:
Folgst du mein Leser mir, so wirst du frey von Nöthen,
Darffst keiner Satyra, das lerne vom Poeten.

Neben der Überschrift des Gedichtes Nr. 49 befindet sich in der Hs. der Widmungsvermerk „H. Christian von Hoffmañswaldau S. K. Maj. Rath und des Raths in Breßlau“.

Kurtzer Satyrischer (104)
Gedichte (104 v.)
Motto
Sechstes Buch.

1. Wie es heuer der Marckt mit sich bringt. (105)
An den auffrichtigen Leser.

O Leser, meine Lust, mein Reichthum Glück und Heil,
Kein Vers kan dir die Ehr', in der ich lebe, sagen
Wenn ie ein Frembder spricht: Ist nicht mein Wolbehagen,
Ein deutscher Martial in Perferts Laden feil.

Die Fabeln laß ich seyn. Der deine Hände fleucht,
Und nichts als Götter redt, die er sucht zu ergötzen,
Mag an der Sternen Wand die Deutsche Feder setzen:
Genung, wenn nur mein Blat nach Menschenkindern reucht.

O Leser, meine Cron und auch mein König Reich,
Wir sind ja etwas werth, wann du mich pflegst zu tragen,
Das Lob ist mein und dein. Ein andrer der mag klagen,
Den meine Musa trifft, ist mir und dir nicht gleich.

2. Die Laster, nicht die Person.
Von einem Eigennützigen.

Ich wil dir lieber Freund was in das Ohre sagen:
Dis bitt' ich, halt es nur geheim als wie du thust:
Der große Mann, daran der Bürger seine Lust
Und seinen Trost gehabt, ist aus der Art geschlagen.

Er läßet sich Gestreng auff allen Gaßen nennen,
Und wil ein Edel Mann, ja Rath und Raths Herr seyn,
Und zeucht den Kegel nicht von langen Tituln ein,
Bey welchem man noch kan den Treber Fürsten kennen.

Fragstu, was er bey uns sonst löblichs vorgenommen,
Ließ seine Hand, mit der er als ein Bieder Mann,
In das gemeine Gutt so manchen Griff gethan,
So wirstu alsobald auff seine Thaten kommen.

Das bloß gefällt mir nicht, daß er vor andern allen
Offt unsern Burg geleckt zu seinem Nutzen hat,
Ich seh es, du fängst an? Wie heist er, der dis that?
Verzeih es mir, es ist sein Nahme mir entfallen.

(106) 6. **Religio der allerschädlichste Deck Mantel.**
An die Evangelischen Krieger.

Weil ihr die Prediger auff Predig[t]stühle stellt,
Und unterdeßen bloß sucht unser Gut und Geld,
Meint ihr, ihr bringet uns mit Spießen und mit Stangen
Das Evangelium, das ihr habt umbgehangen.

Verzeiht es mir, weil ihr mit Donnern und mit Quähln,
Die armen Leute wollt biß auff das Leben scheeln,
Und voller Raub und Mord erweitert eure Schätze,
Daß ich es sagen darff: Ihr bringet das Gesetze.

(107) 9. **Beydes den Magen und das Gemüthe.**
An Herrn Matthæus Apelles von Leuenstern.

Die Lerche, so das Garn kan unterm Stoppel decken,
Als Meiner Stellung Raub, hört man ein Lob erwecken
Um des Appeles Tisch: Sie wollen ingemein
Des Koches süßer Spieß und zarte Lantze seyn.

Ihr Bürger meines Gutts, so man mir eingerißen,
Da wo Fürst Bolco vor sein Aecker wolte schlüßen,
Geht hin und bringet es des Phoebus Küchen bey,
Daß Eures Herren Leid nicht weit von seinem sey.

Die Ställe stehn ohn Vieh, ohn Vorwerck sind die Auen,
Die Scheunen ohne Korn, nichts ist, wie vor zu schauen:
Als der Gefangne Sachs und mit ihm Torsten Sohn
In diesem Hause lag, war dis mein Danck und Lohn.

Doch was ist Gut und Haus, wenn Städte selber brechen,
Pest Menschen, Metzger Vieh, und Steller Vogel stechen:
Nihm nur die Aäßer hin, so gut sie immer seyn,
Und scharr' in deine Kehl ihr edle Leiber ein.

Das Grab sey Mund, die Hand die Baar', und Wein die Zähren,
Ihr Andenckmahl der Schmack und was du wirst begehren:
So recht, also muß es den Indianern gehn,
Die beßer auff dem Tisch als wüsten Aeckern stehn.

Die Götter laßen ja den Phoebus meine Gaben,
Vor andern lieb und werth vor meinetwegen haben:
Es schmeck' ihm meine Tracht, dem sonst nichts schmecken kan,
Als was nach Weißheit schmeckt und ihr ist beygethan.

14. **Alte Buhler gewiße Narren.** (108)
An Graumundum Pubertum.

Die Erndte läßest du schon zwey mahl dreißig mahl (108 v.)
In Säcken eingefüllt auff deine Söller tragen:
Dein Alter können dir der Töchter Kinder sagen:
Jedoch wilt du vermehrn der Jungen Stutzer Zahl.

Kein Spiel, kein Gastgeboth stellt ie ein Nachbar an,
Auff das dein neues Kleid du auch nicht soltest schicken,
Den auffgesetzten Bart seh' ich von fernen blicken,
So weiß als einen Schleyr ein Klag Weib tragen kan.

Wann auff Gesundheit du des Frauen Zim̃ers trinckst,
So bleibt kein Tropffen nicht auff deinem Nagel stehen,
Da bist du sehr bemüht, wo schöne Mägdlein springen,
Kein Reh' erhebt sich so, wie du im Tantze springst.

Dein Schubsack der ist recht der Buhler Lieder Hauß,
Die in die Seiten du voll Andacht pflegst zu singen:
Die Bücher, welche wir aus frembden Ländern bringen,
Hast alle du im Kopf und sagst und plauderst draus.

Ja wol, du stellest dich bey uns behäglich ein,
Wann etwan wir vermummt zum Abend Tantze gehen:
Mein Greiß, laß uns das Spiel, nichts kan ja ärger stehen,
Als wañ ein alter Hecht wil Pickelhäring seyn.

15. **Immer höher.**
An den Matho.

Hört Matho wil ein Artzt und Artzneymacher seyn,
Der manchen hat gebracht in Ungemach und Pein:
Wie steigt die Kunst, vor satzt er Leut' in Angst und Nöthen,
Nahm Ihnen, was ihm fehlt: Itzt lernt er sie gar tödten.

16. **Verräther sorgliche Tisch Gäste.**
An den vorigen Küchen Freund.

Mich wundert nicht, daß mich und dich gibt Matho an,
Weil er den leeren Bauch mit nichts sonst füllen kan:
Das wundert mich, daß sich sein Wirth läßt so betriegen,
Dann ihn versorgt der Wirth mit Fleisch, er ihn mit Lügen!

17. **Betrügl. Goldmacherey.**

(109) **An die Bettelleute.**

Der alles hat verkocht, der setzt der Weisen Stein,
Der so viel Narren macht, in seinen Tiegel ein:
Ihr Bettler setzet ihn zuerst in euren Orden,
Der hat ein Vorthel ja, der weißlich arm ist worden.

(110 v.) 28. **Stecke dein Schwerd ein.**

Schnöde Erretter der bedrängten Kirchen.

Das Wort, das aller Welt den Frieden saget an,
Und Gnade heist und uns aus Gnade wird gegeben,
Das soll (Ach Schand! ach Spott!) der wilde Krieg erheben,
Und durch verbotne Dienst, ihm öffnen Thür und Bahn.

Wie arg ist doch die Welt, wir wollen Christen seyn,
Wann wir den Mantel dann vom Gottes Dienst entdecken,
So sieht man Raub und Brand und Mort darunter stecken,
Und hüllen nichts als Schuld und Sünd in Glauben ein.

Wollt den Bedrängten ihr also zu Hülffe gehn,
Daß ihr sie härter könnt durch falschen Schein bedrängen,
Wie heilge Titul ihr wollt um die Waffen hängen,
Sieht man doch überall die Kräle fornen stehn.

(111) Das liebe Gottes Wort kom̃t uns sehr theuer an,
Ihr predigt dergestalt (bedenckt, ihr seyd ja Christen)
Das Vieh aus Ställen hin, die Heller aus den Kisten:
Und endlich denn aus Land und Städten iedermann.

(112) 34. **Menschen, zerbrechliche Gefäße.**

An Herrn Haubtmann Ritterfurt.

Die Erde zur Artzney, wie sie gesiegelt ist,
Nehmt lieber Ritterfurt, so gut ich sie erkiest:
Zum Siegel meiner Treu und Freundschafft setzt sie ein,
Es ist zwar schlecht, doch denckt, daß wir auch Erde seyn.

35. **Aus der Rede den Mann.**

An Junuffken.

Pan Tata hört man dich zu deinem Vater schreyn,
Und deiner Mutter zu drauff Pani Mami ruffen,
Wie solt du denn, wenn ich die Eltern so getroffen,
Nicht eine feige Memm und blöder Tater seyn?

42. Je näher dem Jupiter, je näher dem Donner. (113 v.)

Als Hertzog Frantz Albrecht hinter Mertzdorff geschlagen worden.

Der Ort, das Dorff ist hier, das man vom Mertzen nennt,
Drauff ich ins Vierdte Jahr nicht Wirthschafft können treiben:
Hier ist es, da der Held im Felde muste bleiben.
Aus Sachsen Lauenburg: Seht, wie sein Hertze brennt.

Die helle Mitternacht, da, als der Tag anbrach,
Macht alle Felder schwartz, so weit man konte sehen,
Der Hertzog wuste sich nicht aus der Schaar zu drehen,
Der Torsten Sohn gieng ihm auff heißem Fuße nach.

Nu beyde satzten sich dort umb das trübe See,
Daraus mein Schwäher ließ ein Schlam Gebürge tragen,
Und als die Völcker theils gelauffen, theils geschlagen,
Macht ihm ein strenger Schluß mit zweyen Kügeln weh.

Der Zobtenberg, als er den Hertzog so allein
Verwundet und zugleich gefangen sahe liegen,
Kam auff die Wahlstatt hin im Schatten selbst gestiegen,
Und haubte sich und dann sein andre Brüder ein.

Nachdem Sie ihn gantz matt auff Kletschkau zugebracht,
Da auch mein Meyerhoff die Helden unterhalten,
Biß Bolco seine Statt mit Stücken ward zuspalten:
Gab er der Welt und uns in Schweidnitz gute Nacht.

Wie aber, daß das Dorff durch Glut ward abgethan?
Wann Fürsten untergehn, so muß man Fackeln haben,
Und weil das arme Land man künfftig wird begraben,
Sagt es dem Fürstenthum auch seine Hinfarth an.

44. Das Gebetbuch in die Hand. (114

Welscher Krieg, welchen die Barberiner angefangen.

Der Glöckner dieser Welt, es wird nichts guts bedeuten,
Fängt die gegoßne Glock in Welschland an zu laüten:
Nu Campanella trägt den Klang in Franckreich feil,
Und der gefrorne Belt kriegt auch davon sein Theil.

O Vater, Oesterreich und Spanien ingleichen
Hat Euch von Alters her die Hände helffen reichen,
O laütet ihnen nicht, der Klang möcht euch bethörn,
Ihr wüst, wie Carl der Fünfft euch konte beten lehrn.

(114 v.) 46. **Urbanisches Sinnbild.**
Bitteres und süßes aus einem.

Die Imme, die zu Rom im heilgen Korbe sitzt,
Trägt Honig ein und hat den Stachel auch gespitzt:
Sie zeigt (so siehet man die Dörner bey den Rosen)
Den Stachel Spanien, das Honig den Frantzosen.

Wer meint, daß solche Gall' in diesem Cörper sey,
Die Lilie komt sonst ja nicht den Immen bey:
Gib Honig, wem du wilt, doch wirst du zu sehr stechen,
Wird mit dem Stachel dir das Honig gantz gebrechen.

47. **Zur Bekehrung.**
Ueber Scioppii Diagesticon.

Du meinst, der Babst der sol nicht nach dem Hane sehn,
Dieweil ihn Petrus sah' u. muste drüber flehn:
Ich aber meyn er sol den Hahn von Hertzen lieben,
Weil er ihn zu der Buß und Seeligkeit getrieben.

48. **Wie der Wind, so der Mantel.**
An die Verräther ihres Vaterlandes.

O Fromer Ferdinand, wie wirst du hintergangen,
Die so viel Geld und Gut vor ihre Treu empfangen,
Verehren itzt den Belt, der ist ihr bestes Theil,
Dem tragen sie die Leut' und deine Renten feil.

Was keiner vorgesucht, dein Oesterreich zu schützen,
Das kehrt man aus, das kratzt man aus den letzten Ritzen:
Sie wollen Ehr und Blut beym Schweden setzen zu,
Und bringen Haus und Hoff, ja Stadt und Land zur Ruh.

Was unsern Held betrifft, so wil ich das begründen,
Daß zwischen Wien und dann Stockholm k. Mensch zu finden,
Der strenger unser Fell könn' über Ohren ziehn,
Er wil zu Stockholm Lob verdienen, und zu Wien.

(115) Wo Wien begehrt, daß man die Leute sol verterben,
So last den großen Rath, er wird gut Kaysrisch sterben:
Gut Schwedisch denckt er ihm zu leben auch dabey,
Wo Stockholm wil, daß Stadt und Land gantz wüste sey.

49. Das übel verkehrte Plus ultra.
Als unsere Völcker das Land verlaßen.

Weil Schlesien numehr auch auffgegangen ist,
Hat ihm ein neues Land der Lands Knecht auserkiest:
Fragst du an was es fehlt, daß sie sich hier nicht wehren?
Der Esel schmeckt nicht mehr, sie eßen gerne Mähren.

50. Alles hin, biß auff das Gemüthe.
Begräbnüß seiner Feder.

Nur aus, o Buch, das Dorff vom Mertzen das ist Graus,
Der schöne Meyer Hoff zu Kletschkau wüste worden,
Das Striegen Vorwerck fort: Das Vierdt' in diesem Orden
Wil auch mein Berg Gut seyn, darumb, o Buch, nur aus.

Die Güter nehmen ab, die Schatzung aber zu,
Das Haus wird leer an Geld u. voll an Krieges Knechten,
Kehr ich mich hundertmal zur Lincken oder Rechten,
So hab' ich Tag und Nacht bey keinem keine Ruh.

Ich wil hier unterm Kalck und meiner Gütter Staub,
Die Feder meine Lust mit ihrem Thun begraben:
So lange wir bey uns die Schwedschen Krieger haben,
Ist Sie der Motten zwar, wir ihrer Hände Raub.

(349) DAN. CZEPKONIS

ROSA
TVMVLO VIRI DE PATRIA
OPTUME MERITI

REINHARDI ROSAE

DE ROSENIK
CONSACRANDA
AD NOBILISSIMUM VIRUM
WOLFGANGUM HELM-
HARTUM
AB HOHBERG
IN GUTMANSDORF.

Rede
An einen woledlen, Gestrengen und Hoch-
weisen Rath der Kayserlichen Haupt Stadt Breßlau.

Die Verwirrung Menschlicher Rathschläge zeucht mehrentheils eine Aenderung des gemeinen Wesens nach sich. Wohin ich nun auch meine Augen kehre, so finde ich keine wichtigere Ursache solcher Verwirrung, als das unversehene Absterben solcher Leute, die ihren in Menschlichen Händeln erfahrnen Verstand der fallenden Wolfarth untergeschoben. Dann die sicherste Befestigung einer wolbestellten Gemeine bestehet nicht
(350) allein in starcken /350/ Bollwercken und zusammen getragenen Bergen, sondern in weiser Männer bescheidenem Rathe. Und so wir nicht allein merckliche Verwirrung in Lüfften, stündliche Abwechsel des Gewitters, schädliche Verhinderung in Ge-

wächsen, sondern auch wegen heimlicher Würckung des Obern in das unterste, Verkehrung der Reiche, gesuchte Kriege unter höhern Haüptern, und andere Ungelegenheiten durch besondere Theile der Welt spüren und empfinden, wann unter den Lichtern, die uns Tag und Nacht durch ihre unendliche Bewegung zumessen, eines durch des andern Cörper überfinstert und betreten wird; Wie vielmehr hat man sich einer Zurüttung zu befahren, wann hienieden auf Erden ein Stern nach dem andern, die das gemeine Wesen durch vernünfftige Einflüße gleichsam gebunden gehalten, unter die Beschattung des zeitlichen Todes tritt, und uns in seinem Untergange den Unsern zu Sinnen führet.

Woledle, Gestrenge, Hochweise Herren,

Als mir unter diesen Gedancken der unversehene Hintritt des an statt vieler Nahmen weitberühmten Herrn Reinhard von Rose zu Ohren kommen, bin ich mit keinem schlechten Feuer erhitzet worden, etwas, und zuförderst dem lieben Vaterlande zu gefallen, das einem iedweden Gliede sein Theil des unersetzlichen Verlustes zueignet, darnach wegen des Gemeinen Wesens, das die Gewalt der alles verkehrenden Zeit nach tödtlicher Zumalmung so nothwendiger Saülen Bund über Ecke führet, endlich auch den lobwürdigen Eigenschafften zu Ehren, die gleichsam von den Wänden und Zimmern dieses einträchtigen /351/ Rath Hauses angebetet werden, von dieser wol- (351)
riechenden Rose der unsterblichen Taffel des bleibenden Gedächtnüs einzugraben. Aber die Grösse seiner unendlichen Dienste und das Joch der Kummerhafften Zeiten machten alsbald meine Verwegenheit zu schanden: Dahero das entglommene Feuer meines Vorhabens von den unruhigen Winden des gegenwärtigen Zustandes in dem Meere so ungemeiner Beschaffenheit erstickt und ersaüffet worden. Nichts desto minder, als ich verspüret, wie matt und stumpff meine Kräffte und Waffen, hab ich diese vorgesetzte Post einer gewißeren und sicherern Hand vertrauet. Jedoch mit weit beßerem Vorsatz und Willen, als thätlichem Fortgang und Vollziehung eines so rühmlichen Vorhabens. Denn ob zwar der von der zweyfachen Pallas

ausgerüstete Rittersmann, an den ich dieses unbedachte und langweilige Gedichte ausgefertiget, in voller Bereitschafft gestanden, mir in Beyseitsetzung seiner Ritterlichen Klinge mit der gelehrten Feder treuen Beystand zu leisten, und, wenn ich erliegen solte, meine Sache als ein Ander Ich zu verthaidigen: So hat doch sein ungewisser Zustand und der gemeßene Befehl seines gnädigen Herrn Obersten und Feld Marschalls Ihme dismal nicht erlauben können, meine Lücke zu vertreten, und den Abriß derer Eigenschafften zu Papier zu setzen, welche sonst von keinen andern als den seinen mögen entworffen werden.

Wie wenig ich aber zweifele, sambt er es nicht noch solte
(352) zu Wercke richten, wann sich nur die itzo erhitzten /352/ Waffen, unter welchen er das Erbtheil der Ehre seiner Vorfahren rühmlich angetreten, durch vorgeworffene Stillstände in etwas erkühlen könten: So wenig habe ich indessen Ruh gehabt von denen Leuten, welchen dieser unzeitige Gegensatz unter Augen kommen, eine so finstere Mißgeburt der deutschen Poëterey dem Begräbnüsse, dahin sie gehöret, der bereitsamsten Vergessenheit beyzusetzen; also gar, daß auch die Verthaidiger des unsterblichen Nahmens unsers in Gott seeligst entschlaffenen, oder vielmehr in dieser Schrifft erstandenen Herren von Rose Sinnes gewesen, mich einer unnachbleiblichen Verkleinerung Seines vor der gantzen Welt ehrlich hergebrachten Ruhmes zu beschuldigen. Dannenhero, als ich mich zwischen dem Stein und Opfer liegende befunden, hab ich den schädlichen Laster der Unwillfährigkeit abzudancken die wolriechenden Bläter unserer von dem tödlichen Nord berührten Rose, welche Sie nicht allein in den Fürstlichen Haüsern unsers Vaterlandes, sondern vor den Glorwürdigsten Cronen und Zeptern des Erdbodens verstreuet, feyerlich zusammen lesen, und solche dem blühenden Alter dieses von dem heilwärtigen Geruch und Gerücht eines so vortrefflichen Mannes gleichsam durchzogenen Stadt und Gemeine heiligen und opffern wollen.

Nu vermeine ich zwar, daß es nicht Noth habe, meine Zunge bey den berühmten Rednern in Abborgung vieler zierlicher Worte in schwere Schuld zu stecken, umb diesen überhin

gesetzten Abriß Ihres unvergleichlichen Redners denen Händen, die diese so volckreiche und /353/ allen zum Muster und Bey- (353)
spiel erbauete Stadt halten und führen, durch Anwendung gelehrter Mühwaltungen ein zuloben: Seh ich doch gleichsam die Gaden und Stiegen, die Saale und Schreibestuben brennen und von sehnlichen Verlangen entzündet seyn. So begierig ist alles das Gedächtnüs dessen zu bewahren, deme sie mehr ihren Stand und Erhaltnüs zugeschrieben, als den starcken Saülen, verbundenen Riegeln und geschlossnen Aeckern. Wer wolte nun an den Gemüthern zweifeln, welche, ob sie gleich mehrentheils die empfangenen Guttachten nicht eher beginnen zu schätzen als zu beklagen, iedoch niemals an ihre Ruh und Sicherheit dencken können, daß ihnen nicht zugleich dieser Nahmen solte in die danckbaren Hertzen fallen.

Derowegen, Hochweise Herren, vergünstiget unterdessen diesem Papier, diesen Dörnern, darauff unsere Rose itzo noch stehet, eine sichere Stelle, biß die geübten Hände vornehmer Künstler, die sich in grosser Anzahl unter Ihrem gerechten Schutz befinden, eine unvergängliche Taffel diesem Manne bereitet, welchem die Römer als ihrem beredten Cicero, die Frantzösischen Könige als ihren tieffsinnigen Petrarcha, die Niederländer als ihren gelehrten Scaliger (wolte nur die Zeit hierüber einen Vergleich treffen) erhabene Ehren-Saülen, prächtige Begräbnüsse, und in Gips und Marmel gegossene Bildnüsse würden gesetzt, gewidmet, und aufgerichtet haben. Sonsten, wenn ich nach Beysetzung dieser Rose die Disteln und Dörner der heimlichen Zwietracht und /354/ ausgesäeten Un- (354)
einigkeit, die unser Vaterland durch und durch verwildert, in meinem Gemüthe erwege, finde ich keinen gegenwärtigern Trost, als die Betrachtung löblicher Tugenden, welche unsere Gedancken aushärten, die bestim̃te Veränderung aller Dinge unerschrocken zu tragen.

Und wo ihm noch eintziger Ort bey diesen eysernen Jahre getrauet denen Städten die Stirne zu bieten, die sich weiser und verständiger Leute Aufsicht rühmen dürffen, so ist es gewiß der Ihrige. Dannenhero auch das Schiff ihrer einhelligen Wolfarth nicht ohne Bestürtzung gantzer Länder seinen

gewöhnlichen Lauff zwischen den brüchigen Felsen so bestürmter Veränderung unverrückt und behutsam durchsetzen können. Dann ob es gleich offte scheinet, als ob das ewige Verhängnüs und der verordnete Zweck aller Dinge alles wolte zu stück und scheitern schlagen: so wissen doch erfahrne und verschlagene Gemüther ihren unerschöpfften Glimpff einer so unmässigen Gestümigkeit entgegen zu setzen, und versichern ihren Zustand mitten unter dem Praßeln und Knacken der einbrechenden Gewalt viel nützlicher durch weichen und nachgeben, als andere durch hitzige und minderjährige Anschläge, und gefährliche Einmischungen vorgeworffener Neuigkeiten. Einen guten Rath mit weisen Ursachen befestigen erfodert ja seinen Kopf: aber den gebilligten Schluß zu rechter Gelegenheit und gewünschtem Ende anbringen und ausführen ist etwas mehrers. Eines ist von einem durchdringenden Verstande, das
(355) /355/ andere von einer mehr als Menschlichen Glückseeligkeit zu hoffen.

Das letzte Geheimnüs eines iedweden Zustandes ist der unveränderlichen Vorsehung, und denen Rathschlägen, die ihr am nechsten verwand, in die gesetzten Stapffen treten. Also werden erhalten, die sonsten zu Grunde gehen. Dann so wir einen weisen Mann nicht allein in diesen Merckmahlen und Stücken erkennen, daß er sich, gleich als hätte er eine Befreyung menschlicher Zufälle von dem Himmel erhalten, aus allen Gelegenheiten das Unglück vorsichtiglich wenden und drehen kan, sondern mehrentheils daraus, daß er den Befehl des unwiederrufflichen Verhängnüsses freywillig unterzeichnet, und alle Anmuthungen in unvermeidliche Ursachen seiner Freyheit verwandelt, welche andern Fessel und Stricke, Foltern und Ketten anlegen: Wie solte denn dieses nicht auch ein unfehlbares KennZeichen eines verständigen und erfahrnen RathHerren und Zunfftmeisters seyn, wenn er ohne Verrückung eintziges Zieles, auf dem das allgemeine Heil beruhet, die Nothwendigkeit seiner Anschläge in dem bestim̃ten Sturm der unendliche Kriege dahin richtet, daß er zwar die Seegel der ewigen Vorsehung offen lasse, und doch dabey also die Mittelbahn halte, damit er nicht mit den Seinen am falschen Gestade unbedachtsamer Zuneigungen Schiffbruch leide, bey welchem die Zeit hero nicht allein starcke Festungen, mächtige Städte, sondern gantze Länder, gantze Königreiche zu Sturm und Grunde gesuncken. /356/ Ja es dörffte wol itzo der Wind (356) einer unziemlichen Verwegenheit die Feder mitten unter die Sternen blasen, und etliche Nahmen herunter auf die Eitelkeit dieses Papieres setzen, derer gegenwärtige Nothwendigkeit eintziger durch diesen Tod verursachten Verwirrung vorsichtige Riegel Göttlicher Vernunfft und Menschlicher Erfahrung also vorrücken und schrieben, daß sie nichts als eine Rose verlohren, hergegen eine Eiche zu dem Mastbaum ihrer schwebenden Haüser behalten. Aber die Vortrefflichkeit ihrer Eigenschafften hält mich zurücke, weil es nicht allein hochwichtig, von derogleichen ein Urtheil zu fällen, die alle Sachen unter das ihre beschlissen, sondern auch sehr gefährlich, etliche aus vielen hervor zu suchen, da die meisten am Verstande und Geschicklichkeit in einer unvergleichlichen Gegenlage stehen. Dieses betrachtende, werde ich gleichsam von ihrer eigenen Glückseeligkeit angedrungen, so seelig geseegneten Stadt und dem übrigen Vaterlande in ihr Glück zu wünschen, daß ihre Wolfarth bis dahero auf den Armen der Herren oder vielmehr, wie Homisda von Rom sagte, gesessener Götter, ruhen und grünen können, derer väterliche Aufsicht genungsam an Tag giebet, daß ihre Bürger und Innwohner inkünfftig den tödtlichen Hintritt ihres berühmten Redners eintzig und allein beklagen, aber zum minsten werden empfinden dürffen.

Kletschkau, d. 3. Junii des 1639. Jahres.

AUSGEWÄHLTE GEDICHTE

Jugendgedichte

(198) **Gedancken in eine Melone geschnitten.**

1. Verzeih's mir liebe Frucht, daß ich dich mache wund,
   Bin ich doch auch verletzt biß in des Hertzens Grund.
2. Unschuldig hab ich viel gelitten,
   Unschuldig wirst du wund geschnitten.
3. Verletzt wird deine Zier, du Zierde der Melonen,
   Gedenck, es wil die Lieb auch meiner nicht verschonen.
4. Nunmehr darffst du dich nicht zur Erden traurig hangen,
   Warumb? Man sieht auf dir der Liebsten Nahmen prangen.
5. Die Pein, durch die ich eintzig kan genesen,
   Schreib ich in dich, gieb sie der Welt zu lesen.
6. Ich schneid in diese Frucht, sie fängt zu weinen an,
   Glaubt sicher, daß sie fühlt, was mich so kräncken kan.
7. Daß du mich wilst zu viel beschweren,
   Bezeugen der Melonen Zähren.

(199)

8. Die Haut, die sich kaum giebt durch diesen Schnitt von sam̄en,
   Wird grösser mehr und mehr, so mehren sich die Flammen.
9. Der du fürüber gehst, und hast die Nahmen funden,
   Geschrieben hier in mich, wünsch ihnen süsse Stunden.
10. Bewahre dieses Pfand, o edeles Papier,
    Laß wachsen unsre Lieb, als wie die Schrifft in dir.

Über einen Ring.

1. Du bist der schönste Ring, was sol der Ring doch seyn,
   Der Adel ist das Gold, die Tugend ist der Stein.

2. Durch Feuer wird ein Ring und Schlagen,
   Die LiebesPflicht durch Pein und Plagen.

3. Durchsichtig der Rubin, beständig ist das Gold,
   Mein Sinn trifft einem zu, dem andern meine Hold.

4. Wie wol läst dieser Ring auf einen Kuß sich ziehn,
   Wo deine Lippen Gold, sind meine der Rubin.

5. Wie aus dem Golde wirfft der Demant seinen Schein,
   So brent aus meinem Sinn und Hertze Liebes Pein.

6. Ists möglich, daß ein Stein ohn Leben
   Kan von sich solche Strahlen geben.

Ein Degen. (200)

1. Vor sein und seiner Damen Ehr
   Ein Cavalier trägt sein Gewehr.

2. Das Hertz und Schwerd der Cavalier,
   Die Dame preiset Witz und Zier.

3. Ein Held, der setzt Schwerd gegen Schwerd,
   Die Liebe sich mit Liebe wehrt.

Vergebene Liebes Wünsche.

1. Wenn ich wär eine Bien, ich liesse Rosen stehn,
   Und wolte nur allein auf deinen Lippen gehn.

2. Wenn ich dein Hertze hätt, und meines du hergegen,
   Ein schlechter Augenblick der solte dich bewegen.

3. Ach daß ich Erde wär. auf daß dein edle Füsse,
   So viel sie Tritte mir, auch gebe so viel Küsse!

4. Wenn ich wär eine Laut, und du drauf köntest schlagen,
   Ich wolte dir nur bloß von meiner Liebe sagen.

(203) **Gesetze der Liebe.**

Der lobwürdigen Gesellschafft des hochansehnlichen
Ordens einsamer Gedancken.
Tugendhaffte Fraülein.

Als ich unter meinem Reisen mich in dem Reiche Cypern aufgehalten, in welchem zu derselbigen Zeit Melanthe Königin war, hatte eine besondere Gespanschafft von Schäffern eine höchst schädliche Verbündnis gemachet. Weil aber Melanthe gesehen, wie weit sich diese Sect ausgebreitet, und was vor unersetzliches Nachtheil dero Majestät und dem gantzen Reiche der Liebe daraus erwachsen: sind diese Ketzer zu ewigen Zeiten aus dem Lande gebañet worden. Nun muthmasse ich nicht ohne Ursache, diese Lehre, die in einem geringen Orte erstlich umbschlossen, werde den grösten Teil, wo solche him̄lische Geschöpffe als ihr seyd, sich befinden, mit diesem Gift anstecken, als habe ich dero Hoheiten und Gnaden die Gesetze ihrer Verbündnüsse überreichen wollen: nicht zweifelnde, Sie werden mir als einem Auskundschaffer ihrer heimlichen Feinde in dero holdseeligsten Gespiel-
(204) schafft einen Platz vergönnen, und wo nicht die Person, iedoch /204/ derselben nützliches Anbringen in etwas geheimer Obacht halten.

Birave d. 21. May. Ih. Ih. Ih. Gn. Gn. Gn.
des 1632. Jahres. unterthänigster Sclav.

1. **Liebe wol, iedoch mit massen.**

Im fall du wilt geliebt von schönen Mägdlein seyn,
So liebe, lob und ehr in allem sie allein.
Die Liebe jagt, das Lob verfolgt, die Ehre fängt,
Dis ist es, drauf dis Volck am meisten steht und denckt;
Doch nicht ohn Maß und Ziel. Maß ist im Lieben gut,
Durch sie verleuret es, durch sie behält es Glut.

2. **Trachte nach Ergetzung, und verlaß alle Melancholey.**

Verpflichte dich nicht gantz. Drauff werden sie betrübt,
Weil Ihnen unbewust, wie wol sie sind geliebt.
Dann lencke du dein Schiff vom Trauer Felsen fort
Nach längst gesuchter Ruh an einen Freuden Port.
Wer treu ist, wird ihm falsch. Drumb lieb, und liebe nicht
So hast du nicht Verdruß, weñ dir dein Wunsch gebricht.

3. **Verlaß sie, iedoch ohne Loszehlung.**

Wann von der Liebe du siehst einen Gegenschein,
Fang unterweilen an umb andere zu seyn:
Durch Eyfer wächset Gunst. Es breñt nach unserm Wahn
Ein Feuer in der Qual das andre besser an.

Wer liebt, wird bald erzürnt: Verändre, was du thust,
Zu Zeiten machet Zorn so wol als Liebe Lust.

4. **Schwere mit doppelter Meinung.** (205)

Wen̄ es zum schweren kom̄t, so trenne Hertz und Mund,
An Worten, aber nicht am Halten liegt dein Bund.
Denn Freud ist hier dein Gott, legst du ie Eyd und Pflicht,
Die wieder diese sind, verbinden sie dich nicht.
Die Liebe schertzt das Schwern. Den Glauben setzet an
Dem Manne nicht der Eyd, dem Eyde mehr der Mann.

5. **Gieb niemals dein Vornehmen in den Tag.**

Schreib, es erschrickt kein Brief; was man nicht sagen wil
Erlangt darunter offt ein auserkiestes Ziel.
Gieb Zucht und Ehre für: Das Liebste von der Welt
Wird durch sein gleiches so nach unsrer Art gefällt;
Thu dis, und lobe das. Du findest, was du wilt,
Wenn du der Miß Treu Deck und Mantel umbgehüllt.

6. **Erdencke allerhand Schein Gunst zu haben.**

Erdencke, was du kanst, und mache dich beliebt,
Dis, was ihr wol gefällt, dis ist, was sie dir giebt:
Du fängst sie durch sie selbst. Die Vorsicht und Begier,
Erhitzt die Flam̄, erlescht sie gleicher Art in ihr.
Ein eintziger Verzug versieht und zieht dis Spiel,
Sey niemals wieder sie, so hast du, was sie wil.

7. **Biß so beständig, als Sie.** (206)

Das Mägdlein sey dir Wind, und du ihr Wetterhahn,
Wo sie sich wendet hin, da suche gleiche Bahn.
Die Liebe ken̄t nicht Pein, der Vorsatz macht es blos:
Die Treue nach der Zeit ist allzeit frey und loß.
Nehmt voller Zuversicht: Sie Worte, du Verstand,
So kanst du gäntzlich weg, wenn sie sich halb verwand.

8. **Trachte so viel nach Furcht, als nach Liebe.**

Indem das Eysen warm und in der Esse glüht,
Thut dieser recht und wol, darauf sein Vortheil sieht:
Auch hinter schlechter Gunst (du must sie baß erhöhn)
Befinden offte wir viel tausend Furchten stehn.
Furcht ist nicht sonder Lieb, und sie nicht sonder Neid:
Erkenne dieses wol, so lebst du ausser Leid.

9. **Liebe so viel, als zu hoffen.**

Nicht hoffe, liebe vor. Wilt du nicht traurig seyn,
Um Lieb ist lauter Lust, umb Hoffnung lauter Pein.
Wer weiter hofft, als ihm die Liebe weist und giebt,
Der liebt und hofft umbsonst, und wird damit betrübt.
Die Mutter sey die Lieb, und Hoffnung dann ihr Kind,
Dañ ieder, der besitzt, hat mehr als der beginnt.

(207) 10. **Liebe eher ohne Liebe, als ohne Genuß.**

Im Leben must du stets auf deinen Nutzen sehn,
Da Mast und Seegel hin nach Lust und Kurtzweil drehn:
Geh ihnen fleissig nach, sie sind zum ersten scheu,
Die Mägdlein fänget nichts als vorgegebne Treu.
Wo aber kein Genus bey deinem Lieben ist,
Hast du vor Honig Gall und Gifft vor Heil erkiest.

11. **Biß voller Betrug wieder ein Geschlechte, das gleicher Art ist.**

Nicht glaube, was du siehst. Die Wolcken schlauer List
Und der Verstellung Schein nihm um dich, wo du bist;
Wird dir ie was vergunt, ein ander ist wie du;
Drumb must du leichte seyn und fertig immer zu.
Treu und Beständig seyn ist hie Betrügerey;
Und dis Geschlechte kom̄t am nechsten diesem bey.

12. **Laß ab, ehe du gezwungen.**

Durch Schimpff schlag Schimpff in Wind. Weil du nicht recht
Kriegest du gleich den Korb, verbleibst du unbetrübt. [geliebt,
Doch kom̄ ihr selbst zuvor: Bring einen andern hin,
Weil du nicht Mittel hast ihr Hoffen zu vollziehn.
Die Ketten sind nur Stroh, die dich gebunden an,
Sie gehen bald entzwey, verlaß du deinen Wahn.

(208) 13. **Liebe niemahls recht.**

Wilt sonder Liebe du zu schönen Mägdlein gehn,
Nihm sie zun Augen ein, laß sie am Hertzen stehn,
Wann du vertreulich bist, ist es mit dir gethan,
Der liebet, welcher sich beliebet machen kan.
Drumb liebe sie nur so, wie etwa diesen Reim,
Wilt du der deine seyn, nihm sie nicht mit dir heim.

Ende.

Consecratio Asini. (30)

Nihm Alcibiades, den armen Esel an;
  Du siehst er kan nicht mehr, er ist schon halb verschieden,
Setz ihn zu Deinem hin, auff die gestirnte Bahn,
  Es bleiben ihrer noch genung bey uns hinieden.

Wann bey dem Schlesier ein Esel vor geseßen,
  Blieb er nicht gantz, als lang er noch ein Esel war,
  Es köm̄t aus aller Welt der Esel grosse Schaar
Und hat den, der sie fraß, nun wieder auffgefreßen.

Wo wilt Iason du mit deiner Arche hin?
  Der Esel wil bey uns sein goldnes Fell erheben.
Der Esel ist zerlumpt, doch wo ich keiner bin
  Hat er dir schon mehr Gold als Phrynes Laub gegeben.

Es hatte der Geruch den Esel kaum verrathen,
  So kam die halbe Welt der freyen Taffel bey:
  Fragstu woher das Fleisch so zart gewesen sey?
Ihn hat der welsche Koch bey linder Glut gebraten.

Ein Esel hat einmahl, wie unsre Menschen da,
  Nicht ohne Wunder Werck zu reden angefangen:
Heut ist es gar gemein: Denn wenn sie auch empfangen,
  So schreyn sie im̄er zu mit vollem Halse Ja.

Gold wird, was Midas ißt, weil er es so begehrt: (30 v.)
  Gold wird was hinten zu der Esel weiß zu prägen:
O wunder Alchemy, die Maüler sind verkehrt:
  Man muß sie umb der Kunst hinfür zusam̄en legen.

Was schaut ihr viel das Pferd in Trojæ Mauern an,
Der Esel hat so viel und mehr als diß gethan:
Das Pferd trug schlechtes Volck: Das Thier in langen Ohren,
Hat fast von Jahr auff Jahr ein Heer zur Welt gebohren.

Silen, Silen, du wirst numehr sehr schlecht bestehen;
  Wohin kein Pferd sonst kam, da trat der Esel ein,
  War deinetwegen arm, daß du reich kuntest seyn:
Itzt ist der ärmste todt, du must zu Fusse gehen.

Lyæus hat ja stets den Esel hoch verehrt,
Sein Bruder thut es auch der ihn in letzten Zügen
Vor Liebe gantz verzehrt, und wo ich recht gehört
Ist ihm in der Geburt der Esel auffgestiegen.

Ihr Gäste seht euch für, das Spiel geht umb auff Erden,
Ein Esels Freßer wird stets übern andern seyn,
Und was ward beygelegt, kom̄t doppelt wieder ein:
Der du gefreßen hast, kanst auch gefreßen werden.

Ein Ieder tritt mit uns des Esels Erbschafft an,
Der Hoffman̄ nihmt die Haut, die Knochen, die Poeten.
Singt dem ihr liebes Volck, der euch viel guts gethan,
Die deutschen Verse gehn doch bloß auff solchen Flöten.

(31) Nu, Vater Atlas, gieb dem Esel einen Stand,
Den ich dir allhier leg auff den gestirnten Rücken,
Der Schwantz, wen̄ du die Welt je straffst durch Plitz u. Brand,
Wird sich, wie lang er ist, schon zum Cometen schicken.

Du Esel, gute Nacht, der du hinauff gereist,
Und deinen Schatten uns zu letzte hinterlaßen,
Der gröste bleibt doch der (er geht auf allen Gaßen)
Der keiner nicht wil seyn und es doch stets beweist.

An Personen und Stammbuchverse.

Ins Stammbuch des Wolfgang Stirius.

(10) Auch ein Hauß von Marmelstein
Auffgebaut, fället ein :
Und ein Bild von Ertzt gemacht
Durch die Zeit wird umbgebracht:
Ja dieß Stam̄-Buch und Papier
Wird gelegt den Schaben für,
Ja uns selbsten, wann es Gott,
Außersehen, frist der Todt:
Und mein Freund Ihr sprecht mich an
Daß mein Nahme werd gethan

Der in Ewigkeit nicht stirbt
In dies Stam̄ Buch, so vertirbt.
Derentwegen so betracht
Dieses bey Euch Tag und Nacht
Daß ein Buch der Ewigkeit:
Unsern Nahmen sey bereit:
In dem mit der Gottes Hand
Derer Nahm so ihm bekandt
Ewig auffgeschrieben steht
Der auch nim̄ermehr vergeht.

Dieses schrieb seinem werthen Freunde als Brudern und Cameraden in Leipzig Ao. 1626. den 4. Octobr. Dan. Czepko von der Liegnitz.

Vive, moriendum est.
An Zacharias Allert.

Was ist des Menschen Thun und Lebenslauf? Ein Spiel.
Was ist vor Music dan darin? Ein Blick der Frewden.
Was vor ein Eingang wird gehalten? Stetes Leiden.
Wer teilt die Masken auf? Natur ohn Mas und Ziel.
Wo zihn wir Kleider an? In unser Mutter Leib.
Was ist dan vor ein Platz darin wir spieln? Die Erde.
Was gibts vor Schauer dar? Den Himmel ohn Gefehrde.
Was vor ein Inhalt ists? Ein schneller Zeitvertreib.
Was ruft uns auf den Rat zu ein? Die Zeitt.
Was vor ein Umbhang deckt's? Das ewige Versehen
Was ist das Spiel? Nur schrein, arbeiten, sterben, flehen.
Wer führt uns weiter weg? Der Todt, der uns bereit.
Wo warten wir das End des langen Spiels? Im Grabe.
Wer sagts? (O Mensch heut ist dein Morgenfeir) Das Habe.

Zu freundlichem Andenken
verlieh dis in Schweidnitz
Dan. Czepko v. Reigersfeld.

(145) **Auff das Grab Hl. Balthasar Hildebrands Wolverordneten Unter Gerichts Voigts, u. berühmten Musici Organici bey der Kirche zu S. Peter und Paul, in Liegnitz. d. 26. Oct. 1656.**

Ad Unitatem!

Instrumentorum concentus Musicus aptat.
Inque uni figit dispona cuncta tono.
Rerum concentum Physicus requærit in una,
Conditus et Mundus quomodo, spectat ibi.
In Christo concentum animarum Ecclesia laudat,
et vel in unique corde fidelis ovat.
Hos quia concentus meus Hildebrandus amavit,
Concentus coram factus et ipse Deo est.

Der, so von keinem Brand in dem Gewissen hielt,
Und stets mit Gottes Lieb und brande ward gefüllt:
Der, so durch keinen brand des Creutzes ward versehrt,
Und keinen Brand gefühlt, der sonst die Welt bethört:
Den, so im Brande hielt des Todes Wolbestand:
Ist itzt bey seinem Gott ein rechter Hildebrand.

Dan. Czepco.

Trauriger Abschied
an
Hl. Hans von Franckenberg.

(342) Ihr Musen, weint mit mir, mein und auch euer Freund,
Der es so hertzlich gut mit mir und euch gemeint:
Läßt uns in Einsamkeit. Er wil, er wil geseegnen,
Ach könt auch ewig uns was traurigers begegnen.
Ich weiß nicht, was ich thu. Und warlich, hätt uns bracht
Auch eine Mutter gleich zur Welt, und eine Nacht:
So hätten wir uns kaum so brüderlich geliebet,
Drumb mich so schmertzlich auch dis dein Ade betrübet:

O Wolt, ach wolte Gott, ich solt in Lust und Pein
Und dein treu Reis Gefärth in Glück und Unglück seyn.
Mich schiede keine Noth, ich blieb in Freud und Schmertzen
An deiner Seite stehn, wie du mir bleibst im Hertzen:
Ich unglückseeligster! Die Schickung aber reist
Den Vorsatz aus dem Sinn, die aus dem Him̄el fleust:
Ich kan dir folgen nicht, noch ihre Stärcke schwächen,
Drumb wil in Stücke mir mein Hertz aus Wehmuth brechen.
Nun, ich beschwere dich itzt bey der Tugend Pflicht,
Weil dir nichts höhers ist, vergieß der Treue nicht:
Thu mein Gedächtnüs starck in dein Gemüthe schreiben,
Daß, wie die Tugend stets sol dein Gefehrte bleiben:
Nichts scheidet mich und dich. Wärst du, wo Phoebus steht,
Des Morgends, wan̄ er köm̄t, ich, wo er untergeht,
Doch bin ich nechst bey dir. Kein Berg, kein Thal, noch Heyden, (343)
Wie hoch, tieff, breit sie sind, kan treue Hertzen scheiden:
Nihm an dis schlechte Pfand, und dencke, daß die Treu
Den Worten umb und an weit überlegen sey:
Mit der ich dir verpflicht. Es stehet unser Lieben,
Wie auffrecht wirs gemeint, in dieser Stirn geschrieben:
Nichts mehr. Gehab dich wol. Ihr Musen last dis Leid,
Weil eintzig er von uns umb Eurer Liebe scheidt.

Bregae. Ao. 1630. die post Vrsulam.

An
Herrn Albrecht von Rohr,
auf Seyfersdorff.

Wach auf, mein Volck, wach auf, siehst du das Feuer nicht,
Dazu auch diese Hand, die dir doch Schutz verspricht,
Holtz ungetragen trägt. Die heiligen Gesetze
Des Landes schreyn dich an: Nicht zehle, sondern schätze
Die Faüste, die hier sind. O Held, indem zur Zeit
Die Überbleibungen der deutschen Redlichkeit,
Ein Volck, das uns vertreibt, wird mit Verwundrung ehren,
Kan wol der ärgste Feind ein Land so sehr verheeren

Als dies' untreue Ruh? Man sieht ja ohn Gethön
Das oberst unten und das unterst oben stehn:
Die Freyheit ist verjagt, das Geld tieff aus den Hölen
Und Kisten vorgesucht. Itzt greifft man nach der Seelen.
Das heist ja ärger noch, ob es gleich nicht viel thut,
Noch unsern Briefen schadt, gemeint, als deutsch und Gut.
Wie sehr bist du verblendt? Die Blüthe unsrer Jugend,
Lebst aüssern Lastern mehr, als in der alten Tugend,
(344) Zu der den Pfad mit Blut die Vorfahrn uns gebähnt,
O Edles Vaterland! Wie ist dein Volck verwehnt,
Das sonst auch Faüste hat? Sie selbst, die starcken Saülen,
Und der gemeine Nutz läst sich von sammen theilen:
Und fallen beyde hin. Itzt wird nun leicht erkiest,
Und einem zugeschantzt, was der Gemeine ist.
Der sieht den Nachbar an, viel schlaffen, andre wachen,
Doch keiner wil sich frey und die Nachkommen machen:
Ein ieder trauet Gott, und weiß nicht, daß ein Muth,
Der seine Krafft versucht, mehr bey der Sache thut,
Als der viel hofft und wünscht? Weg, weg mit Weiber Zähren,
Wer wacht, wer thut, dem hilfft der Him̄el nach Begehren:
Hebt keine träge Hand, kein schläffrig Angesicht
Umb Rettung auf zu Gott. Gott hört die Faulen nicht,
Und ob es gleich bestim̄t, daß ein Land mit dem andern,
Wan̄ ihr Verhängnüs köm̄t, das Thor sucht, u. muß wandern,
Doch stützt den krancken Bau ein freyer Sinn und Hand,
Biß eine Stunde liegt, er und das Vaterland.
Gott wil, wenn du nur wilt. Nihm, was er dir wil zeigen,
Er wird vom Himmel nicht dir zu gefallen steigen.
Die Sach ist recht und gut. Itzt geht es, nicht das Recht
Der Bund Genossen an, nicht Stam̄haus und Geschlecht,
Nicht Steur, nicht Schatzung mehr. Die Freyheit und die Seele
Die die sind in Gefahr. Der Geist stirbt in der Höle,
Der weiter nicht gedenckt, als wo sein Land Gut steht.
Du unbedachtsamer! Es tritt, wann dis vergeht,
Was anders auf die Bahn. Es folgt ein Volck von fernen,
Schau dich nur einmal umb, das wird verfluchen lernen,

Was vor ihm hat gelebt. Ist gleich dein schöner Saal (345)
  Mit Ahnen wol besetzt, die Grufft auch überall,
Wo aber bleibest du? Mit Fingern wird man zeigen,
Wird sagen, dieser ists, der dieses Land zu eigen,
  Und uns darzu verkaufft. Auf deinem Grabe Stein
  Wird manche Mutter stehn, beschweren dein Gebein:
Wacht auf, und seht zurück. Im Fall dein Stam̃ und Ahnen,
Die aus den Gräbern dich zur Tapfferkeit ermahnen,
  So unbedacht gewest. Wo wär dein Schild und Stand,
  Auf den du so viel baust? Bist du ihnn was verwand,
So must du ihre Ehr und ihr Gebein beschützen,
Das dich umb Hülff anrufft: Must keinen Ritt versitzen,
  Doch halt dich beßrer Zeit, weil alles sich verkehrt,
  Wird dieses Wetter auch, das auf vom Abend fährt,
Sich machen von der Welt, die es fast eingenommen:
Wir sehn von Mitternacht die neue Sonne kommen.

Wresin, d. 20. Jan. 1632.

Trost Lied.

(Aus: Danckgedichte an Eckard.)

Auff mein Hertze/ bleib hier stehen/
  Stelle alles trawren ein/
Weil du must ins elend gehen/ (Biij)
  Du solt hier dein hauß dir sein.
Niemand als ein frey gewissen/
Kan das höchste gutt beschlissen.

Ewig wirstu nichts verliehrn/
  Nimbt der Feind gleich alles hin/
Wo du dich lest in dich führen
  Vnd begiebst dich in den sin.
Niemand als ein frey gewissen/
Kan das höchste gutt beschlissen.

Reiß dich auß des leibes hölen/
  Den gewalt vnd furchte zwingt/

Steig zu Gott mit deiner Seelen
  Die durch lufft vnd Himmel dringt.
Niemand als ein frey gewissen/
Kan das höchste gutt beschlissen.

Wird die Kirche dir verschlossen/
  Schleuß du Gott dein Hertze auff.
Gehe/ wo du bist entsprossen/
  Nim in Himmel deinen lauff.
Niemand als ein frey gewissen/
Kan das höchste gutt beschlissen.

Mustu Hauß vnd Hoff begeben?
  Zeuch in des Gemüthes hauß.
Hier da ist ein sicher leben.
  Da heist es nicht mehr herauß.
Niemand als ein frey gewissen/
Kan das höchste gutt beschlissen.

Frömigkeit liegt im gemütte/
  Da kombt kein Soldate hin/
Der jhr vnd dir auß gebiette.
  Gott der wohnet in dem sin.
Niemand als ein frey gewissen/
Kan das höchste gutt beschlissen.

Ewig wirstu ruhig bleiben.
  Bistu dir nur wol bewust/
Wo du nicht/ was andre schreiben
  Sondern Gottes willen thust.
Niemand als ein frey gewissen/
Kan das höchste gutt beschlissen.

Drumb mein hertze bleib hier stehen.
  Gott ist/ der sich zu dir giebt,
Mustu gleich ins elend gehen/
  Sey getrost/ weil Gott dich liebt.
Niemand als ein frey gewissen/
Kan das höchste gutt beschlissen.

Duplex morbus Paupertas et adversa Valetudo. (247)

Verzeiht mir lieber Freund, daß ich so langsam bin,
Ich wünsch euch Glück und Heil, weil ihr, wie man wil sagen,
Der großen Herren Schuh und Socken lernet tragen,
Die Kranckheit ihr, es hat ein andrer den Gewinn.

Ihr habet über Geld und den Gesund geschryn,
Nu krum̃ ohn Geld zu seyn das bringet nicht Behagen:
Das ungekochte Saltz wil eure Selnen nagen,
Ihr sehet nicht von euch die reiche Kranckheit fliehn.

Doch ist vielleicht auch so die Kranckheit euch verwand,
Weil schöne Bücher ihr im Bett euch macht bekañt:
Ihr seyd ja wunderlich: Doch ist es zu verzeihen,
Das beste Mittel ist Geduld und etwas schreyen:
Schrey nur, o weh! Wie weh thut mir das Podagra!
Und was noch mehr? Erbarm es Gott. Kein Geld ist da.

Vermischte Gedichte.
Fragment.

Wo Freyheit ist und Recht, da ist das Vaterland, (250 a)
Dis ist uns aber nun und wir ihm unbekañt:
Es streite, wer da wil. Es ist dahin gekommen,
Der falsche Frieden hat das Land nun eingenommen:
Die Faulheit aber uns. Doch wüte dar und hier.
Auch aus der Asche wirfft die Freyheit Flam̃en für.
Die kein Blut nicht verlöscht. Laß alle Kirchen schliessen,
Und jage Gott selbst aus, er kom̃t in die Gewissen.

Das größte Theil der Ehre gebühret dem Vaterlande. (347)
An das Riesen-Gebirge.

Die Riesen Kippe du, Ihr Berg, o Vaterland!
Euch wird der Deutsch als den Parnass zu preisen wissen:
Weil auch hier Castalis so rein als dort kan fliessen,
Und er Apollo selbst die Musen her gesand.

Sie bleiben: Rüben Zahl wird eh, als sie, verbañt,
So lang, als Oder, Elb und Weichsel hier entspriessen,
In Ost- und Nord-See sich voll Preiß mit Prauß ergiessen,
Wird uns der Lorber Krantz von Völckern zuerkañt.

Die Ehren Saüle steht. Der Geist, der Nahmen lebt,
Den kein Verhängnüs kan, als wie den Cörper, tödten:
Weil ihn der Musen Chor ie mehr und mehr erhebt,
Er über Zeit und Neid verklärt im Glantze schwebt.
Dis preist die kluge Welt, dis singen die Poëten,
Dis schreyn der Fama nach die Giebel der Sudeten.

(345) **Tugend wird nicht begraben.**

Ihr Nymphen, die ihr euch der Zucht und Ehr ergebt,
Wolan: Es steht bereit der Fama goldner Wagen:
Geflügelt mit Triumph Euch durch die Welt zu tragen,
Wenn ihr voll Göttlichkeit nach rechter Weisheit strebt.

Sie ists, durch die ihr auch nach diesem Leben lebt,
Durch sie hat Judiths Faust den Holofern geschlagen,
Als die dem Tode selbst ein Schrecken ein kan jagen,
Sie singt und triumphirt, weñ man uns gleich begräbt.

Die Fraülein, welche sich vom Grünen Grabe nennt,
Steht auch von Todten auf, begeistert vom Poeten:
Eur Ruhm hat sie erweckt, davon die Welt entbrennt,

Das Grüne Grab der Ehr, und was man hoch erkennt,
Sey Euch hiemit vermacht. Nichts kan die Tugend tödten,
Sie lebt und singt Triumph auch in den Todes Nöthen.

Aus: Angefangener und vollendeter Ehestand.

(4) **Beten heißt wol zusammen treten.**

Laßt uns beten: Treuer Gott,
Sey du inner Lust und Noth
Unsrer Lieb und unsrer Wercke
Heil und Leben, Krafft und Stärcke.

Dir vertraun wir. Deine Hand
Knüpfft ja selber dieses Band,
Deine Hand wird es auch halten,
Und verneuren, wenn wir alten.

Kethe, sey der Kethen gleich,
Daran Erd und Himmelreich
Gott hat Glied auf Glied gebunden,
Wo kein Ende wird gefunden.

So wird mir mein Angelstein
Anna Catharina seyn,
Und Ihr Daniel erheben
Gotts Gericht in Tod und Leben.

Nahmen und That bringet Genad. (14)

Des Ehbetts erste Frucht. Des Stam̃baums zarter Reiß.
Der Liebe keusches Pfand. Der Treu erwehlte Preiß.
Der Eltern goldner Trost. Des Tauffsteins heilger Gast.
Des Hertzens traute Lust. Des Halses süsse Last.
O Tochter, liebster Schatz, den ich von Gott vermocht:
Sey Last, Lust, Gast und Trost, sey Preiß, Pfand, Reiß und Frucht,
Und trit̃t als Gottes Gab und Gottes Lob herein,
So wirst ein Anna du und Theodora seyn.

Denck an Nahmen. (60)

Christianus.

Wann du bist, den man nennt: so trägt dein Nahmen dir,
Viel mehr /: lern ihn recht aus :/ als selbst die Bibel für.

Deodatus.

Alsbald dich Gott mir gab, gab dich Ihm wieder ich,
Du bist noch mein, noch dein: Was dann? Gotts. Tröste dich.

v. Czepko,

Von mir so, mehr daß du von Gott und Christo bist,
Noch mehr. Wann Nahmen, Tauff und That spricht: Hier ein [Christ.

und Reigersfeld.

Der Reiger sucht die Sonn, und Christus Hertze du,
Auff! Auff! Der Falcke jagt. Hier bloß, hier hast du Ruh.

Das Menschliche Leben Ein immerwährender April. (62)

Wie das Wetter im Aprillen
Seltzam ineinander spielt,
Also hat es, wie man fühlt,
In der Eh auch seinen Willen.

Trauer Wetter führt uns ein,
Als wir satzten zu den Ahnen
Margarethen Christianen.
Des Aprillens trüber Schein.

Heute bringt nach jenen Nöthen
Der April die Sonne für!
Weil wir sehen voller Zier
Christianen Margarethen.

Bistu, wie wir dich begehren,
Haben wir an dir erkohrn,
Was an jener wird verlohrn,
Sol es kein April verkehren.

(120) **Todesgedancken**
Anno 1660. den 2. Aug. In meinem Siechbettlein.

Wenn Kranckheit, Weh und Schmertzen
Des Todes Boten sind,
So nehm ich recht zu Hertzen,
Was Gott mit mir beginnt:
Ich lieg in seinem Willen,
(Sein Willen der ist gut)
Weil meine Pein zu stillen
Kein Artzney etwas thut.

(121) Und was ist unser Leben?
Was ists? Ein Sommer Tag.
Es kan sich viel begeben,
Als wie es heute pflag:
Schön heimlich war der Morgen,
Des heissen Donners Macht
Setzt Mittags uns in Sorgen:
Der Abend bringt die Nacht.

Was wir verstehn und sehen,
Nicht sehn und nicht verstehn:
Ist lauter Angst und Flehen,
Und heist uns untergehn.

Der Krieg, das wilde Wesen,
Der unser Land verheert,
Macht, daß ihm zu genesen,
Kein Christen-Sinn begehrt.

Empfang ich etwan Schreiben:
Was les' ich? Nichts als Noth.
Kein Freund will unten bleiben:
Ein ieder eilt zu Gott.
Dann, nach viel Weh und Klagen
Ist dis der letzte Riß:
Auch dieser ist vertragen,
Der dich nechst grüssen ließ.

Wenn ich in meinem Sinnen (122)
Denk an der Freunde Schaar,
Die wir Schul an beginnen,
So ist fast keiner dar.
Ich bin wie voller Schrecken,
Wenn ich in meiner Pein
Den Zettul sol entdecken,
Daß ich muß übrig seyn.

Ich höre täglich laüten;
Frag ich? So sagt man mir
Von nichts als Todes Beuten:
Die trägt man aussen für.
Die Glocken, wann sie klingen,
So ruffen sie mir zu:
So wird man Morgen bringen
Vielleicht auch dich zur Ruh.

Die Bücher, meine Liebe,
Die umb mein Bette stehn,
Wie sehr ich mich betrübe,
Doch schreyn sie, ich soll gehn:
Die, so sie konten schreiben,
Sind mehrentheils dahin:
Wo soll dann ich verbleiben?
Der ich noch schlechter bin.

(123) Hier unter meinem Hertzen
Da sitzt derselbe Gast,
Der mich durch lange Schmertzen
Mit seiner Hand gefasst:
Ich will ja mit ihm gehen,
So bald es Gott gefält:
Doch, was bleibt hinten stehen,
Sey ihm auch heim gestellt.

Ich kan euch schier nicht nennen,
Euch Töchter, und dich, Kind,
Mein Hertze wil entbrennen,
Wenn es Euch anbegiñt:
O! könten wir verbleichen
Auf einen Tag allhier!
Nun, es geht euern Leichen
Der Vater billich für.

Die Schnitter, so itzt hauen,
Ertheilen den Bericht:
So ist der Tod zu schauen,
Kein Halm bleibt vor ihm nicht.
Des Weitzens Kolben sincken,
Des Habers Rispen fliehn:
So, wann er pflegt zu wincken,
Muß der und ich entfliehn.

Rechn ich mich nach den Jahren:
Halb hab ich ausgelebt:
Viel sind zu Gott gefahren,
Die nicht dis Ziel erhebt.
Der Kranckheit langes Wesen,
So mich mein Bürdlein heisst
Anitzt zusammen lesen:
Erfreuet meinen Geist.

Drumb fleuch aus dieser Hölen,
Aus diesem Neste hin
Du Geist von meiner Seelen:
Der Tod ist dein Gewinn.

Halt dich in wahrem Glauben
Aus fester Zuversicht:
Das kan dir niemand rauben,
Was JESVS dir verspricht.

Schleuß dich in seine Wunden,
Und forsche weit und breit,
Biß du das Kleid gefunden
Der Lehns Gerechtigkeit:
Siehst du den Titul blincken,
So sprich: Der Erden Pracht,
Ihr Reich, ihr Purpur sincken:
Ihr Freunde: Gute Nacht!

Geistliche Gedichte unsicherer Verfasserschaft.

Bußlied.

1. O Sündenlast! O schwere Centnerbürde!
Wie drückest du mein abgemattes Herz.
Ach daß mein Aug jetzt doch ein Brunnquell würde
Und weinte satt ob meinem Seelen-Schmertz.
Die Sünden haben mich und meinen Gott getrennet,
Ich bin von Gott und Himmel fern;
Der Höllen Schlund, auf den ich los gerennet,
Will gegen mich den Rachen jetzt aufsperrn.

2. Erwache doch, mein eingewiegt Gewissen!
Besinne dich, mein Welt-verliebter Geist,
Laß, blindes Aug, jetzt deine Thränen fließen,
Schau, wie sich dort dein zornig Schöpfer weist.
Bei, um und neben dir hat Satans Heer die Stelle
Weil Gott und Engel du betrübt;
Du bist ein Kind des Todes und der Hölle.
Schau, dieses heißt sich in die Welt verliebt.

3. Brich, sündig Hertz! reiß durch bekränckte Seele,
Und stelle dich fürn Spiegel der Gebot.
Erkennst du nu die Feur- und Schwefel-Höhle,
Da auf dich wartt Qual, Marter, ewig Tod?

Dies ists, wornach du hast bei Tag und Nacht gerungen,
Hier findst du deiner Werke Lohn.
Schau doch den Ort, nach dem du dich gedrungen;
Vor Geld kommt Gluth, für Ehre Schmach und Hohn!

4. Kein Hügel wird für Gottes Zorn dich decken,
Dann seine Hand versetzt der Berge Höh.
Wo willt du dich für seinem Grimm verstecken,
Daß nicht sein Pfeil durch Mark und Adern geh?
Getrost, betrübter Mensch! ein Mittel wird noch funden,
Verzag in deinen Sünden nicht.
Thu Buß und fleuch in deines Heilands Wunden,
Sprich nur so viel, als dort der Zöllner spricht.

5. Ich komm, o Herr, weil ich dein Wort gehöret:
Kommt her zu mir! Ach Herr, verstoß mich nicht!
Hat mich gleich Sünd und Finsternüß bethöret,
So such ich jetzt dich, o du Licht vom Licht.
Bist du der Herr der Arzt, so heile meinen Schaden,
Ich unterwerf mich deiner Cur;
Nur brauche hier das Oele deiner Gnaden
Und tödte nicht dein arme Creatur.

6. Ich trete hier zu den durchbohrten Füßen,
Ich lege mich in die gespaltne Seit,
Die Thränen solln zu deinem Blute fließen;
O Herr, wasch ab die Sünde meiner Zeit!
Durchstreich die böse Schuld mit dieser rothen Dinte
Und stelle mich dem Vater für.
Wie sollt es sein, daß er mehr zürnen könnte,
Wenn ich erschein in deiner Unschuld Zier.

7. Ich will dir, Herr, hinfort mein Herze weihen!
Hier soll die Welt und Satan Fremdling sein.
Du wollst mir nur des Geistes Flügel leihen,
Die meinen Sinn stets lenken Himmel ein,
Daß Fleisch und Sünde mich aufs neue nicht berücken
Und führen von der rechten Bahn.
Der Lobspruch soll stets deinen Altar schmücken:
Herr, sei gepreißt, du nimmst die Sünder an!

Kirchenlied.

1. Mein Hertz ist froh, mein Geist ist frey,
Die Seel will sich erheben
Und unserm Gott in schöner Reih
Gewalt und Ehre geben.
Die Zunge, wie sie kann,
Schlägt an die Lippen an,
Weil wir zusammen hier getreten,
Dem Herrn zu danken und zu beten.

2. Dies ist das Haus, die Stätt, der Ort,
Daran Gott hat Gefallen;
Der Seelen Schatz, sein göttlichs Wort
Läst er allhier erschallen.
All Engel stimmen ein,
Wenn wir so innig schrein,
Wenn wir in einem Geist ohn Wanken
Hier vor Gott beten, vor Gott danken.

3. O heilige Dreifaltigkeit,
Die Kirche, die Gemeine
Erfülle, wie sie dir geweiht,
Mit deinem Glanz und Scheine,
Weih unsre Herzen dir
Zum Tempel für und für,
Daß Seel und Geist zusammen treten,
Getrost zu danken und zu beten.

Abziehung von leiblichen Sorgen.

1. Auf! Auf! mein Herz, und du mein ganzer Sinn,
Wirf alles das, was Welt ist, von dir hin:
Im Fall du willst, was göttlich ist, erlangen,
So laß' den Leib, in dem du bist gefangen.

2. Die Seele muß von dem gesäubert sein,
Was nichts nicht ist, als nur ein falscher Schein,
Muß durch den Zaun der Tugend dämpfen können
Die schnöde Lust der äußerlichen Sinnen.

3. Ein jeder Mensch hat etwas, das er liebt,
Das einen Glanz der Schönheit von sich giebt:
Der suchet Geld, und trauet sich den Wellen:
Der gräbet fast bis in den Schlund der Höllen.

4. Viel machen sich durch Krieges-That bekannt,
Und stehn getrost vor Gott und vor ihr Land:
Der denket noch, und strebet ganz nach Ehren,
Und jener läßt die Liebe sich bethören.

5. Indessen bricht das Alter bei uns ein,
In dem man pflegt um nichts bemüht zu sein:
Eh', als wir es recht mögen innen werden,
So kömmt der Tod, und rafft uns von der Erden.

6. Wer aber ganz dem Leib' ist abgethan,
Und nimmt sich nur der Himmels-Sorgen an,
Setzt allen Trost auf seines Gottes Gnaden,
Dem kann nicht Welt, noch Tod, noch Teufel schaden.

7. Den Anker hat dir Noa eingesenkt,
Da, als er war mit Luft und See verschränkt.
Der große Trost hat Abraham erquicket,
Als er sein Schwerdt nach Isaac gezücket.

8. Der Glaube muß von Gott gebeten sein,
Der einig macht, daß keine Noth und Pein
Und Todesangst auch den geringsten Schmerzen
Erwecken kann in frommer Leute Herzen.

9. D'rum schau', o Mensch, hinauf und über dich,
Nach dem, was nicht den Augen zeiget sich,
Was niemand kann beschließen in den Schranken
Der Sterblichkeit, und flüchtigen Gedanken.

10. Vollbringst du das, mein Herz, und du mein Sinn,
Und legst die Last der Erden von dir hin,
Sagst ab dem Fleisch, in dem du bist gefangen,
So wird Gott dich, und du wirst Gott erlangen.

Am Heil. Oster Fest. (90)

Jauchtzet ihr Himmel,
Mit frohem Getümmel.
Jauchtzet ihr Hügel,
Mit allem Geflügel.
Jauchtzet ihr Wälder!
Jauchtzet ihr Felder!
Christus regieret
und triumphiret.

Schmücke dich Sonne,
Mit hertzlicher Wonne;
Preiset ihr Tichter
Und ewigen Lichter,
Unseren Krieger,
Fürsten und Sieger,
Welcher regieret,
und triumphiret.

Zagen und Leiden,
Verkehrt sich in Freuden.
Belials Tücke
Geh heute zurücke.
Höllische Schlange,
Wird dir nicht bange?
Jesus regieret
und triumphiret.

Heute verschwindet,
Was kräncket und bindet.
Heute verfleuget,
Was neidet und treuget.
Gräber und Leichen
Müßen itzt weichen.
Jesus regieret
und triumphiret.

Süßestes Leben,
Ich wil mich ergeben,

Bey dir zu stehen,
  Und mit dir zu gehen.
Nim̄ mich in Him̄el
  Aus dem Getüm̄el.
    Wo du regierest
    und triumphirest.

(90) **Aus den Worten Exodus XV. v. 6. 7. 11.**

Der Tod ist vernichtet,
Die Hölle gerichtet;
Die Sünd überwunden,
Der Satan gebunden.

Kom̄t, laßet uns singen,
Die Ketten zerspringen,
Die Feßel verschwinden,
Wer kan uns itzt binden?

(90 v.) Ist Jesus erstanden,
So wirstu zuschanden,
Mit Deinen Gesellen
Du König der Höllen.

Ist Jesus erstanden,
So bistu vorhanden,
Du him̄lisches Wesen,
Mein ewig Genesen.

Kom̄t, jauchtzet ihr Him̄el,
Mit frohem Getüm̄el.
Der Tod ist vernichtet,
Und Satan gerichtet.

Auff die Himelfarth Christi.

Frolocket mit Händen,
An allen vier Enden,
Der Christlichen Welt,
Weil Jesus der Held,

Die Sünde gedämpfft,
Das Sterben verdrungen,
Die Hölle bezwungen,
Den Teuffel bekämpfft.

Frolocket ihr Himmel,
Mit großem Getümel,
Der Sieger erscheint,
Wer hätt es gemeint?
In armer Gestalt
Und schlechten Geberden,
Besiegt er auff Erden,
Der Höllen Gewalt.

Wir ruffen voll Freuden:
Itzt sol uns nichts scheiden
Von unserem Gott;
Dem Teuffel zu Spott,
Der Hölle zu Hohn,
Ist Jesus dort oben
Sehr herrlich erhoben
Im ewigen Thron.

Singt herrliche Lieder,
Verbundene Glieder
Itzt lebet das Haupt,.
An das ihr geglaubt.
Bringt Ehre, bringt Preiß
Dem mächtigen Sieger,
Ihr muthigen Krieger,
Nach blutigem Schweiß.

Frolocket mit Händen,
An allen vier Enden
Der Christlichen Welt,
Weil Jesus der Held
Den Himel besitzt,
Und unter dir Feinde,
Zum Vortheil der Freunde
Zum hefftigsten blitzt.

Wir haben gewonnen,
Wir Kinder der Sonnen,
Die nimmer vergeht,
Und ewig besteht.
Dir Jesu sey Danck,
Kom̄ aber hernieder,
Kom̄ hole die Glieder:
Und mach es nicht lang.

(91)

Am Sontage
Exaudi.

Kom̄ Tröster!
Kom̄ heilig-hoher Geist!
Den jede Zunge preist!
Erquicke die Gemüther,
Durch Deine Schätz und Güter,
Kom̄ Tröster!

Kom̄ Flamme!
Ich bin nur allzukalt,
Kom̄! bitt ich, alsobald,
Und laß die harten Sinnen,
Bey Deiner Glut zerrinnen.
Kom̄ Flamme!

Kom̄ Regen!
Die Hitze wird zu groß,
Das Feld steht kahl und bloß,
Befeuchte meinen Garten,
So wird er beßer arten.
Kom̄ Regen!

Kom̄ Nordwind!
Kom̄ Südwind, kom̄, stehe auff,
Kom̄, laß den sanfften Lauff,
Dem sonst nichts zu vergleichen,
Durch Berg und Thäler streichen,
Kom̄ Nordwind!

Kom̄ Führer!
Ich bin halb taub, halb blind,
Und strauchle, wie ein Kind,
Dem auff verwirrten Wegen,
Die Buben Stricke legen.
Kom̄ Führer!

Kom̄ Seule!
Der Hertzens-bau geht ein,
Und wird nicht daurhafft seyn,
Wofern du ihn nicht stützest,
Und vor den Fall beschützest,
Kom̄ Seule!

Mein Beystand!
Mein Schutzherr, großer Geist,
Den jede Zunge preist,
Bleib, wenn ich sol verterben,
Insonderheit im Sterben,
Mein Beystand!

Auff die heilige Tauffe.
Esaiae. 1. v. 6. et Cant. V. v. 3. 4.

O Seeliges Bad!
Hier findestu Rath,
Vor Schmertzen u. Wunden,
Hier wirstu verbunden,
Hier findestu Rath,
O Seeliges Bad!

O lieblicher Teich! **(91 v.)**
Kom̄t alle zugleich!
Und saübert die Flecken,
Die alle bedecken.
Kom̄t eilend zugleich!
O lieblicher Teich!

O heilige Fluth!
Unendliches Guth!
Besprenge die Hertzen,

Und tilge die Schmertzen,
Unendliches Guth!
O heilige Fluth!

(16) Ein Morgen-Lied nach der Sing-Weise: Ich danck dir lieber Herre ...

1. Ihr grossen Wolcken-Lichter
Ihr Augen dieser Welt
Des Him̄els Angesichter
Eur Wachen Wechsel hält,
Wenn eines geht zu Bette
So steht das ander auff.
Und tritt an seine Stätte
Mit Ab- und Wider-Lauff.

2. Ihr bildet Mond und Sonne
Mir Gottes Güte für,
O Sonne, Tages Wonne!
O Mond, der Nächte Zier!
Mich dünckt, ich sehe stehen
Ob mir die Gottes Huld
Wenn ich euch seh auffgehen
Wenn ihr die Erd vergoldt.

3. Es ist die Gottes Gnade
Der Erden Sonnen Gold
Leucht uns auff unserm Pfade
Ist uns von Hertzen hold,
Die Morgenröth uns saget
Von Gottes Lieb und Treu
Die unsern Seelen taget
Ist alle Morgen neu.

4. Wie uns bey Nacht anlachet
Des Mondes Silber-Mund;
(16 v.) Also die Gottheit wachet
Die uns erhällt gesund,
Der Israël behüttet
Der schläfet nim̄er ein,
Sein Obsicht uns behüttet
Wie Sonn- und Monden-Schein.

5. So wil ich dann nicht zagen
Es sey Tag oder Nacht
Von Gottes Güt getragen
Von Gottes Hut bewacht
Der alles wohl kont machen
Wird alles machen wohl
Ihm wil ich meine Sachen
Befehlen wie ich sol.

Ein ander Morgen Lied nach der Sing Weise: Ach Gott und Herr ... (17)

1. Herr gieb Gehör
Dir geb ich Ehr
In dieser Morgen Stunde;
Der Liebe Läng
Der Gnaden Meng
Rühm ich mit Hertz und Munde.

2. Mein Lebenlang
Ein Freud gesang
Auf meiner Zung erklinge,
Der deine Gütt,
Die mich behütt
Mit Lob und Danck besinge.

3. Danck sey dir Gott,
Daß du zu Spott
Der Feinde böse Tücke
Heut hast gemacht
In dieser Nacht
Zerrissen ihre Stücke.

4. Wollst also fort
O liebster Hort
Mich diesen Tag behütten
Vor Sünd und Schand
Vor hartem Stand
Und vor der Feinde Wütten.

5. Ach laß mir heut (17 v.)
Auß Gütigkeit

Fleisch, Höll und Welt nicht schaden,
Vergieß der Schuld,
Erzeig mir Huld
Du wollest mich begnaden.

6. Weil Jesus Christ
Gestorben ist
Von wegen meiner Sünden
Bin ich erlöst
Das glaub ich fest
Drum werd ich Gnade finden.

7. Ach nihm in Hutt
Leib, Seel und Gutt
Es sey dir übergeben
Mein Will und Rath
Wort, Werck und That
Mein gantzes Seyn und Leben.

8. Dein Engel-Schutz
Sey heut mein Trutz
Wenn mir die Feinde stellen;
O Gott auff dich
Verlaß ich mich
Es sol mich keiner fällen.

9. Gieb täglichs Brodt
Und was ist sonst noth
Zu meinem schwachen Leben
Gieb Krafft und Stärck
Zu meinem Werck,
Das du mir untergeben.

10. Ich bin dein Kind
Viel Mittel sind
Bey dir mich zu erhalten
Herr wie du wilt
Hierauff stets zihlt
Mein Sinn; dich laß ich walten.

Abendlied: Bleibe bey unß ... (18)

1. Bleib O Jesu, Licht der Erden
Meiner Seele Sonnenschein
Nun die Nacht den Tag schließt ein,
Nun da es wil Abend werden;
Heut mein Taglicht warest du
Sey jetzt meine Abendruh.

2. Bleib O Jesu! Meine Sünden
In die Nacht der Ewigkeit
Mich zu stürtzen seyn bereit,
Wollest gnädig mich entbinden
Daß ich an dem letzten Tag
Zu dem Licht eingehen mag.

3. Bleib O Jesu! Feuer Säule
Zwischen Pharao und mich
Diese Nacht wollst machen dich
Daß der Feind mich nicht ereile;
Ach sey mein Im̃anuel
Wie dich nennet meine Seel.

4. Bleib O Jesu! mit dem Lichte
Deines Worts in unserm Land,
Nach dem wahren Glaubens Brand
Geben Schein die Liebes-Früchte
Endlich nach der Todes-Nacht
Laß mich seyn zum Licht gebracht.

Trost-Lied. (20)

1. Meinen Jesum laß ich nicht
Denn er mich auch nicht gelassen,
Als der Sünd' ich noch verpflicht
Ihm nicht anders kont' als hassen,
Schloß er mich, o treue Brunst!
Schon in seine Lieb und Gunst.

2. Meinen Jesum laß ich nicht
Denn mich Gott in ihm erwehlet
Und befreyet vom Gericht

Das sonst ewig ewig quälet,
Da für aller Zeiten Zeit
Gott mir ihn zum Heyl bereit.

3. Meinen Jesum laß ich nicht
Denn in ihme Gott mich setzte
Nicht zum Zorne, daß mein Licht
Jesus ewig mich ergötzte
Und in ihm für Hertzeleid
Ich besässe Seeligkeit.

4. Meinen Jesum laß ich nicht
Denn er meine Sünden Schulden
Hat gezahlt, den Zorn geschlicht
Den ich sonst solt ewig dulden;
Gottes Lam̄ trägt Schuld und Pein
Nur daß ich kan seelig seyn.

(20 v.) 5. Meinen Jesum laß ich nicht
Denn er Teuffel, Todt und Hölle
Mir zu gut erlegt, gericht,
Bleibt auch jetzt mein Creutz Geselle.
Trutz sey Teuffel, Höll und Tod
Jesus ist mein Herr und Gott.

6. Meinen Jesum laß ich nicht
Auß dem Hertzen und Gedancken
Denn obgleich verlischt das Licht
Er von mir wil nim̄er wancken,
Sein Gedächtnüs mich erquickt
Und auß Angst in Him̄el zückt.

7. Meinen Jesum laß ich nicht
O wie süß ist er im Nennen,
Ob die Welt gleich widerspricht,
O wie seelig im Bekennen!
Keinen andern nennt mein Mund
Keinen sonst kennt Hertzens Grund.

8. Meinen Jesum laß ich nicht
Meines Glaubens sichres Gründen

Wenn er mächtig mich verficht
Wider Teuffel, Tod und Sünden;
Wohl wer auff den Felß sich baut
Der besteht und Leben schaut!

9. Meinen Jesum laß ich nicht
Wenn ich sol mit Feinden kämpffen
Denn er kan den Bösewicht
Sam̄t den Höllen-Pforten dämpffen. (21)
Nur in meînes Jesu Krafft
Üb ich gute Ritterschafft.

10. Meinen Jesum laß ich nicht
Denn in seinem Nahmen bethen
Ist erhört, mein Wuntsch geschicht
Nur in ihm zum Vater treten
Darff ein Sünder, als ein Kind
Ausser ihm man nichtes find.

11. Meinen Jesum laß ich nicht
Wenn ich diese Welt sol lassen
Denn er wil, wenns Hertze bricht
Mich in seine Hände fassen
Wie wir ihm sol nach der Pein
Leben, volle Gnüge seyn.

12. Meinen Jesum laß ich nicht
Wenn ich wieder werd' erstehen
Nicht in ihm, ich inß Gericht
Sondern sol ins Leben gehen,
Zu so hoher Freud und Lust
Menschen Sinnen unbewust.

13. Meinen Jesum laß ich nicht
Er ist mein, ich sein BeErben
Meine feste Zuversicht
Beid im Leben und im Sterben,
Drumb mein letzter Wille spricht:
Meinen Jesum laß ich Nicht!

(21 v.) **Ein Anders im Thon: Christe du Beystand deiner † Gemeine ..**

1. Christe du Beyspiel ungefälschter Liebe
Gieb daß ich gäntzlich deinen Willen übe
Dieser ist Lieben und geduldig fassen Alle die hassen.

2. Christen im Hertzen wahren Glauben führen
Aber durch Lieben lassen sie ihn spüren,
Nim̃er der Glaub ist ohne gute Wercke Lieber Gemercke.

3. Ohne den Glauben ist ein Christ verdorben
Ohne die Lieb' ist Glauben gar erstorben
Glauben ist wahrer Christen Geist und Leben Lieben
[ihr Weben.

4. Gottes Natur auß Lieben einverleibet
Liebe Gott selbst ist, eitel Lieb er bleibet
Kanst du nun lieben? Wohl! Gott dich belohnet ewig
[bewohnet.

5. Welcher nicht Christi Geist hat ist nicht Seine
Rühmst du dich Seiner? Wird er hell und reine
Leuchten im Lieben, seine Frucht ihm eigen Liebe bezeugen.

6. Lieben; Vergeben; ist der Edle Saamen
Tugend und from̃ seyn nur auß ihnen kamen,
Alles, was Gott thut auch sein Straffen üben fleußt aus
[dem Lieben.

7. Wasser und Ströme Lieben nicht ersäuffen
Lieben besieget Noth und Todes Häuffen,
Christus auß Liebe starb, doch ist sein Lieben lebendig
[blieben.

8. Laß mich dein Beispiel meine Liebe! fassen
Lieben für Lieben, doch mich hassen, lassen,
Dir es befehlen, der es meiner Sache Richter und Rache!

(28) **Das richtigste Testament eines Gläubigen Christen.**

O Jesu liebster Schatz, ein Schatz der alle Schätze
Weit übertrifft, auff den ich mein Vertrauen setze,

Leib, Seel und waß ich hab hab ich von dir allein
Du bist mein Herr, ich bin todt und lebendig dein.
Zu deinem Eigenthum hast du mich theur erworben
Da du für mich am Holtz des Creutzes bist gestorben,
Was wil ich trauren dann, ob mich der Tod ficht an
Weil mich auß deiner Hand kein Teuffel reissen kan?
Mein Leben, Tod, mein Heyl, das steht in deinen Händen
Drumb wil ich mich zu dir in wahrem Glauben wenden,
Und weil mir unbewußt wenn Leib und Seel sich trennt
So mach ich jetzt bey Zeit ein richtig Testament;
Darinnen geb ich dir was du mir hast gegeben,
Den ersten Augenblick, da ich anfieng zu leben,
Auch alles was du mir bald von derselben Zeit
Bißher geschencket hast auß lauter Mildigkeit.
Zu dem setz' ich auch dieß: Waß du mir noch wirst gönnen
Zu leben in der Welt, laß mich dein Thun und Sinnen
In wahrer Gottesfurcht durch deine Hülff und Gnad
Wie du es haben wilt vollführen früh und spat.
Dir übergeb' ich auch in meiner letzten Stunde,
Den Seuffzer, der alsdann wird gehn auß meinem Munde,
Das Wort mit welchem du am Creutz verschieden bist
Das laß mein letztes Wort auch seyn Herr Jesu Christ.
Der Leib, den deine Hand auß Erden hat gebauet
Sey von mir widerumb der Erden-Schoß vertrauet,
Die dein Frohnleichnam hat gewärmet und geweiht (28 v.)
Darinnen ruh' er wohl von aller Qual befreyt.
Wo und an welchem Ort er solche Ruh wird finden
Wil ich mich nicht so sehr bekūmern und außgründen,
Du herrschest überall die gantze Welt ist dein,
Drum werd' ich überall dir nach und sicher seyn.
Die Seele, die doch muß ihr Wohnhauß endlich lassen
Wolst du mit deiner Hand Herr Jesu selbst auffpassen,
Und sie bewahren wohl in deiner Wach und Hutt
Als dein Erbeigenthum; dein theuer vergossen Blut
Hat sie gereiniget vom schwartzen Koth der Sünden
Daß nichts verdam̄liches an ihr mehr ist zu finden.
Nihm dich auch derer an, die nach mir werden bleiben

In diesem Thränen-Thal, wenn sich an sie wil reiben
Des Teuffels Braut die Welt mit List, Gewalt und Trutz
So steh du ihnen bey mit Vater Treu und Schutz.
Kom̄ Jesu, wenn du wilt, jetzt hab' ich nun bestellet
Waß ich bestellen sol; Kom̄, wenn es dir gefället,
Ich wil mit, wenn du wilt; du weist die rechte Zeit
Hier ist doch lauter Qual, bey dir ist Fried und Freud.

Anmerkungen.

Zur Behandlung der Quellen ist an dieser Stelle nichts zu vermerken, da die im ersten Bande (Geistliche Schriften, S. 399 f.) angedeuteten Prinzipien für den vorliegenden Band Geltung behalten haben und das erste Kapitel der Monographie Czepkos einen ausführlichen Beitrag zur Kritik der Quellen enthält. Beim Abdruck wurde in jedem Falle auf die älteste Schicht zurückgegangen, die erreichbar war, also auf die in dem vorläufigen Stemma (Geistliche Schriften, S. 406) mit a und b bezeichnete Gruppe von Abschriften. Das ausführliche Stemma im ersten Kapitel der Monographie bezeichnet im einzelnen die vier Schichten der Überlieferung; die hier vereinigten Arbeiten Czepkos entstammen demnach der dritten Schicht (a, b), die „Pierie“ einzig der ersten Schicht (Originaldruck, von Czepko veranstaltet). Die geistlichen Gedichte unsicherer Verfasserschaft sind aus Quellen der vierten Überlieferungsschicht zum Abdruck gebracht worden, teilweise nach den frühesten erreichbaren Drucken der Kirchengesangbücher, teilweise nach den Handschriften R. 3096 und R. 3100 der Stadtbibliothek Breslau, die man bisher kritiklos für Teile der alten Rehdigerschen Sammlung der Czepkonia gehalten hat, obwohl sie deutlich erst später zu dem ursprünglichen Bestand der Abschriften aus Czepkos Werken geschlagen worden sind. Näheres hierüber: Monographie Kap. I, Anhang zur ersten Liste der Bibliographie. Die Texte sind diplomatisch getreu wiedergegeben, eine Normalisierung mit dem Ziel, Czepkos Schreibweise zu rekonstruieren, erschien untunlich, zudem kaum möglich, da Czepko die Mehrzahl seiner Werke diktiert hat und überdies nur ein Bruchteil der selbstgeschriebenen wie diktierten Originale auf uns gekommen ist. Die Originaldrucke (Pierie und Rede aus meinem Grabe) spiegeln nicht Czepkos, sondern die Schreibweise der Druckereien wieder, vgl. hierüber Monographie, I. Kapitel und vorläufig: Schlesische Monatshefte 1930, S. 402 f. (Ein Czepkofund). Daß einige sinnentstellende Druck- und Schreibfehler (zugeignet statt zugeeignet etc.) stillschweigend ausgemerzt wurden, darf kaum als Abweichung von dem strengen Grundsatz genauer Wiedergabe der Texte angesehen werden.

Die Anmerkungen beschränken sich im einzelnen auf das Notwendigste. Zur kurzen Bezeichnung der Handschrift treten Sacherklärungen nur, wo sie unbedingt erforderlich erscheinen: Dem Leser darf wohl zugemutet werden, auch weniger deutliche Anspielungen aus der klassischen Mythologie und der Geschichte und Literatur des 17. Jahrhunderts selbst zu erklären. Aufgeführt hingegen sind wenig geläufige Anspielungen, sowie sprachlichen Bildungen besonderer Art. Einige Randbemerkungen der Abschreiber sind wiedergegeben, wenn sie geeignet erscheinen, zum Verständnis beizutragen.

Grundsätzlich muß bemerkt werden, daß beim Abdruck dieser Randbemerkungen wie bei der Auswahl der Namen- und Sacherklärungen nichts anderes als eine erste Unterstützung für den Leser geplant ist. Sachliche Erläuterungen zu den einzelnen Schriften Czepkos sind der oben erwähnten Monographie vorbehalten, eine Untersuchung über Czepkos Sprache und Wortschatz ist geplant. Für freundliche Mitteilungen zu einzelnen Anmerkungen ist der Herausgeber Herrn Prof. Dr. R. Koebner und Herrn Dr. W. E. Peuckert, vor allem aber Herrn Dr. W. Jungandreas, der aus seiner reichen Kenntnis der Geschichte der schlesischen Mundart wertvolle Hinweise gab, zu Dank verpflichtet.

1. Coridon und Phyllis.

Hs. R.2194, Seite 1—349 Schreiber: I. S. E. 1722, Juni 10. Variantenapparat nach Hs. F. (Fürstenstein) Qu. 161, S. 1—399. I. S. E. 1723.
Die Hs. F. ist um weniges jünger. Der Schreiber hat eine Reihe von Strophen ausgelassen, sonst weicht die Hs. nur in unerheblichen Punkten von der Breslauer R-Hs. ab. Der Fassung von F. ist nur in wenigen Fällen, die, wo es nötig schien, vermerkt sind, der Vorzug vor R. zu geben. Eine Reihe stets wiederkehrender Abweichungen sind im Apparat nicht oder nur bei ihrem ersten Erscheinen notiert; vgl. hierzu Geistl. Schriften, S. 405. Zu den dort genannten Fällen treten: b im Wortschluß (darum, darumb); -en in der Endung (außer dem in Band I genannten Falle endlich — endlichen hier auch) selbst — selbsten; m und n in der Endung (Bödem — Böden); ch und g (außer dem in Band I genannten Falle herrlich — herrlig, auch) Röckchen — Röckgen; eingeschobenes t: wünschen — wüntschen; -aaf, af, aff im Wechsel; i und y; k und q (Maske — masque); e und a bei wenn — wann, denn — dann; neben unsers — unsres (Band I) auch euern — euren. Gleichfalls unerwähnt Interpunktion ohne Sinnesänderung, hauptsächlich Wechsel von : ; , . Eine dritte Abschrift des Werkes findet sich in der vierten Überlieferungsschicht, die bei der Edition unberücksichtigt geblieben ist (vgl. Geistl. Schriften, S. VI). Der Abschreiber Joh. Benj. Klose (über ihn vgl. Monographie Einleitung zur Bibliographie im ersten Kapitel) vermerkt hier am Ende: Diese Abschrift ist aus derjenigen gemacht, welche ietzt (1777. d. 8. May) Ls. Rect. Arlet.[ius] besitzt, der sie vom verstorbenen Pastor Kluge in Neumarkt erkauft. Sie ist in 4^{0} geschrieben... Sie ist von einer guten Hand geschrieben. Allein der

Schreiber hat nicht angemerkt, ob sie aus dem Original, oder einer Kopie gemacht worden. Die auf der Seite stehenden Anmerkungen und Inhalts-Anzeige sind von eben der Hand mit roter Dinte. Ob sie der E. [Ezechiel] gemacht, oder ein andrer? vom Czepko selbst, sind sie wol nicht.

21 Z. 33. Delie: Die aus Delos: Artemis.

22 Z. 15. Hoemus: Gebirge in Thrakien.

24 Z. 15. Pimpla: Berg in Böotien, Teil des Helicon.

25 Z. 6. Hüttung: schles. huttiche. Weideplatz, vgl. Grimm, Wörterbuch IV, 2, Sp. 2000.

Z. 14. Aoener Schloß, Aonia, Teil Böotiens. Hier wie Pimpla: Musensitz. Quelle: Ovid.

30 Z. 16. Hier am Rande: Ovidii Met. L. IV.

31 Z. 5. Zoten: Zobten.

33 Z. 32. kürmeln: lallen. Grimm V, 2814.

35 Z. 25. Am Rande: Einer von der Cziganischen Familie, der unter Matthia Könige in Ungarn umb A. 1460 in Krieges Diensten gestanden, hat sich durch Hülffe der Cziganer deren 2. Regimenter bey der Königl. Armée gewesen, sich dergestalt signalisirt, daß ihm der König gnädig zugesprochen: Adesdum Zigane! Von diesem Preißwürdigen Geschlechte, so von Kayser Rudolpho II. in Freyherrl. Stand gesetzet worden, stam̃te her Jo. George Czigan, Freyhl. v. Schlupska, der die Herrschaft Freystadt im Teschnischen Fürstentum beherrschet, ein hochgelehrter Herr, starb auf seinem Gute zu Sacrau in Oberschlesien 6. (16.) Jan. 1640. Deßen Gemahlin gewesen Marjana Kochtitzkin, Freyin von Kochtitz.

36 Z. 6. beklieben: Von bekleiben = kleben. Hier: bleibend haften. Grimm, I, 1420.

Z. 6. Zur Anm. S. 35 gehörig am Rande: Habuit hic memoratus Cziganus duos fratres: Carolum Henricum, cui hoc scriptum dicatum, et Wenceslaum Fridericum: ut et sororem, quae virgo mortua est et Pallidi magis quam Veneri nomen dedit.

38 Z. 12. Melde: Atriplex, Kraut der Chenopodiazeengattung (Gänsefuß).

41 Z. 31. Oppau, heute Oppa, linker Nebenfluß der Oder, mündet bei Schönbrunn (Oberschlesien).

44 Z. 15. Eyter: Euter.

45 Z. 27. Ithim: Itys, Sohn des Tereus und der Prokne. Tereus näherte sich unter der Vorspiegelung, Prokne sei tot, deren Schwester Philomene, worauf Prokne Itys schlachtete und dem Vater zum Mahle vorsetzte. Tereus wurde in einen Wiedehopf, Prokne in eine Nachtigall, Philomene in eine Schwalbe verwandelt.

49 Z. 33. Melisse: Pflanze, Gattung der Lippenblütler.

52 Z. 25. eesen: Faktitiv. zu essen: füttern.

Z. 26. kiehlen: Federn wechseln.

54 Z. 16 f. Vergleich der Phyllis mit berühmten Gestalten der Weltliteratur. Imma: Emma (Eginhard-Sage); Urfe: d'Urfé.

55 Z. 16. Pembrock: Grafschaft Pembrockshire, Süd-Wales. (vgl. Sidney, Arcadia.)

56 Z. 9. Barberle: Koseform für Barbara (Czigan).

61 Z. 27. Fohren: Forellen.

62 Z. 2. Qual: Quell.

68 Z. 6. Am Rande: Mich. IV. v. 3.

69 Z. 1. verjehen, verjähn: bekennen.

Z. 25. Stand-Nutz: Staatsräson.

70 Z. 7 f. Adler mit der burgundischen Brust: Habsburger Wappen.

73 Z. 23. hancken: anhängen (trans.), verkürzt aus hohnnecken (schles.)?

84 Z. 12. Perillus. Die erzenen Ochsen des Perillus (Marterwerkzeug in der Art der späteren „Eisernen Jungfrau". Ovid, De arte amandi, I, 655).

Z. 22. verjähn, s. Anm. zu S. 69.

88 Z. 15. Casel: Priestergewand.

90 Z. 1. Zembla: Insel im äußersten Norden (Nowaja Semlja?); vgl. Zedler, Universal-Lexikon. 61.

94 Z. 16. Morija: Ort des Tempelplatzes in Jerusalem, nur Gen. XXII, 2 und II. Chron. 3, 1 (R. G. G.[2] IV, 218).

96 Z. 16 f. Elia usw.: Hinweis auf die Vorstellung der jüdischen Eschatologie, die den Messias als „umgefleischten" Elia begreift.

100 Z. 24. Bruch: Sumpf. „Bruch und Bronnen" als feste Formel verwandt.

104 Z. 20. Öhmen: Grummet, Nachschur.

105 Z. 20. Sarmatien: Rußland.

Z. 21. Mechovius: Matth. Miechow † 1523, Geschichtsschreiber Rußlands; vgl. Monographie, Kap. I.

Z. 25. Lycaon: Lycaonien, kleinasiatische Landschaft.

106 Z. 14. Lech und Czech: „Nachdem die Slavonier, eine von denen Scythen entsprungene Nation ... unter Justiniano gantz Griechenland verheereten, schickten sie 2 Brüder Lechum und Czechum aus, unter welchen der letztere Mähren und Böhmen behauptete, der erste aber sich Meister von dem Lande derer Quaden oder Schlesier und Großpohlen machte." Zedler, Universal-Lexikon, XVI, Sp. 1311.

107 Z. 5. Graecken: Erzählungen, Possen (Belegt bei Val. Herberger).

108 Z. 25. einähren: ernten.

110 Z. 22. Amsen: Ameisen.

115 Z. 3. Nachstand: Rückstand (von Zinsen). Grimm, VII, 137.

121 Z. 24. Alecto, Furie.

122 Z. 33. Antenor, hier: Gegner Mansfelds, Wallenstein (Schlacht bei Dessau, 1626).

123 Z. 4. Lottern: Lutter am Barenberge. Sieg Tillys über Christian IV. 1626.

Z. 9. Velau: Veluwe, Plateau an der Zuider-See zwischen Rhein und Ijssel. Stützpunkt der Spanier in den Kämpfen mit den Generalstaaten 1629 (vgl. Blok, Gesch. d. Niederlande III, 364 ff.).

Z. 10. Nives: Herzog Karl v. Nevers. Von Spanien als legitimer Thronfolger nicht anerkannt, daher Mantuanischer Erbfolgestreit 1628 (vgl. Ritter, Deutsche Geschichte im Zeitalter der Gegenreformation, S. 397 ff.).

Z. 19. Tembs und Sein: Themse und Seine.

124 Z. 10. Codanus (Sinus): Ostsee.

Z. 31. Longevall: Duc de Longueville. Führer des französisch-weimarischen Heeres in Pfalz und Rheingau, 1639.

130 Z. 1. Gartung: Landstreicherei; Grimm: „Vagatio militum".

131 Z. 11. Tibaut, Gerh. Thibault, Verfasser von: L'Académie de L'Epée ou se demonstrent la théorie et pratique du mariement des armes à pied et à cheval. 1628.

Z. 32. trüllen: drillen. Grimm, II, 1411.

132 Z. 12. platt: flach.

Z. 12. schriemes: adv. schräg, quer.

Z. 27. Kober: Korb.

133 Z. 7. Griso (Grisone) aus Neapel veröffentlichte 1550 Gli Ordini di Calvacare e modo di cognescere le nature di Cavalli. (1573 deutsche Übersetzg.: Künstl. Bericht, wie die Pferde geschickt zu machen).

136 Z. 5. Schlung: Schlund.

Z. 23. Gloch: Gelach: Gelage (belegt bei Val. Herberger).

142 Z. 25. Thürne: Türme; vgl. Grimm, XI, 1, 467.

Z. 33. Bantam: Hauptstadt von Java.

151 Z. 27. alten: für altern; vgl. Grimm, I, 267.

152 Z. 10. Die Krame: Verkaufsstand; vgl. Grimm V, 1985—87.

153 Z. 10. Seiger: Uhr.

154 Z. 15. Berlich: Matth. B., sächsischer Jurist 1586—1638. Hier wohl Hinweis auf seine Conclusiones practicabiles.

155 Z. 26. Schüller-Mann: schüllern oder schullern: schultern (Grimm, IX, 1980), Schüller-Mann also Soldat (bei Grimm nicht belegt).

156 Z. 22. pfeuchzen: intens. zu pfauchen.

162 Z. 12. krieß: kreißte. Starke Form als schlesisch belegt bei Grimm, V, 2164.

164 Z. 27. Hammon: Jupiter Ammon. Zu Ammonshörner vgl. Bächtold-Stäubli, Wörterbuch des dt. Aberglaubens, I, 368 und Zedler, Universal-Lexikon, XII, 399.

167 Z. 9. Codan; vgl. S. 124.

170 Z. 16. Amynta: hier als Bezeichnung eines treuen Freundes.

Z. 25. wo die Breusche fließt: Größter Fluß der Vogesen, mündet bei Straßburg in die Ill.

171 Z. 28. Amurath: wohl Amurath IV., seit 1623 türkischer Kaiser.

Z. 31. Fernabuco: Pernambuco.

175 Z. 20. gebrüsten: für gebrüsteten; vgl. Grimm, IV, 1, 1, 1878.

176 Z. 17. Moh: für Mohn (schlesisch).

Z. 19. Aeacus: dritter Höllenrichter, „der in Sonderheit die Europäer richtet“ (Zedler).

179 Z. 14. egen: eggen.

186 Z. 11. Hier am Rande späterer Hinweis auf die Feldarbeit der alten römischen Geschlechter.

193 Z. 25. Am Rande: Beleg für Davids Hirtentätigkeit aus Drexel, De Davide C. III, § 1.

Z. 31. Am Rande Hinweis auf einen verlorenen Briefwechsel Czepkos „Noster in literis ad Jac. Thammium datis (v. T. 1 Collect. p. 11. 12 = [Collect. Varior. fragment. Tom 1 verloren]) illud rursus affirma scribendo: Se conqverenti de vastatis et militum furore deturbatis praediis erexisse psalmos istos, quos in aere libero et inter opera agrestia canere didicerit: ac rastra ligonesque relinqvens diadema regium accessisse, et animum suum hoc oleo tranquilliorum reddidisse“.

195 Z. 16. Brömmer: Bulle, Grimm, II, 397.

197 Z. 16. Am Rande: Phavorinus sagt beym Stabaeo: Es sey umb den Ackerbau ein verdrüßlich und unendliches Ding. Denn man müsse säen, daß man erndten, und einerndten, daß man säen könte.

Z. 31. Hier am Rande: längerer Hinweis auf einen Brief des Erasmus.

198 Z. 10. Hier am Rande: Abschrift der ganzen II. Epode des Horaz.

Z. 28. Kutsche: Kutscher. Belege: Grimm, V, 2890.

199 Z. 17. angewehrn: angewähren = an den Mann bringen.

203 Z. 19. Am Rande: Hinweis auf Cicero pro Roscio Cap. XVIII.

206 Z. 11. Hofe Reyte: Freier Hofplatz im Gute.

Z. 15. Tätz-: Gemüsegarten (schles. tatsebet).

213 Z. 6. Schoppen: Schuppen.

Z. 23. Hier am Rande: Hinweis auf ein Gedicht des Jo. Frascatorius Veronensis Medicus et Poeta, das als aus der Vita des Petrus Lotichius ex recensione Hagii p. 437, Leipzig 1586, geschöpft bezeichnet wird.

214 Z. 11. Zu Poltzen drehn: aufbauschen; vgl. Grimm, VII, 1994.

215 Z. 27. ruhren: umgraben.

216 Z. 8. geschätzt: hoch bewertet (?).

Z. 9. verschoben: Schieber ist Koller (Krankheit) der Pferde, schieben aber auch Tätigkeit des Zugtieres im Zugbrett, sodaß verschoben: verbraucht bedeuten könnte. Oder schieben: coire (?).

217 Z. 29. angepicht: wie angegossen; pichen, Grimm, VII, 1837.
218 Z. 4. Hüff: zu Hüffte vgl. Grimm, IV, 2, 1871. Hier: Schenkel.
Z. 11. Kann und Fahrt: wagerechte Stange, auf den Schultern zu tragen, an der mit herabhängenden Ketten zwei Eimer oder Kannen befestigt werden, so daß eine Fahrt die Mengenbezeichnung für zwei Kannen, zugleich für das Instrument.
Z. 17. Matten: geronnene Milch. Grimm, VI, 1763.
Z. 20. gelde: unfruchtbar.
219 Z. 6. Frauen-Tage: Mariä Himmelfahrt bis Mariä Geburt (15. August bis 8. September).
Z. 10. Bremmer vgl. Anm. zu S. 195.
Z. 25. Saügling, auch vom Tier. Beleg bei Opitz; vgl. Grimm, VIII, 1895.
220 Z. 31. Hurten: Hürde, Flechtwerk, hier zum Schutz der Tiere im Winter.
221 Z. 4. Arcturus: Plinius bezeichnet diesen Stern (erster Größe) im Sternbild des Bootes) als sturmbringend.
Z. 8. Steer: Widder.
222 Z. 27. putzen: einander übel mitspielen; Grimm, VII, 2282.
223 Z. 5. Bäncke: Fleischbänke, Schlacht- und Verkaufsstände in der Stadt.
223 Z. 15. Burg: verschnittener Eber.
Z. 23. Rantze (schles.): Mutterschwein.
225 Z. 24. Schoben: Strohbedeckung der Dächer.
226 Z. 10. Tutzt: Dutzend.
Z. 14. Dißlein, tiß ist Lockruf für Tauben.
Z. 22. bepflocken: mit Hilfe eines Pflockes befestigen. Hinweis auf die Verwendung von Eulen zur Jagd auf Raubvögel.
227 Z. 29. Hoffreit vgl. Anm. zu S. 205.
228 Z. 1. glochzen: glucksen (belegt bei Herberger, Hertzpostille).
Z. 19. perschen: brüsten.
232 Z. 21. Erlicht: Erlenhain.
233 Z. 1. krübelt: kribbelt; hier: regt sich lebendig.
238 Z. 2. siefern, sickern; vgl. Grimm, X, 1, 885.
Z. 10. Schnaten: Halme; Grimm IX, 1193.
Z. 10. peltzen: pfropfen (inserere).
Z. 16. Pergamuten: Bergamott-Birnen.
Z. 33. Hybla: Berg in Sicilien, seiner Bienen wegen berühmt (Plinius).
246 Z. 9. Hocke: Haken, eine bestimmte Form des Pfluges.
Z. 31. Seid: (Luscula L.) Filzkraut, eine Schmarotzerpflanze.
247 Z. 21. Knotten: Flachssamenknopf.
Z. 26. Rüffel: Kamm zum Flachsraufen.
Z. 28. Röstung: Vorgang des Faulenlassens in der Flachsbereitung.
248 Z. 2. büßlen: bündeln.
Z. 8. Breche fem.: Instrument zum Brechen des Flachses.

Z. 18. Kaute: ein Gebündel Flachs.
Z. 22. Spille: Spindel (schles.).
Z. 27. Seres: Ceres.
Z. 32. weiffen: Garn aufwickeln.
249 Z. 16. Schlichte fem.: Stärke, die in feuchter Form zum Glätten des Garnes dient.
Z. 19. anbaumen: auf den Webebaum aufwinden.
252 Z. 6. Risse: plur. von Rieß (Papiermaß).
255 Z. 24. Stipff: Pünktchen, bei Czepko oft als religionsphilosophischer Begriff. Vielleicht zu mhd. Stüppe, Staub oder zu niederd. Stüppe, Punkt (im Gesicht)?
Z. 27. Rincke: Ring.
256 Z. 8. schrieme: schief (hier adv.).
Z. 14. Cembla: vgl. Anm. zu S. 90.
257 Z. 31. Procyon: Stern im Sternbild des kleinen Hundes.
261 Z. 24. Latmos: Berg in Kleinasien (Zedler XVI, 910).
262 Z. 7. am Rande: Pallida Luna pluit, rubicunda flat, alba serenat.
266 Z. 22. Daurant: eigtl. Tharant oder Dorant: kleines Löwenmaul; vgl. Bächtold-Stäubli.
268 Z. 10 u. ff. kölstern: trocken husten; Feifel ritzen: mhd. vîvel, Speicheldrüse der Pferde; Schliemen: mhd. slieme, Netzhaut. Die anderen Fachausdrücke tierärztlicher Art sind nicht eindeutig bestimmbar.
269 Z. 12. Stär: Widder.
Z. 28. Am Rande: Sæpe negliguntur herbae virtuosae domesticae, quae peregrinis longe utiliores.
270 Z. 23. Quaja: „Franzosenholz“ (vgl. Zedler IX).
272 Z. 19. Alcides: Herakles.
275 Z. 1. Plotzer Schlag: plotzer adj. zu plötzlich.
Z. 13. Spieß Glas: eigentlich: Spießglanz, Antimonsulfid (vgl. Lippmann Alchemie II, 124).
Z. 17. Bleysüß: Bleiglanz.
Z. 19. Agtstein: Bernstein, vgl. Zedler III.
Z. 29. tartarisieren: Tartaros ist Weinstein.
276 Z. 13. Zwiedorn: Hermaphrodit.
277 Z. 9. Scharbock: Skorbut.
278 Z. 25. Alkahest: Allgemeines Lösungsmittel der Alchemie (vgl. Czepko geistl. Schriften S. 404. Anm. z. S. 205 Z. 18).
281 Z. 20. Pales: Göttin des Viehes und der Hirten.
Z. 31. Brödterei: Bäckerei.
282 Z. 6. Hocken: Pflug; vgl. Anm. zu S. 246.
Z. 11. Klösser: Erdschollen.
283 Z. 6. Aeschen (Forellen?), Tübel, Barmen (Barben?): Fische.
286 Z. 3. Zeidel: Schwarm.

Z. 21. Kietz: eig. Behältnis für den Wetzstein der Sense oder Rückenkorb. Auch Kötz. Hier: kleiner Behälter.

287 Z. 30. prausen: schwellen.

287 Z. 33. pausen: bauschen, schwellen; vgl. Familienname Pausewang.

291 Z. 31. Mandeln: zusammengestellte Getreidebündel (Puppen).

Z. 33. Bansam: eigtl. Bansen: Scheunenraum.

294 Z. 10. Rooken: Roggen. Die ungewöhnliche Form erklärt sich vielleicht daraus, daß der Schlesier das Wort Roggen nicht kennt (er verwendet das Wort Korn), so daß Roggen ihm ein Fremd- oder zumindest Lehnwort ist.

296 Z. 2. rimpfen: rümpfen.

Z. 12. ausbracken: aussondern.

Z. 16. Rammel-Leuter: Leiter zum verrammeln.

Z. 26. Zückel: Zickel.

298 Z. 33. Rispe: Querbalken unter der Decke.

299 Z. 2. Först: First.

Z. 5. Schienholtz: geschältes, aber noch unverarbeitetes Holz.

Z. 12. Lasse: wohl gekürzte Form zu Leuchse, Verbindungsteil zwischen Seitenwand und Rand an Kastenwagen.

Z. 13. Stertze: Haltestange (eigentlich am Pflug).

Z. 25. scharben: schaben.

300 Z. 23. Gieb: Atemzug (gieben: mühsam atemholen, auch bei Val. Herberger).

303 Z. 15. am Schluß des Werkes: ..d. 10. Jul. 1722 (Anmerkung des Abschreibers über den Abschluß der Abschrift).

304

Pierie.

Von Czepko selbst veranstalteter Druck 1636 (ohne Angabe des Druckers). 8°. 46 S. Handschriften nicht vorhanden.

306 Die „Vorrede" zwischen „Dem Lesenden" und dem Personenverzeichnis enthält Auszüge aus den verwandten Quellen.

306 Z. 28. Neleus: Gründer Milets (Pausanias 7, 2; Strabo 14, 941).

311 Z. 31. Bräckin: Hündin (als Schimpfwort: Grimm, II, 290).

322 Z. 6. Polixena: Tochter des Priamus, die für den Griechen als Sühne für den Tod des Achill geopfert wurde (Ovid, Metamorph. 13, 448).

Z. 15. Procris und Kephalos: (Ovid Metamorph. 7, 493) Sage von der durch Eos gestörten Ehe und von dem niefehlenden Speer der Artemis, mit dem Kephalos die Procris tötet.

334

Drey Rollen verliebter Gedancken.

Hs. R. 3096. 8°. A. R. S. und I. S. E. 1718. Bl. 33—50v. Neudruck durch Strasser: Münchener Museum IV, 159 f. 1924. (Ungenauigkeiten dieser Edition sind verzeichnet.)

334 Z. 15. Hiltschin: Huldschin.

335 Z. 20. geschorren: gescharrt.

342 Z. 19. Sprenckeln: Fallen.

343 Z. 22. Bekleibt: vgl. S. 459 Anm. zu S. 36, Z. 6.
Arethusa: Von Artemis in eine Quelle verwandelte Nymphe, (Vergil, Georgica IV, 344).

345 Z. 27. Biß auf den Mund: Zum Verhältnis dieses Epigrammes zur griechischen Vorlage; vgl. M. Rubensohn, Griechische Epigramme in deutschen Übersetzungen d. XVI. u. XVII. Jhdts. Weimar 1897 (S. 69 u. 143 f.).

350 Z. 8. Azoth: „bedeutet bei einigen (Paracelsus) das höchste Remedium“ (Zedler) oder einfach: Stein der Weisen.

351 Z. 8. Stipchen: vgl. S. 464 Anm. zu S. 255, Z. 24: Pünktchen.

353 Unbedachtsame Einfälle.

Hs. R. 3096. 8⁰. A. R. S. und I. S. E. 1718, Bl. 15—32v (Erster Bund 15—22).

361 Satyrische Gedichte.

Auswahl aus: Kurtzer satyrischer Gedichte erstes (bis sechstes) Buch. Hs. R. 2188. 8⁰, A. R. S. um 1720. Bl. 36v—117v.

361 Z. 18. blobt: belobt.
Z. 21. Pulpet: Bühne, Sprechplatz der Schauspieler im Römischen Theater.

362 Z. 12. Grecken: Possen vgl. Anm. zu S. 107, Z. 5.

365 Z. 35. Radwer: einrädiger Karren, der statt eines Kastens parallel angeordnete Leisten hat.

369 Z. 36. Käffer: (schles.) Loch, Hosenlatz (Grimm V, 24).

377 Z. 19. Kapphahn: unbedeutende Form von Kapaun: verschnittener Hahn.

375 Z. 18. bähn: bähen, erwärmen (Grimm I, 1076).

379 Z. 11. igeln: eigentl.: stechen, propfen; hier: ärgern (vgl. Jungandreas schles. Zeitwortbildung).

380 Z. 29. brüchiglose Wasen: Rasen ohne Sumpf- (Bruch-) Land.

382 Z. 34. Hinweis auf den Spottvers „Quod non fecerunt Barbari, fecerunt Barberini“ (Papst Urban VIII. aus dem Geschlecht der Barberini).

383 Z. 6. thurstig: wagemutig.

388 Z. 19. Eselsfresser vgl. Anm. zu S. 425, Z. 1.

390 Z. 6. verurschen: (schles.) verschwenden.

391 Z. 21f. vgl. Monographie Kap. II, 2.

393 Z. 30. vom Wind gezwagt: vom Windhund gezwickt.

397 Z. 4. gestrengen: mit dem Strang hängen.

399 Z. 1. Fraas: zehrende Krankheit.

400 Z. 28. Böhm: (schles.) Groschenstück.

403 Z. 6. Mercava: Thronwagen Gottes.

405 Z. 30. Alkahest: Lösungsmittel, vgl. Anm. zu S. 278, Z. 25.
410 Z. 20. Kräle (mhd. Kröuwel) Mistgabel.
411 Z. 18. einhauben: bewölken.

414 Rede auf Rosa.

Hs. R. 2195. 8⁰ um 1720. I. S. E. S. 349—356. Die Widmungsverse des Czettritz an Czepko sind nicht mit abgedruckt.

415 Z. 8. befahren: in gefährliche Berührung kommen.
417 Z. 5. Gaden: Stockwerke.

420 Ausgewählte Gedichte und Gedichte unsicherer Verfasserschaft.

420 Gedancken in eine Melone geschnitten, R. 2195, I. S. E. S. 198 bis 199.
421 Über einen Ring, ebenda S. 200.
421 Ein Degen, ebenda S. 200.
421 Vergebene Liebes Wünsche, ebenda S. 200—202.
422 Gesetze der Liebe, ebenda S. 202—208.
425 Consecratio Asini, Hs. R. 2188. S. 30—31.

Dieses Gedicht bezieht sich auf den Spottnamen der Schlesier „Eselsfresser". Die Herkunft dieses Spottnamens ist noch ungeklärt. Er wird zusammengebracht mit dem Brauche des Pferdefleischessens, mit dem Krakauer Drachen Olophagos, mit der Bezeichnung goldener Esel für ein schnell abgebautes Bergwerk, und endlich als ein allgemeines Schimpfwort, das sich auch in Süd- und Westdeutschland feststellen ließe, bezeichnet. (Vgl. Mitteilungen d. Schles. Gesellschaft f. Volkskunde, Heft 15 (Kühnau), Heft 16 (Klapper), Heft 17 (Kahle) und Böhlich, Bibliographie der Schlesischen Volkskunde, wo die gesamte Literatur angegeben ist.

426 Ins Stammbuch des Wolfgang Stirius. R. 3100, S. 10 (Einzelblatt).
427 Vive, moriendum est. An Zacharias Allert. Hs. St. 1 der Stadtbibliothek Breslau. (Stammbuch des Zacharias Allert.)
428 Auff das Grab Balthasar Hildebrands. Hs. R. 2188, S. 145.
428 Trauriger Abschied an Hans von Franckenberg. Hs. R. 2195, S. 342—343.
429 An Herrn Albrecht von Rohr, ebenda, S. 343—345.
431 Trostlied. Von Czepko selbst veranstalteter Druck: Danckgedichte an Herren Friedrich Echarden ... [1630] ohne Angabe von Ort, Jahr und Drucker. Bij — Biij .
433 Duplex morbus. Hs. R. 2195, S. 247.
433 Fragment. Hs. R. 2195, eingeklebter Oktavzettel hinter S. 250.
433 An das Riesen-Gebirge. Hs. R. 2195, S. 347.
434 Tugend wird nicht begraben. Hs. R. 2195, S. 345.

434 Angefangener und vollendeter Ehestand. Hs. R. 2192, S. 4, 14, 60, 62.

436 Todesgedancken. Hs. R. 2195, S. 120—123.

439 Bußlied: O Sündenlast. Nach Burgs Gesangbuch, vgl. Monographie Anhang zur Liste I, Kap. I. oben.

441 Kirchenlied: Mein Hertz ist froh. Nach Burg, vgl. Monographie wie oben.

441 Abziehung von leiblichen Sorgen: Auf, auf mein Herz. Nach Burg, wie oben.

443 Am Heil. Osterfest. Hs. R. 3096, S. 90.

444 Aus den Worten Exodus XV. Hs. R. 3096, S. 90—90v.

444 Auf die Himmelfahrt Christi. Hs. 3096, S. 90 v.

446 Am Sonntage Exaudi. Hs. R. 3096, S. 91.

447 Auff die heilige Tauffe. Hs. R. 3096, S. 91 v.

448 Ein Morgenlied. Hs. R. 3100, S. 16—16v.

449 Ein ander Morgenlied. Hs. R. 3100, S. 17—17 v.

451 Abendlied. Hs. R. 3100, S. 18.

451 Trost-Lied. Hs. R. 3100, S. 20—21.

454 Ein Anders: Hs. R. 3100, S. 21 v.

454 Das richtigste Testament eines gläubigen Christen. Hs. R. 3100, S. 28.

Errata.

S. 185 Z. 19 (am Rande): Graecae statt Graaecae
S. 206 Z. 19: Kraüttern, teils statt Kraüttern. teils
S 309 Z. 12 (am Rande): Aiij statt Biij
S. 371 Z. 22: mit statt imt
S. 380 Z. 15: Vollbrätig statt Vollbrütig